Mariana Pineda

Letras Hispánicas

Federico García Lorca

Mariana Pineda

Edición de Luis Martínez Cuitiño

DECIMOQUINTA EDICIÓN

CÁTEDRA

LETRAS HISPÁNICAS

1.ª edición, 2001
15.ª edición, 2021

Ilustración de cubierta: *Dama española sentada,* Federico García Lorca
Documentación gráfica: Fernando Muñoz

PAPEL DE FIBRA
CERTIFICADO

© Ediciones Cátedra (Grupo Anaya, S. A.), 2001, 2021
Juan Ignacio Luca de Tena, 15. 28027 Madrid
Depósito legal: M. 32.063-2009
ISBN: 978-84-376-0976-8
Printed in Spain

Índice

Introducción

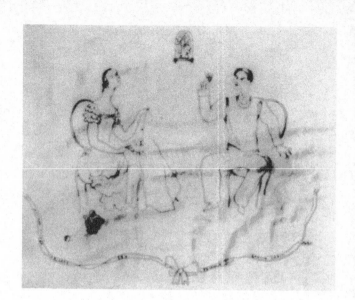

Mariana Pineda hablando con Federico. Ontañón, 1930.

La figura histórica

Mariana Pineda vivió en Granada en el primer tercio del siglo XIX. Su existencia posee muchos elementos de novela romántica. Situaciones misteriosas aún no aclaradas del todo compiten con otras que le otorgan halo de criatura signada por el destino ya desde su nacimiento, en 1804. Su padre, don Mariano de Pineda y Ramírez, oriundo de Guatemala, se retira como capitán de navío por motivos de salud y retorna a Granada, la ciudad de sus mayores, a los cuarenta y ocho años. Dos años después, con ocasión de un viaje a Lucena, pueblito de Córdoba, se enamora de María de los Dolores Muñoz, de tan sólo dieciséis años. La pasión es correspondida y como el abolengo del capitán impide al parecer la boda, la pareja se fuga a Sevilla, pasando sobre las diferencias sociales y de edad. Se instalan después en Granada, en 1803, donde muere el primer fruto de esta unión, una niña, y donde el marino, de pronto en peligro de muerte por el recrudecimiento de una antigua dolencia, reconoce como hijo o hija natural al nuevo vástago aún en el vientre materno. A los quince meses de su nacimiento la niña es objeto de pleito por la desavenencia de sus padres, ya separados, y es arrebatada a su madre por la fuerza pública. Al morir don Mariano vuelve la niña con su madre, pero casi inmediatamente pasa a vivir con su tío paterno, ciego, don José de Pineda, designado su tutor. María de los

11

Dolores desaparece entonces para siempre de la vida de su hija. Al casarse don José, su esposa no acepta a la huérfana, que es confiada a don José de Mesa y a su mujer, doña Úrsula. Matrimonio sin hijos, deparará por fin a la criatura un verdadero hogar donde no pasará privaciones. La herencia paterna, luego de la muerte de su tío, será objeto de pleitos numerosos que no llegarán a buen fin. Primero la viuda de don José y luego la hija y la venalidad de los jueces (llegaron a negarle lo que era suyo al hacerse pública la sentencia de muerte) le impidieron acceder a la mayor parte de sus bienes.

Adolescente, su seductora belleza rubia llama la atención. Un militar, Manuel de Peralta y Valte, de veinticinco años, de ideas liberales, se enamora y casa con Mariana, que ha cumplido los quince. La felicidad apenas dura tres años. Súbitamente muere el esposo y nuestra heroína queda viuda con dos hijos: José María y Úrsula María.

Por esa época, España se hallaba bajo el absolutismo de Fernando VII, que ejercía un régimen despótico y desataba intensa persecución contra los liberales después de haber abolido la Constitución de 1812. Las conspiraciones se suceden, así como las terribles represalias de los «serviles» o realistas. Mariana Pineda actuaba, al parecer, ya decididamente en política, se cree que por influjo de su marido a quien, por otra parte, había conocido en reuniones libertarias que se efectuaban en la misma casa de sus padres adoptivos.

Otro hombre de la misma filiación política va a ocupar un lugar relevante en la vida de Mariana. Su minuciosa biógrafa, la granadina Antonina Rodrigo[1], menciona un nombre desconocido por los investigadores de la heroína: el del capitán Casimiro Brodett quien pidió, en 1824, permiso reglamentario al rey para contraer enlace con Mariana Pineda. Ésta también lo solicitó por ser viuda e hija de mi-

---

[1] Antonina Rodrigo, *Mariana de Pineda,* Madrid, Alfaguara, 1965.

litar. El pedido fue acordado, pero el casamiento no se llevó a cabo. Quizá influyó que se le impusiera al novio como condición que «tenía que purificar su situación dentro de la política imperante»[2] y que los tribunales rechazaran la que presentó. Lo cierto es que Mariana desaparece por dos años de Granada y no se sabe a ciencia cierta dónde estuvo. Tal vez —aventura Antonina Rodrigo— siguió a su prometido a Burgos, donde residía con licencia indefinida[3]. La misma autora se pregunta si los amores que la leyenda y los romances anónimos atribuyen a Mariana en la etapa final de su vida, y por los que llegó hasta el patíbulo, no serán en realidad con este oficial en vez de con su primo Fernando Álvarez de Sotomayor, militar y capitán como aquél y también al servicio de la causa constitucionalista[4]. Acaso la intuición popular se ha equivocado no en cuanto al sentimiento, pero sí en cuanto al hombre que lo provocó. De cualquier modo, un silencio total se ha mantenido en torno de Brodett por gente que no podía dejar de conocer el episodio, así como el primer biógrafo y amigo de la heroína, don José de la Peña y Aguayo[5].

---

[2] *Ibídem*, pág. 56.

[3] *Ibídem*, pág. 57.

[4] *Ibídem*, págs. 54-55.

[5] José de la Peña y Aguayo, *Doña Mariana Pineda, narración de su vida, de la causa criminal en la que fue condenada al último suplicio y descripción de su ajusticiamiento*, Madrid, 1836. Citado por Antonina Rodrigo, *op. cit.*, pág. 338. Ahora Casimiro Brodett aparece literariamente ligado a Mariana Pineda en la obra dramática de José Martín Recuerda, *Las arrecogías del beaterio de Santa María Egipcíaca* (hay edición de Francisco Ruiz Ramón, Madrid, Cátedra, 1977). Martín Recuerda continúa en cierta manera la línea de Lorca, en cuanto a hacer del espectáculo teatral una integración de artes diversas, aunque añade a su pieza el carácter de «fiesta popular», tratando de unir el espacio escénico con el público. Tampoco es absoluto el protagonismo de Mariana. Lo comparte con las otras presas, «arrecogías» en el lenguaje popular. Posee asimismo la pieza elementos del llamado *teatro de la crueldad*. «Es obvio —opina José Monleón— que Martín Recuerda opta por una vía decididamente valle-

De regreso en Granada, la heroína prosigue su labor en pro de la causa liberal. Ya se había visto comprometida con la justicia y con arresto domiciliario por contacto con anarquistas expatriados en Gibraltar, pero su hábil defensor había conseguido paralizar el proceso. Sin embargo, Mariana no cejaba en su propósito de ayudar a los que debían emigrar, con dinero o consiguiéndoles pasaportes falsos; de alentar la insurrección y de ganar prosélitos, arriesgando su seguridad y poniendo en juego su fino talento y seductora presencia. El conde de Romanones cuenta en su biografía de José de Salamanca cómo este famoso español, mimado por la fortuna, jurista que llegó a ministro de Hacienda en 1874 en el gobierno de Pacheco, en su juventud se mezcló con los conspiradores que intentaban derribar el gobierno de Fernando VII. Más que convicciones ideológicas, lo que lo movía era un amor desairado. «Cayó —cuenta Romanones— locamente enamorado de una mujer de extraordinaria hermosura, inteligente, de ideas exaltadas [...]. Figura destacada entre los mártires de la libertad, posible inductora de la fiebre revolucionaria que se apoderó del joven estudiante»[6]. Palabras éstas que prueban la irresistible atracción femenina de la heroína, puesta al servicio de su actividad política.

En 1828 fueron encarcelados en Granada, por su adhesión a la causa constitucionalista, un tío de Mariana, el sacerdote Pedro García de la Serrana, y un primo, Fernando Álvarez de Sotomayor, militar que inspira a Lorca la figura de don Pedro, el amante, con el apellido Sotomayor, y quizá con su nombre Fernando la figura juvenil del fiel ena-

---

inclanesca. Todo resulta, pues, más violento, además de adquirir un tono más colectivo.» («Algo más que un drama romántico», en *Mariana Pineda,* Barcelona, Ayma, 1976, pág. 30.)

[6] Conde de Romanones, *Salamanca, conquistador de riquezas, gran señor,* Madrid, 1962, pág. 21. Citado por Antonina Rodrigo, *op. cit.,* pág. 61.

morado. Había luchado en el alzamiento de la isla de León. Derrotado se fue a Cabras, pueblo cordobés, con su mujer e hijos. Una carta interceptada lo hace sospechoso de encabezar una futura conspiración en Andalucía y es detenido. Mariana, como pariente, se anima a visitarlos en la cárcel y prepara un increíble plan de fuga para Sotomayor cuando se entera de que ha sido condenado a muerte. La cárcel de la Cancillería era inexpugnable por el ancho y altura de los muros, el grosor de las rejas y la continua vigilancia de centinelas. Con admirable sangre fría Mariana va introduciendo en la prisión, por sí misma y por criados, los elementos necesarios a la huida: un hábito de capuchino, barbas postizas, un rosario, un cordón, etc. Mentalmente, en sus visitas va diseñando un plano de los pasillos, patios, entradas, puertas del edificio. Basa su plan en que ha observado que en vísperas de ejecuciones una gran cantidad de religiosos, hermanos de la caridad, sacerdotes, entraban y salían, turnándose para acompañar a los reos a bien morir y sin que se les pidiera permiso especial alguno. El día señalado, el 26 de octubre, Sotomayor, disfrazado de monje y desfigurándose el rostro con una bolita de cera en las fosas nasales y un trocito de caña entre el labio superior y la encía, sortea peligros de último momento con habilidad y astucia y sale con parsimonia y aparente serenidad por el portón principal de la fortaleza, por delante mismo de la guardia. El prófugo se dirige inmediatamente a la nueva casa de Mariana en la calle del Águila, adonde todavía no había terminado de mudarse después de la muerte de su padre adoptivo. Allí se quita el disfraz e inmediatamente busca otro refugio más seguro. A los pocos minutos la policía se presenta a registrar la vivienda por orden del Alcalde del Crimen y jefe de la policía, don Ramón Pedrosa.

Esta figura, que será también aprovechada por Lorca, había llegado a la ciudad andaluza en 1825. En poco tiempo se vuelve temible y su fama, siniestra. Con toda razón ha pasado a la memoria popular como arquetipo de crueldad y fanatismo. Creyó, evidentemente, como toda la ciudad intuía, que la bella granadina estaba implicada en esta fuga espectacular. La vigilancia va a estrecharse en torno de la viuda. En 1829 Pedrosa intenta sin éxito reabrir el antiguo proceso que existía contra Mariana, al tiempo que arrecia la persecución contra los liberales protegidos por los ingleses y ahora también por Francia con el advenimiento de Luis Felipe en 1830. Sin embargo, se preparaba un alzamiento granadino, en combinación con otras ciudades de Andalucía, y la bandera que iba a flamear en las filas constitucionalistas la estaban bordando por encargo de la heroína unas costureras del Albaicín. Sobre el tafetán violeta con un triángulo verde en el medio (símbolo masónico) irían las palabras prohibidas por Fernando VII: Libertad, Igualdad y Ley. Al principio de 1831, dos fracasos de las fuerzas liberales, el desembarco de Torrijos en Algeciras, quien debió reembarcarse inmediatamente, y el de Manzanares en las sierras de Málaga, hacen que Mariana dé orden a sus bordadoras de suspender el trabajo. Pero una delación, la del padre de un sacerdote liberal que estaba al tanto de la conspiración, le permite a Pedrosa preparar una trampa fatal. Llama a las bordadoras, les paga cuarenta reales y las conmina a dejar la bandera a medio hacer en la casa de Mariana. Apenas esto es cumplido, arriba la policía y se incauta de la bandera como prueba de culpabilidad, aunque Mariana alega, entre otras cosas, no haberla visto nunca y no saber bordar y no se halla en la vivienda bastidor alguno.

Mariana quedará arrestada en su domicilio porque médicos piadosos atestiguan que su mala salud impide trasladarla. Allí la heroína entreverá el peligro grave en que se encuentra cuando Pedrosa estrecha el acoso a que la somete con sus interrogatorios. Le exige que delate los nombres de quienes la acompañaban en la conspiración. A cambio, como soborno, le ofrece la libertad. Ante sus negativas y silencios se desborda y enfurece. A Mariana se le ocurre

16

entonces disponer su propia huida. Al cuarto día de su detención, en un descuido del guardia, con ropas oscuras de doña Úrsula, baja rápidamente la escalera y gana la puerta de la calle. El guardia que se hallaba en el patio de espaldas ha alcanzado a oír el rechinar de los goznes y logra detener a esa viejecita que se aleja rápidamente y ha doblado la esquina. Según afirma el guardia, al verse descubierta lo invita a que la acompañe con la promesa de hacerlo feliz. Las declaraciones de este hombre se toman como prueba de cohecho contra Mariana. La frustrada huida agrava la situación. Mariana es remitida al Beaterio de Santa María Egipcíaca, convento donde encerraban a las mujeres de mal vivir, «reformatorio de mujeres perdidas» rezaba la inscripción al frente del edificio, aunque también servía de prisión para detenidas políticas. El juicio fue a puertas cerradas, sin la presencia de Mariana. Un decreto real del 1 de octubre de 1831 respaldó la acusación en su artículo 7.°: «Toda maquinación en el interior del reino para actos de rebeldía contra mi autoridad soberana o suscitar conmociones populares que lleguen a manifestarse por actos preparatorios a su ejecución, será castigada en los autores y cómplices con la pena de muerte». En Granada se rumorea además que la hermosa viuda habría despertado ya hace tiempo una gran pasión en el Alcalde del Crimen, y que al verse desdeñado la va encaminando por despecho hacia el cadalso. Escenas claves de la obra de Lorca se sustentan en este rumor. Del proceso han llegado hasta nosotros sólo dos piezas: la acusación y la defensa, ya que el legajo fue sustraído por manos anónimas de los archivos de la Cancillería a principios de siglo. Lo mismo ocurrió con una copia que estaba en Madrid en el Archivo Histórico Nacional. Esos documentos se salvaron porque Peña y Aguayo los incluyó en su biografía. En esa defensa que el letrado se ve obligado a redactar en sólo veinticuatro horas se hace hincapié en la murmuración a que aludimos. «Ciertos acontecimientos y circunstancias fatales —expone el defensor— son las que han hecho que a la referida se la tenga por algunos en un concepto que no merece. Por deber y por caridad, ha dado pasos y gestionado la misma en favor de algunos desgraciados, *y por no haber accedido a pretensiones de otros sujetos, se ha adquirido y tiene algunos enemigos* y no sería extraño que éstos se hayan propuesto llevar su resentimiento y venganza hasta el extremo de arruinarla»[7].

Para colmo, el rey nombra a Pedrosa alcalde de casa y corte al tiempo que lo autoriza para entender «de todas las causas de los revolucionarios que se hallen pendientes en ese Tribunal»[8]. Es decir, que, después del monarca, el jefe de policía es quien podrá decidir sobre la vida de Mariana Pineda, circunstancia que aprovecha hasta último momento para tentarla con el perdón si denuncia a los implicados en la conjura. No pierde tampoco ocasión de recordarle el desamparo en que quedarían sus hijos si ella fuera ajusticiada. Realizada la audiencia, se la condena a morir en garrote vil y a que sus bienes sean confiscados. Elevada la sentencia al Rey, éste la confirma y Mariana es llevada a la cárcel baja, donde se le comunica la decisión real. Cuando oye el nombre de Fernando VII pierde la mujer la serenidad y clama contra la injusticia y el despotismo. Vuelve a rehusar el indulto que se le ofrece por la delación y ratifica que «nunca una palabra indiscreta escaparía de sus labios para comprometer a nadie y que le sobraba firmeza para arrostrar el tramo fatal en que se veía y preferir sin vacilar una muerte gloriosa a cubrirse de oprobio, delatando a persona viviente». Ya en capilla encomienda sus hijos a su confesor, el padre José Garzón, quien la tranquiliza asegurándole que no faltarían amigos fieles y antiguos que la ayudasen. En

---

[7] *Defensa de Mariana Pineda*, citada por Antonina Rodrigo, *op. cit.*, Apéndice documental, XXVII, pág. 308. La cursiva es nuestra.

[8] Real Orden comisionando a Ramón Pedrosa la vista exclusiva de las causas políticas del Distrito de la Chancillería de Granada. Citado por Antonina Rodrigo, *op. cit.*, Apéndice documental XXVIII, pág. 309.

efecto, el mismo clérigo se ocupó del niño y su biógrafo, José de la Peña y Aguayo, de la niña. Al segundo día de estar en capilla, luego de comulgar escribe a su hijo recomendándole que sea fiel a sus principios políticos y que nunca se avergüence de que su madre hubiera muerto en manos del verdugo porque moría por la patria y la libertad.

El 26 de mayo de 1831 marcha Mariana al patíbulo, montada en una mula en vez de un asno, concesión que se le hace por su origen noble, vestida con saco y birrete negro, con apenas 27 años, en plena juventud y hermosura. El verdugo conducía de una soga al animal y la víctima llevaba con actitud piadosa un crucifijo entre las manos atadas. Si bien las calles estaban llenas de pueblo, las ventanas no se abrían al paso del cortejo como solidaridad y duelo. Mariana sube con entereza las gradas y muere valientemente. Es enterrada en el cementerio de Almengor[9]. A la noche el guardián ve saltar la empalizada del camposanto a dos desconocidos que, desafiando las prohibiciones oficiales, colocan en la tierra removida y desnuda una cruz de madera.

Apenas cinco años después triunfan los liberales y comienza la glorificación de la heroína. Se exhuman sus restos y, colocados en una urna, son llevados con gran solemnidad en una carretela fúnebre por toda la ciudad de Granada hasta la catedral y al día siguiente, aniversario de su muerte, el 26 de mayo, se la traslada a la iglesia de Nuestra Señora de las Angustias, donde queda en custodia. Las cortes constituyentes, a propuesta de los diputados granadinos, inscribieron su nombre en las lápidas del salón de sesiones y dispusieron que se protegiese a los hijos de Maria-

---

[9] Un complot para salvarla en ese trayecto, dirigido por el Conde de los Andes, fracasó en último momento por causas imprevistas. La Mariana de la obra cree hasta el final que será liberada «por muy grandes caballeros», gente de la nobleza, en consonancia con este plan en el que, sin embargo, gente del pueblo debía tener participación preponderante.

na Pineda con una pensión y que se celebrase una fiesta anual en su aniversario para enaltecerla. Ésta fue durante veinte años una festividad de apoteosis popular. La urna era conducida desde las casas consistoriales hasta la catedral. En 1856 y definitivamente se inhumaron sus restos en la cripta catedralicia. Pero su historia y su nombre habían alcanzado desde tiempo atrás carácter legendario. Poemas y romances en los que Mariana revivía andaban de boca en boca y también en las rondas y labios infantiles. Esta consagración se había adelantado a la estatuaria. El monumento fue inaugurado el 26 de mayo de 1873, por suscripción popular, en la plaza de Bailén, que luego lleva su nombre. Cuando niño, Lorca vivía próximo a esta plaza y desde una de las ventanas de su casa, en la Acera del Darro, contemplaba a menudo la imagen de la mujer sacrificada por la libertad.

La tradición literaria de la heroína

La fama de Mariana Pineda se escinde en dos vertientes literarias. Una comienza con la rehabilitación oficial a los cinco años de su muerte e incluye, en una exaltación de sus virtudes heroicas, odas, himnos, sonetos, obras de teatro alegóricas, epicedios, poemas narrativos, etc., casi siempre en verso de arte mayor o culto, de corte neoclásico. Giran los motivos sobre el juez inicuo y el silencio de Mariana, la fidelidad a sus amigos políticos que no amedrenta la muerte y su inmolación por la libertad. Valgan algunas muestras. En un folleto que compila actos y lecturas celebrados en Granada, en 1836, en ocasión de la función fúnebre por la exhumación de sus restos, hallamos el tópico consabido de la crueldad de Pedrosa, siempre con el mismo símil o parecida metáfora. Así en un «Himno histórico»:

> Del verdugo Pedrosa y los suyos
> La crueldad a los tigres asombre...

o en otra composición poética:

> Y da la cruel sentencia enfurecido
> El tigre, juez de la caterva impía.

Igualmente en otro himno de Domingo Martín:

> Mas un tigre con alma alevosa
> Se glorió de clavarle el puñal.

Y en un fragmento del mismo himno se tematiza el valor de Mariana, al mantener ocultos los nombres de los conspiradores:

> En el banco de muerte se asienta
> Mariana cual una heroína;
> Y su faz en la argolla reclina
> Y prefiere morir a inculpar.

Un soneto del gobernador de La Coruña, Pío Pita y Pizarro, termina con la alabanza de su serenidad en el trance mortal:

> Sube al negro cadalso con erguido
> Noble rostro, asombrando al mundo entero
> Y deja de su gloria a España llena.

Una situación que mantiene García Lorca en su pieza encontramos en el epicedio *Mariana o el último día de la hermosa de Granada:*

> Cede, Mariana; el pérfido decía,
> Mira por ti, declara, que aún es tiempo;
> Tendrás mi amor, mi protección, mi todo;
> Y saldrás del apuro en que te has puesto,
> Te alcanzaré la gracia de la vida,
> Si los nombres me das de los sujetos
> Que siguen tus ideas en Granada.

21

Pero toda esta producción, bastante retórica, poco poética, que se puede llamar circunstancial, coexistía con otra corriente popular, especialmente de romances, que se le había adelantado. Apenas muerta Mariana, se transmitía de boca en boca y secretamente la historia de su desdicha y amores por Granada. Esta vertiente aflora y se acrecienta cuando el fervor granadino no encuentra vallas para expresarse. Así, cuando en los aniversarios el paseo de la urna con las cenizas por la ciudad se convierte en una fiesta tradicional, si bien la tragedia ha perdido en la inspiración popular el carácter heroico de la vertiente culta para trasmutarse en algo íntimo y sentimental. A veces puede tocar los mismos tópicos, pero es diferente la visión ingenua, que descarta lo solemne y llega en su folklorización al cantar de ronda. En nuestro siglo la memoria de Mariana Pineda se sigue celebrando. Ya sabemos que Lorca oía y cantaba en su niñez los romances que el pueblo le dedicó. En un romance de comparsas que recorrió las calles granadinas en 1906 se hace referencia al motivo de la bandera y su bordado:

> Y la heroína de Granada:
> La infeliz perdió su vida
> Por bordar una bandera
> En fervor de su ideología
> Tan sólo por el delito
> Que no acabó de bordar
> La palabra sacrosanta
> De viva la libertad[10].

En los años 20 se continúa asistiendo a las verbenas en su honor en la plaza que lleva su nombre y en la del Campillo. Se ha cambiado la fecha de mayo a septiembre, mes de su nacimiento. La mujer del poeta Miguel Hernández,

---

[10] Estos versos y los anteriores son recogidos por Antonina Rodrigo, *op. cit.*, capítulo XXIII, págs. 226-232.

Josefina Manresa, relata que en 1937 le cantaba a su hijo, recién nacido, un romance de Mariana Pineda: «Cuando [Miguel] me oyó cantar la canción de Marianita Pineda me hizo repetirla: "Marianita, declara, declara, o si no morirás, morirás", "Si declaro, moriremos muchos y si no, moriré yo no más"»[11]. Comprobamos así que estos romances se habían extendido a otras regiones de España desde Andalucía[12]. Sucedía esto en Cox, y Josefina Manresa lo había aprendido de sus compañeras, junto con otras canciones, en una fábrica de sedas de otra ciudad de Alicante, Orihuela, donde había trabajado del año 30 al 31. Claude Couffon transcribe una versión diferente de este romance e informa que se cantaba clandestinamente en la intimidad de los hogares después de la ejecución de Mariana y que todavía —escribe en 1964— «es muy popular en Granada y las niñas aún lo cantan en sus rondas»:

> Marianita, declara, declara
> Que la vida te van a quitar,
> Marianita, por haber bordado
> La bandera de la libertad[13].

La imaginación del pueblo otorga a Mariana una habilidad que no poseía: la de saber bordar[14], Lorca utilizará este

---

[11] Josefina Manresa, *Recuerdos de la viuda de Miguel Hernández*, Madrid, Ediciones de la Torre, 1980, pág. 74.

[12] Sandra Robertson ha revisado, en los Archivos de Ramón Menéndez Pidal, veintidós versiones del romance. La mayoría proceden de diversas regiones españolas: Andalucía, Castilla y León, Galicia, Vizcaya. También de Puerto Rico y de las comunidades judías de Tetuán («Mariana Pineda: el romance popular y su retrato teatral», en *Boletín* de la Fundación Federico García Lorca, 3, junio de 1988, notas 8 y 9, págs. 90 y 92)

[13] Claude Couffon, *Granada y García Lorca*, Buenos Aires, Losada, 1967, pág. 64.

[14] El bordado era en Granada artesanía tradicional que tenía dos escuelas famosas: la de Paquita Raya y la de las monjas. La propia madre

detalle aprendido en los corros cuando niño, así como el diminutivo con que Granada nombraba afectivamente a la Pineda. El militar amado por Mariana, que la gente identificaba con su primo lejano, don Fernando Álvarez de Sotomayor, se halla en otro romance que el poeta conocía:

> Marianita salió de paseo
> y a su encuentro salió un militar
> y le dijo: —Ay mi Marianita,
> hay peligro, vuélvase usted atrás[15].

El romance que abre y cierra la obra pertenece a esta segunda vertiente. Contiene los elementos claves del romance teatral en el que los datos históricos han de quedar subordinados a la leyenda.

La génesis poética de «Mariana Pineda»

Un autor tan popular, rodeado de amigos y comunicativo con el periodismo como Federico García Lorca, permite a menudo rastrear la génesis de sus obras. A través de los paratextos (cartas privadas, entrevistas y declaraciones a la prensa), así como de los intertextos (tradición literaria, fiestas populares, estatuaria, entre otros) que inciden en la escritura de *Mariana Pineda,* se podrá verificar la constante estilización a que somete el poeta todo posible realismo o dato de verdad histórica.

Ya en junio de 1923, cuatro años antes del estreno, en carta a Gallego Burín le comunica su propósito. Tiene elegido el género, el lapso que abarca de la vida de la heroína

---

del dramaturgo, también eximia bordadora, le ha trasmitido estos datos que recoge en su prosa «El gallo del Alhambro», según recuerda su hermano Francisco *(Federico y su mundo,* Madrid, Alianza Tres, 1981, pág. 105).

[15] Antonina Rodrigo, *op. cit.,* pág. 54.

y las figuras fundamentales: «Mi pensamiento es poner en escena los últimos días de la mujer granadina [...]. Mis personajes son, a más de ella, Pedrosa, Sotomayor y las monjas Recogidas. Es una cosa muy nueva lo que yo he pensado y estoy contento». Y le pide: «Yo sólo quiero una biografía de ella y algunas notas sobre la conspiración. Como tú comprenderás, el interés de mi drama está en el carácter que yo quiero construir y en la anécdota que no tiene nada que ver con lo histórico, porque me lo he inventado yo. Yo quiero que tú me guíes en lo referente a Pedrosa y que me digas dónde puedo enterarme del estado de Granada en aquella época»[16].

Para el mes de septiembre del mismo año, encabeza una carta a Melchor Fernández Almagro con un dibujo en colores de Mariana Pineda, de trazo aniñado, y explica su sentido: «Marianita, en su casa de Granada, medita si borda o no borda la bandera de la libertad». El diminutivo y el que borde ella misma, como en los romances populares, e igualmente los elementos *naïfs* del dibujo (que luego tendrán los decorados de Salvador Dalí) prefiguran y revelan la elección del poeta. La oración siguiente plasma el ámbito de Granada donde ubicará a la protagonista. El pregón primero del vendedor ambulante, levemente cambiado, lo aprovechará el poeta en su otra obra de tema granadino *Doña Rosita la soltera o el lenguaje de las flores:* «Por la calle pasa un hombre vendiendo "alhucema fina de la sierra" y otro "naranjas, naranjitas de Almería", y los árboles recién plantados en la placeta de la Gracia saben ya, por los pájaros o por el pino del Seminario, que un *romance* trágico y lleno de color ha de dormirlos en las noches del plenilunio turquesa de la vega. ¡Si vieras qué emoción tan honda me tiembla en los ojos ante la Maria-

---

[16] Antonio Gallego Morell, *García Lorca. Cartas, postales, poemas y dibujos,* Madrid, Moneda y Crédito, 1967, pág. 123.

nita de la leyenda! Desde niño estoy oyendo esa estrofa tan evocadora de:

> Marianita salió de paseo
> y a su encuentro salió un militar...»[17].

Este romance que Lorca cita a medias, comprueba que ha tenido en cuenta la poetización que ha hecho el pueblo de los amores de Mariana con un militar conspirador en los últimos años de su vida, no confirmados históricamente. Poetización que venía oyendo desde su infancia y que comprendía también otros episodios de la vida y la muerte de la heroína. Lo afirma una y otra vez: «... esta mujer ha paseado por el caminillo secreto de mi niñez con un aire inconfundible. Mujer entrevista y amada por mis nueve años, cuando yo iba de Fuente Vaqueros a Granada en una vieja diligencia cuyo mayoral tocaba un aire salvaje en su trompeta de cobre»[18]. En un reportaje de 1933, cuando *Mariana Pineda* iba a estrenarse en Buenos Aires, el poeta reitera su vieja obsesión por la mujer legendaria: «Mariana Pineda fue una de las grandes emociones de mi infancia. Los niños de mi edad, yo mismo, tomados de la mano en corros que se abrían y cerraban rítmicamente, cantábamos con un tono melancólico, que a mí se me figuraba trágico: ¡Oh, qué día tan triste en Granada, / que a las piedras hacía llorar [...]. Un día llegué de la mano de mi madre a Granada: volvió a levantarse ante mí el romance popular, cantado también por niños que tenían las voces más graves y solemnes, más dramáticas aún que aquellas que llenaron las calles de mi pequeño pueblo, y con el corazón angustiado inquirí, pregunté, avizoré muchas cosas y llegué a la conclusión de que Mariana Pineda era una mujer, una maravilla de mujer, y la razón de su existencia, el principal motor de

---

[17] *Ibídem*, pág. 55.
[18] *Ibídem*, pág. 55.

26

Sala con balcón al huerto. Dibujo de Lorca.

ella, el amor a la libertad»[19]. Pero esta convicción no ha de durar en el ánimo del poeta. La imagen de la Mariana «envuelta en altisonantes endecasílabos, acrósticos y octavas reales», «cubierta de férrea armadura»[20], va a ser desplazada en su espíritu porque su sentimiento le decía suavemente que la heroína «no era aquello», que Mariana lleva «para morir en la horca *[sic]*, dos armas: el amor y la libertad»[21]. Nos encontramos ante una Mariana que anticipa las posteriores creaciones de personajes femeninos del dramaturgo, que se debatirán entre estas dos pasiones primordiales, conflicto que suele acabar con la muerte. Basta recordar, salvadas las diferencias, a la Novia de *Bodas de sangre*, a Yerma, a la menor de las Alba.

Cuando más adelante intente definir el carácter de Mariana, distinguirá entre la mujer enamorada y la heroína. Ésta es sólo consecuencia de la pasión amorosa. La libertad ocupa el segundo lugar en su alma y especifica que así la va perfilando con el folklore romancesco en que basa su producción: «Mariana, según el romance, y según la poquísima historia que la rodea, es una mujer pasional hasta sus propios polos, una *posesa,* un caso de amor magnífico de andaluza en un ambiente extremadamente *político* (no sé si me explico bien). Ella se entrega al amor por el amor, mientras los demás están obsesionados por la Libertad. Ella resulta mártir de la Libertad, siendo en realidad (según incluso lo que se desprende de la historia) víctima de su propio corazón enamorado y enloquecido [...]. Es una Julieta sin Romeo y está más cerca del madrigal que de la oda»[22]. Justamente «la poquísima historia» de que habla Lorca no impediría afirmar lo que dice. Hoy la investigación tan

---

[19] Federico García Lorca, *Obras Completas,* II, Madrid, Aguilar, 1980, págs. 1045-1046.

[20] *Ibídem,* pág. 1046.

[21] *Ibídem,* pág. 1046.

[22] Gallego Morell, *op. cit.,* pág. 56.

abundante sobre los hechos también lo permitiría. Lo que se ve nítido es el personaje típicamente lorquiano y romancesco, la mujer arrastrada por la pasión «como un vilano por el viento», «atada a la cola de un caballo», cegada por el amor «que de todo se está olvidando», hasta de los hijos, y que aceptará el sacrificio final no por convicciones políticas, sino por identificarse con la Libertad amada por su amante. Un aire de alucinación *enloquecida* tendrá la Marianita del poeta en la Estampa tercera «cuando ella decide morir» pero «está ya muerta, y la muerte no la asusta en lo más mínimo». Lo que se decía en la ciudad, lo que se trasmitía en las familias granadinas, lo que se comentaba en su propia casa, además de lo recogido en los romances, lo tiene en cuenta el poeta para perfilar esta mujer diferente de la Mariana de virtudes cívicas de su tiempo. «Es más, mi madre me ha dicho que estas cosas se murmuran por Granada»[23].

Cuando el estreno de la pieza en su ciudad, considera que ha cumplido su «deber de poeta, oponiendo una Mariana viva, cristiana y resplandeciente de heroísmo frente a la fría, vestida de forastera y librepensadora del pedestal»[24]. E insiste en que entre las dos Marianas había primado la lírica y amorosa sobre la mujer política, fuerte y marcial: «En la muchedumbre de las sombras poéticas, Mariana Pineda venía pidiendo justicia por boca de poeta. La rodearon de trompetas y ella era una lira. La igualaron con Judith y ella iba en la sombra buscando la mano de Julieta, su hermana. Ciñeron su garganta partida por el collar de la oda, y ella pedía el madrigal libertado. Cantaban todos al águila que parte de un aletazo la dura barra de metal, y ella balaba mientras, como el cordero, abandonada de todos, sostenida tan sólo por las estrellas»[25]. Lorca cree desentrañar, a

[23] *Ibídem*, pág. 56.
[24] *Obras Completas*, I, ed. cit., pág. 1184.
[25] *Ibídem*, págs. 1183-1184.

través de los romances y de la leyenda, otra Mariana más auténtica, femenina, desvalida y romántica. Con mirada ingenua y lúcida, en la concreción de esta figura el poeta arbitrará los recursos líricos, dramáticos, plásticos y musicales para experimentar algo nuevo en el teatro de su tiempo.

Vicisitudes para el estreno

Si bien García Lorca dejaba pasar tiempo entre la creación de sus obras y la publicación o estreno de éstas, desde que considera terminada *Mariana Pineda* basta su representación median años que no se deben únicamente a su voluntad de perfeccionamiento artístico. Después de ser rechazada por Gregorio Martínez Sierra, «la obra —según las propias declaraciones del autor— recorrió varios teatros y en medio de los más calurosos elogios me la devolvían, unos por atrevida; otros, por difícil»[26].

A principios del 26 se la había hecho llegar a Eduardo Marquina para que se la entregara a Margarita Xirgu. Un fortuito encuentro de Lydia Cabrera, una cubana amiga de Lorca, con la actriz catalana descubre que Marquina no había cumplido el encargo. Lydia Cabrera llama al autor a la Residencia de Estudiantes para presentarle a la Xirgu y ella misma va a casa de Marquina para buscar la copia de la pieza. El encanto personal del andaluz conquista a la actriz de inmediato, pero pasarán meses sin noticias sobre su decisión. Lorca se desespera porque su familia, especialmente su padre, requiere del hijo mayor cierta profesionalidad. La tensa espera del dramaturgo transcurre en Granada, ya que sus padres no desean que viaje a Madrid, descorazonados frente a las múltiples actividades del hijo que no se concretan en nada útil.

---

[26] *Ibídem*, pág. 1183.

Al fin, el 13 de febrero del 27, recibe carta de Cipriano Rivas Cherif en que le comunica que la Xirgu estrenará su obra. La reacción es totalmente inesperada, pues le invade el miedo. Los aires literarios han cambiado vertiginosamente y se sienten los primeros amagos superrealistas. Esto lo lleva a declarar en 1929, cuando se estrena *Mariana Pineda* en Granada, que su drama «es obra débil de principiante y aun teniendo rasgos de mi temperamento poético, no responde ya en absoluto a mi criterio sobre el teatro»[27]. Esta opinión ha variado cuando estrena la obra en Buenos Aires, porque como lo explicita José Monleón: «El tiempo había ido poniendo en su sitio el drama de Lorca, borrando las reservas que lógicamente tuvo el autor, en plena evolución estética, en la etapa inmediatamente posterior a su conclusión»[28].

El 24 de julio, en el teatro Goya de Barcelona se sube a escena su «romance teatral en tres estampas». Lorca era ya conocido en los círculos artísticos catalanes por los veranos pasados en Cadaqués, en casa de los Dalí, y también era conocida su *Mariana Pineda* por las lecturas que había hecho de la obra. El autor toma parte en la puesta en escena con la dirección del coro infantil que canta el romance tradicional granadino. El éxito corona al fin la empresa y al aplauso del público se suma el de la crítica.

Estructura dramática

Como será habitual en la producción dramática posterior, Lorca define desde el título y el subtítulo el tema a abordar y la forma de estructurarlo. Es decir, como puntualiza su hermano Francisco, no puede hablarse de evolución

---

[27] *Ibídem,* pág. 1184.
[28] En *Mariana Pineda,* Barcelona, Aymá, 1976, pág. 13.

en el teatro lorquiano, lo que caracteriza la dramaturgia del autor «es la adecuación de los recursos y procedimientos técnicos a un propósito artístico que cambia en cada una de sus obras»[29]. Este propósito experimental se aclara casi siempre en el subtítulo: *La zapatera prodigiosa* será «una farsa violenta»; el *Amor de Don Perlimplín*, una «aleluya erótica en versión de cámara»; el *Retablillo de don Cristóbal*, una «farsa para *guignol*»; *Así que pasen cinco años,* «una leyenda en el tiempo»; *Bodas de sangre,* una «tragedia»; *Yerma,* un «poema trágico»; *Doña Rosita...,* un «poema granadino del novecientos dividido en jardines con escenas de canto y baile»; *La casa de Bernarda Alba,* un «drama de mujeres en los pueblos de España», pero además agrega la intención de un «documental fotográfico», y *Mariana Pineda* se anuncia como romance popular dividido en estampas en vez de actos. También destaca Francisco García Lorca que ya sea «fotografía, estampa o jardín, romance, leyenda o poema» su hermano opera siempre «sobre la dramatización de una materia que ya tiene una existencia artística previa»[30]. En este caso, lo previo es este romance infantil cantado en el Prólogo por un coro de niñas, con excepción de una estrofa que entonará sola una pequeña, vestida según la moda de 1850, mientras cruza la escena. El coro continuará luego, repitiendo los dos primeros versos. Otro coro, esta vez de niños, cierra la obra, cantando la primera estrofa del romance. Lorca alcanza de este modo efectos singulares: la pieza puede terminar y comenzar otra vez indefinidamente como ciertos cuentos infantiles «del nunca acabar» y ciertas canciones de ronda en que el movimiento de los que cantan va en un sentido y vuelve en el inverso al unirse el final con el principio de la canción. Esta estructura circular, cerrada, como de eterno retorno, sugiere que

[29] *Federico y su mundo,* ed. cit., pág. 373.
[30] *Ibídem,* pág. 376.

podemos estar ya en el plano del mito, tan caro al poeta, y participar de la perennidad mítica de Mariana Pineda. Además, Lorca, como los grandes autores de la comedia nacional, Lope en especial, extraerá de la brevedad romancesca la óptica dramática con que los motivos fundamentales serán enfocados. De este modo, en las estrofas que utiliza aparece Granada como personaje, animizada, o como entorno de tristeza cuyas piedras lloran la muerte afrentosa de la heroína. Igualmente se halla el «no declarar» el nombre de quienes conspiraron junto a ella, su soledad y miedo; la causa de su condena: el bordar la bandera, el nombre de Pedrosa, su terrible juez; su fragilidad comparada con la flor.

La simplicidad e ingenuidad del romance, evidente en su sintaxis y comparaciones y, no obstante, sugeridor y poético, se va a trasladar a la visión lorquiana. Por ejemplo, la reflexión de Mariana: «Si Pedrosa me viera bordando / la bandera de la libertad», se convertirá dramáticamente en la alucinación de la protagonista cuando cree sentir sobre sí la mirada del juez que atraviesa los muros o empuja los cristales del balcón. El drama histórico parece entrevisto por ojos infantiles (tan afín con la sensibilidad lúdica de niño grande del poeta, testimoniada por tantos amigos), pero esto no descarta la profundidad con que el autor lo dora. «En *Mariana Pineda* —explicita Francisco Ayala— hay dos planos: uno amplio, sintético, por el cual puede deslizarse con facilidad la atención de la gente. Al segundo —el doble fondo— sólo llegará una parte del público»[31]. De acuerdo con esto, en la tercera estampa, en medio de los candorosos diálogos de las novicias, insertará el poeta la culminación de ese doble fondo y planteará los interrogantes metafísicos más hondos. Otra perspectiva para estructurar su obra fue desechada por Lorca: «Yo veía dos maneras

---

[31] *Obras Completas,* II, pág. 963.

para realizar mi intento: una tratando el tema con truculencias y manchones de cartel callejero (pero esto lo hace insuperablemente don Ramón del Valle-Inclán), y otra, la que he seguido, que responde a una visión nocturna, lunar e infantil»[32]. Que la primera lo tentó no cabe duda, pues en la carta ya citada a Fernández Almagro, donde se encuentran tantos elementos para su obra que se han mantenido, habla de hacer: «una especie de cartelón de ciego estilizado. Un crimen, en suma, donde el rojo de la sangre se confunda con el rojo de las cortinas»[33]. El poeta subraya el vocablo «estilizado» y esto es lo que ha primado, tanto que el cartelón de ciego ha desaparecido. Es entonces una estilización del drama histórico que ya está estetizado a su vez en el poema mismo. Modula «una realidad literaria de segundo grado», como acierta a explicar Francisco García Lorca de toda la producción teatral de su hermano[34]. La intención del poeta puede rastrearse en el texto. Al final de la Tercera Estampa, Mariana encomienda a las monjas como su voluntad postrera: «Contad mi triste historia a los niños que pasen». Confía, pues, a la memoria infantil la perdurabilidad de su recuerdo. Casi inmediatamente, la superiora Carmen alude a las rondas callejeras:

> ¡Mariana, Marianita, de bello y triste nombre,
> que los niños lamenten tu dolor por la calle!

También cuando Alegrito comenta a Mariana el temor que existe en toda Granada a raíz de la sentencia, habla de que sólo vio una niña en las calles desiertas:

> No encontré más que una niña
> llorando sobre la puerta
> de la antigua Alcaicería.

---

[32] *Obras Completas*, I, pág. 1169.
[33] Gallego Morell, *op. cit.,* pág. 56.
[34] *Federico y su mundo,* ed. cit., pág. 376.

Presencia que puede identificarse con la niña del Prólogo —aventura Sumner Greenfield— en una poética conjugación temporal de futuro y pasado. Niña que habría oído hablar mucho de Mariana Pineda, ya que vive junto a la casa de la heroína y canta su romance. ¿Qué relación tiene con la otra niña que halla Alegrito? ¿Quién es ésta y por qué llora? se pregunta dicho crítico: ¿No es acaso —imagina— la niña del Prólogo que envía sus lágrimas y compasión a Mariana, a quien todos los demás han abandonado, por medio de recursos que no conocen limitaciones de orden cronológico: la poesía y los sueños?[35]. No debe olvidarse lo primordial de lo mítico en la concepción poética lorquiana. Las fuerzas del mito pueden explicar líricamente que esta niña atraviese las barreras temporales para acompañar con su llanto la soledad de Mariana en su ultimo día.

Refuerzan este enfoque de la mirada infantil los hijos pequeños de la protagonista que aparecen ante el público y tienen a su cargo una relevante escena de ternura y premonición trágica cuando recitan alternativamente con Isabel la Clavela el romancillo del bordado o del Duque de Lucena. También contribuyen a esta visión la simplicidad de algunos caracteres, la inocencia de ciertos parlamentos y la excesiva dulzura de otros, como las situaciones melodramáticas típicas que conllevan toda una evocación de tópicos románticos a que es muy proclive la afectividad del niño y del adolescente.

La obra, como dijimos, está pensada en estampas. La palabra estampa ya la había empleado en el espectáculo dedicado a los niños *La niña que riega la albahaca y el príncipe preguntón.* Lo calificaba en el programa de mano de «viejo cuento andaluz en tres estampas y un cromo»[36]. Estampa

---

[35] Sumner Greenfield, «El problema de *Mariana Pineda*», en *Federico García Lorca,* ed. de Ildefonso-Manuel Gil, Madrid, Taurus, «El escritor y la crítica», 1975, págs. 381-382.

[36] *Federico y su mundo,* ed. cit., pág. 271.

supone grabado antiguo, litografía coloreada que tanto se usaba en el siglo XIX. Lorca indica así la estilización a que somete el tema, la evocación romántica implícita, la esencia de una época histórica y literaria a través de una sensibilidad de vanguardia que no deja de lado lo candoroso. Ahora bien, las características que algunas críticas estimaron exageración o defecto, superficialidad, a veces «sentimentalidad y preciosismo de sacarina»[37], pertenecen a la poetización que se propuso el autor. Por eso aclara que «se trata de un drama ingenuo como el alma de Mariana Pineda en un ambiente de estampas [...]. Inútil decir que tampoco es un drama romántico porque hoy no se puede hacer en serio "pastiche", es decir, un drama del pasado»[38]. Y el mismo hecho de sustituir actos por estampas revela que el poeta desea que toda la obra alcance la peculiar plasticidad de éstas. Algo semejante anunciaba a Fernández Almagro en 1923: «Yo quiero hacer un drama *procesional...*, una narración *simple* e [sic] *hierática,* rodeada de evocaciones»[39]. No hay que olvidar que las procesiones a que debe referirse son las andaluzas, que se componen de escenas de la Pasión de Cristo talladas en los famosos «pasos». Si bien el plan fue modificado en otros aspectos, quedaron cierto estatismo, acentuado explícitamente, y la sencillez de la acción plena de «evocaciones».

Para concluir, la obra está encuadrada con el romance y esa niña que, separada del coro, atraviesa la escena y canta sola en la noche, parece ser la que revive con su mirada infantil y conmiseración el drama de Marianita. Nos hallaríamos así en un teatro no dentro del teatro, sino en un teatro dentro del juego y la relación con la niña de la Alcaicería sería simplemente un cambio de plano (de la imaginación a lo imaginado). La referencia lorquiana al cartelón de cie-

[37] Sumner Greenfield, art. cit., pág. 381.
[38] *Obras Completas,* I, pág. 1169.
[39] Gallego Morell, *op. cit.,* pág. 56.

go de Valle-Inclán puede remitir a *Los cuernos de don Frio-lera*. Allí, como aquí, un prólogo y un epílogo (aunque Lorca no llama así a la intervención final del coro) encierran un drama. Y si la teoría esperpéntica —la perspectiva desde la otra ribera— es la que contamina la obra de Valle, algo del intertexto valleinclaniano perduró: así como en *Los cuernos..* el compadre Fidel y don Estrafalario imponen su estética, aquí también lo hace la niña del Prólogo. Pero si aquéllos tendían al cartelón de ciego y a lo paródico, ésta infunde el encanto de la visión lunar y cándida, próxima al mito.

Segmentación de la obra

Lorca utiliza elementos, situaciones y personajes de la realidad, pero sin interesarle que se ajusten a la verdad histórica, sino que lo que le importa es la relevancia que poseen dentro del texto dramático. La crítica ha mencionado el anacronismo de la muerte de Torrijos, relatada en un romance en la Estampa segunda, y que en la realidad fue posterior a la muerte de Mariana Pineda. Sin embargo, dentro del plan dramático este suceso narrado por el Conspirador 4.° pone fin a los sueños de Pedro de Sotomayor y adelanta la tragicidad del desenlace de la pieza.

La obra está segmentada en tres estampas. Las dos primeras tienen un desenvolvimiento más bien exterior, cuyo eje en la Primera es la fuga de Sotomayor y en la Segunda una abierta oposición entre los planes de los conjurados y la acción realista cuyo brazo visible es Pedrosa. Al final de esta estampa prácticamente se agota la acción externa al confesar Mariana que ha bordado la bandera y al reconocer, con la pérdida de su libertad, el comienzo de su muerte.

En la Estampa Tercera el conflicto se interioriza para mostrar la lucha íntima de la protagonista. Queda librada a sus fuerzas y en ellas encuentra el valor que la convertirá en heroína civil y se descubre en su propia dimensión espiritual. El espacio escénico ya no es la casa granadina, es el Beaterio donde, como las novicias, se prepara para otra vida al mismo tiempo que se va desasiendo del mundo y matando su propia esperanza. Allí Mariana se desprende de su fatalismo amoroso para conquistar la libertad de su sino. Elige la muerte por la libertad, pero a su vez la muerte la liberará de su pasión y de la esperanza, que son los dos últimos sentimientos que alberga. En la catarsis final que la deja sola frente a la eterna soledad logra su altura trágica y también el valor mítico de la muerte fecunda. Es víctima propiciatoria que salvará «a muchas criaturas que llorarán su muerte». Se integra de este modo en la heroína lo cívico y lo religioso que sentía el pueblo cuando sacaba a pasear por Granada la urna funeraria con sus restos en las procesiones del aniversario.

Dentro de cada estampa hay una gradación desde lo ingenuo y colorido hacia un final trágico que se va intensificando de estampa en estampa. En la Primera, luego de presentar a la protagonista en ausencia, se pasa a la escena alegre de las del Campillo, cuyo centro es el romance de la corrida de Ronda. Y se avanza de éste al presagio de tragedia con el hallazgo de la bandera por los hijos de Mariana.

En la Estampa segunda se parte de la frescura infantil del romancillo del bordado (aunque ya implique un adelanto premonitorio) y del feliz encuentro de los amantes, para llegar al final con el arresto de Mariana, previas las escenas de los conspiradores —concluidas nefastamente con el romance de Torrijos— y la huida de éstos ante la aparición de Pedrosa.

La Estampa tercera se inicia con el momento de anticlímax que componen las novicias con su cándida concepción del mundo y va en un *crescendo* trágico hasta la salida de Mariana al cadalso. Si bien la tragicidad de la obra va siempre en aumento, Lorca sabe dotarla de un equilibrio que se apoya precisamente en estas secuencias de contraste en que el lirismo y la descripción amena y colorida abren nuevas perspectivas al espectador y remansan el desenvolvimiento de la tragedia.

El espacio y el tiempo escénicos

La obra comienza con un decorado exterior en el que hay una vista de la plaza y del frente de la casa de Mariana. La visión es nocturna, lunar, y en ese espacio los niños cantan. En la acotación no se especifica que la casa pintada con escenas marinas sea la de la protagonista, pero el diálogo teatral, en la Estampa primera, lo advierte:

FERNANDO *(Lírico.)*

¡Cómo me gusta tu casa!...
Con este olor a membrillos. *(Aspira.)*
¡Y qué preciosa fachada
tiene, llena de pinturas
de barcos y de guirnaldas!...

Después del Prólogo la imagen se adentra en la casa de Mariana, donde transcurrirán las dos estampas primeras. En la Estampa tercera la acción se desarrolla en el Beaterio, en los patios claustrales.

En el Prólogo se especifica que: «La escena estará encuadrada en un margen amarillento, como una vieja estampa». Esta señalización del encuadre, si bien no se da en las estampas, fue la que realizó Dalí para los decorados, siguiendo las indicaciones del autor. Este encuadre tiene más que la finalidad plástica de crear viejas litografías o estampas, sirve para ubicarnos en un espacio y en un tiempo clausurados, tiempo y espacio históricos.

Pero el espacio escénico va produciendo su propia tensión dramática en el intento de romper la clausura. El adentro-afuera está todo el tiempo presente en la obra. El Prólogo nos adelanta, en la calle y en un tiempo posterior, la historia de Mariana. Pero lo exterior, a través de la política, los rumores, los temores, las persecuciones, penetra y sacude la casa, los espacios íntimos.

A partir de la relación de Mariana con los otros personajes (Doña Angustias, Isabel la Clavela, Fernando, Don Pedro, Pedrosa), Luis Fernández Cifuentes concluye que «la identificación de la casa y lo femenino es un ejercicio casi obsesivo a lo largo de la obra»[40]. Mariana Pineda transgrede la norma en tanto que está pendiente de los sucesos de la calle, mientras que los otros la identifican con la paz y con el abrigo del hogar. Para Fernández Cifuentes, «Mariana, en cambio, siempre dividida y fronteriza, oscila entre la casa y el exterior»[41]. Una de las características de Mariana sería la transgresión a su rol de mujer. Sin embargo, el personaje lorquiano, si lo comparamos con la Mariana Pineda de las biografías, es mucho más femenino y menos transgresor que el histórico. Si Lorca lo hace transgredir el marco normativo del teatro de su época, la Mariana real se adelantó en la asunción de un papel masculino casi en un siglo al poeta. Lorca tiende a feminizar el personaje al hacerla bordar, al convertirla más en enamorada que en libertaria, al dotarla de fragilidad y temores.

La tensión del adentro-afuera va mucho más allá. La casa es el símbolo de la libertad interior, de la paz conquistada, pero éstas no pueden existir cuando la sociedad está acallada y ahogada por el miedo, por la represión de un gobierno despótico. Mariana está pendiente de lo que pasa fuera y ese fuera nos llega como otros espacios clausurados: la cárcel de la Audiencia, en la Estampa primera; el café de la Estrella, ámbito eminentemente masculino y político, está

---

[40] *García Lorca en el teatro: La norma y la diferencia,* Zaragoza, Universidad, 1986, pág. 60.

[41] *Ibídem,* pág. 60.

desierto en la Estampa segunda, y aún más, toda Granada aparece como un ámbito cerrado y desierto en el relato de Alegrito (Estampa tercera). La tensión del exterior vuelve frágil el hogar. En la Estampa primera Mariana siente de tal modo el acoso del alcalde del Crimen que dialoga con él, que está ausente: «Me mira / la garganta, que es hermosa, / y toda mi piel se estira. / ¿Podrás conmigo, Pedrosa?». La falta de libertad borra los espacios privados. Dice Angustias: «Mariana, ¿tú que has hecho? / Cercar estas paredes / de guardianes secretos». Y en otro momento la madre adoptiva reitera: «Mariana, ¡triste tiempo / para esta antigua casa / que derrumbarse veo...!». La protagonista hace notar la falta de privacidad: «Me parece que hay hombres detrás de las cortinas, / que mis palabras suenan claramente en la calle». Y refiriéndose a Pedrosa: «De noche, cuando cierro las ventanas, / me parece que empuja los cristales». La misma sensación acuciante expone el Conspirador 4.°: «Hay que estar prevenidos. El Gobierno / por todas partes nos está acechando». La protagonista expresa el deseo de que la paz del hogar se prolongue en la calle, en lugar de que la falta de libertad exterior ahogue aun en las casas: «Quiero tener abiertos mis balcones al sol / para que llene el suelo de flores amarillas / y quererte, segura de tu amor, sin que nadie / me aceche, como en este decisivo momento». La inseguridad de la vida privada, la inestabilidad del hogar se ponen de relieve en la metáfora del brindis con los conspiradores. Dice Pedro, refiriéndose al estado de alerta permanente de los hombres de mar: «Que sean nuestras casas como barcos». Precisamente la irrupción de Pedrosa en la casa muestra la incapacidad de los muros para impedir la penetración del exterior sobre lo privado y, paradójicamente, la resistencia de estos mismos muros para franquearlos desde dentro y conquistar la libertad, como al final de la Estampa segunda cuando la casa se convierte en cárcel.

El espacio de la Estampa tercera es el Beaterio. Pese a ser el lugar de detención, está menos cerrado que la casa: tiene una apertura hacia lo alto, fundamental para el juego de luces que se indica para la puesta en escena. Los elementos del decorado apuntan también a esta salida hacia lo alto: arcos, cipreses, fuentecillas que Lorca dibuja con el chorro ascendente[42]. El patio del Beaterio resulta un lugar menos íntimo y reservado que la casa, pero ideal para la transformación que se operará en la heroína al conquistar su libertad interior. Si bien el Beaterio responde a la verdad histórica, Lorca lo aprovecha como el marco adecuado para una vía iluminativa a través del amor.

En cuanto al tiempo escénico, en *Mariana Pineda* hay un tiempo que es el de la historia de la protagonista y que se puede datar entre el 26 de octubre de 1828, día de la fuga de la cárcel de Sotomayor, y el 26 de mayo de 1831, día en que Mariana muere en el patíbulo. Este tiempo cronológico está condensado en la acción dramática, en que los sucesos parecen precipitarse mucho más rápidamente que en tres años.

Otro tiempo es el del Prólogo, que Lorca puntualiza por la moda de la niña en 1850.

El tercer tiempo es el del espectador, que se reactualiza con cada representación de la obra.

El tiempo del Prólogo y del coro final es veinte años posterior a la muerte de Mariana y tiene por función rescatar a la heroína de la historia y reinstalarla en un nuevo tiempo y espacio, propios del mito. Mediante los escenarios encajonados por márgenes, Lorca circunscribe el espacio cerrado de la historia. Pero el mito tiene la característica de presentar un tiempo y un espacio abiertos. En el Prólo-

---

[42] La salida hacia lo alto es la típica de Granada: «Granada no puede salir de su casa. No es como las otras ciudades que están a la orilla del mar o de los grandes ríos, que viajan y vuelven enriquecidas con lo que han visto: Granada, solitaria y pura, se achica, ciñe su alma extraordinaria y no tiene más salida que su puerto natural de estrelllas», *Obras Completas*, I, pág. 966.

go el espacio se abre a la ciudad y el tiempo pierde su irreversibilidad por la perduración en las rondas infantiles que se reanudan cada noche y en cada generación.

Resulta interesante notar cómo la obra trata el tiempo, y especialmente la luz, para hacer posible este tránsito desde el tiempo cerrado a la perennidad mítica. La luz comienza a cobrar importancia en la escena V de la Estampa primera, cuando queda sola Mariana y «se asoma a los cristales y ve la última luz de la tarde». Es el ocaso y ella quisiera apurar la noche. El paso del tiempo se presenta agónico para Mariana. Quisiera lanzar «duras flechas» a la tarde y a su vez la noche la hiere «ya de lejos con larguísimas espadas». O sea que el tiempo se metaforiza como un enemigo y la oscuridad natural, que puede ayudar a la huida de Sotomayor, es temida como un peligro más que acecha desde afuera. En la Escena VI entra Fernando y aún saluda «Buenas tardes», pero poco después una acotación señala: «La luz se va retirando de la escena». Mariana comienza a relatarle sus miedos a Fernando y el autor anota: «La escena está en una dulce penumbra». Casi enseguida Mariana pedirá a Clavela «¡Luces!». Los candelabros acompañarán el resto de la escena y «las luces topacio y amatista de las velas hacen temblar líricamente la habitación». Un reloj da las ocho y la oscuridad, asociada con el oscurantismo y con todo tipo de política despótica, perdurará en la Estampa segunda. En la acotación inicial se aclara: «Es de noche». Hora de acostar a los niños y hora de la intriga y del conciliábulo. Llega don Pedro y él es quien asocia luz con libertad: «Mariana, ¿qué es el hombre sin libertad? ¿Sin esa / luz armoniosa y fija que se siente por dentro?». Sin embargo, la conspiración también necesita de la oscuridad. Mariana le recuerda a Clavela: «No enciendas luz ninguna, / pero ten en el patio / un velón prevenido». A la noche se suma el frío y la lluvia. Como en la Estampa primera los candelabros son llevados ya por Clavela, ya por la protagonista.

En la Estampa tercera no está especificado el tiempo. En el diálogo el elemento irradiante de luz comienza a ser Ma-

43

riana. Una de las novicias dice: «Reluce su cabeza / en la sombra del cuarto». Y la otra se asombra: «¿Reluce su cabeza?». Al mismo tiempo Mariana empieza a ver, superada la noche: «¡Comprendo que estaba ciega!». La primera acotación temporal se produce con la visita de Pedrosa: «La luz comienza a tomar el tono del crepúsculo». En la escena VII: «Los cipreses comienzan a teñirse de luz dorada» y las novicias observan que «hay otra luz en la casa». Las novicias, en función notablemente coral, dialogan sobre una serie de cambios que se producen —como ya habían advertido el aura de Mariana— y oponen a la luz vesperal la luz del alba. Anticipo lingüístico del efecto iluminativo con que concluye la obra. La luz se vuelve trasmutadora de la realidad y en ella delega el autor el cambio del plano: del histórico al mítico: «Toda la escena irá adquiriendo hasta el final una gran luz extrañísima de crepúsculo granadino. Luz verde y rosa entra por los arcos y los cipreses se matizan exquisitamente, hasta parecer piedras preciosas. Del techo desciende una suave luz naranja que se irá intensificando hasta el final». El crepúsculo avanza, pero ahora no es portador de sombras porque Mariana ha encontrado la luz interior de la libertad. Ha logrado vencer pasiones y egoísmos y ha elegido libremente no delatar. Así Lorca presentará una suerte de ocaso polar en que se unen crepúsculo y amanecer cuando «una luz maravillosa y delirante invade la escena». Delirio de luz que parece contagiado del delirio final de la protagonista. Crepúsculo de muerte y amanecer de mito.

Conflicto y tensión entre los personajes

Mariana Pineda, como la tragedia clásica, recrea una historia que ya es conocida para el espectador. El dramaturgo puede innovar en el desarrollo de la acción dramática sólo dentro de determinados márgenes, ya que el

44

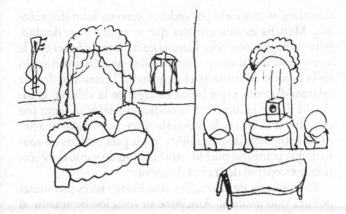

La sala de Mariana. Dibujo de Lorca.

desenlace es conocido por todos. Como en los mitos clásicos, Mariana es una criatura que se opone a su destino, pero sin lograr vencerlo. Dentro de las innovaciones que le son permitidas al autor, Lorca realiza una deconstrucción de la heroína histórica para emprender la creación de una criatura dramática que busca su lugar en la vida, en la sociedad. Entre la historia y la tradición folklórica, opta por esta última. Además de proveerle el acervo popular una heroína entrañable desde su niñez, tenía garantizados los motivos que el mismo pueblo había decantado y que favorecerían la recepción de la obra dramática.

En la versión de Lorca, Mariana Pineda no es una mujer política sino pasional. Antepone su vocación de amante al deber filial y su necesidad de libertad interior la llevará —en un tiempo en que impera el despotismo— al plano de heroína civil que no pretendió. El personaje lorquiano, por amor a don Pedro, asume conductas que trascienden su rol de mujer. Isabel la Clavela y doña Angustias censuran que tome actitudes políticas, que conspire. La madre también le reprochará su apasionamiento para con un hombre que no es el suyo ante Dios y los hombres.

A Mariana Pineda se oponen tres figuras masculinas: el joven y enamoradísimo Fernando; el libertario Pedro de Sotomayor, su amante, y Pedrosa, el Alcalde del Crimen. Ninguno de los tres alcanza siquiera la categoría de antagonista frente a la protagonista. Los tres buscan en Mariana a una mujer que, a su vez, se busca a sí misma. Como los protagonistas de la tragedia clásica, Mariana Pineda es un ser signado por la soledad. No es casual que en la Estampa primera su madre diga que la ha espiado por el ojo de la llave. Lo mismo ocurrirá en la Estampa tercera con Sor Carmen y las novicias. Estas puertas, con apenas el resquicio de la cerradura, son un elemento simbólico de su soledad. Cuando comienza la obra, la heroína ya ha jugado su destino que le tocará consumar aislada de los otros. En el diálogo se patentiza la incomunicación con los demás personajes. Por ejemplo, habla con Fernando en la Estampa primera pero de pronto el diálogo se dirige al Alcalde del Crimen que está ausente. En la Estampa tercera, ya esté con Fernando o con Pedrosa, sus palabras buscan al amante lejano. Si bien hay un diálogo dramático que resulta imprescindible para la acción, el monólogo o especie del fluir de la conciencia de Mariana acompaña al diálogo y es fundamental no sólo como elemento de mayor lirismo sino como manifestación de la subjetividad de Mariana. Desde el comienzo la protagonista se presenta como un interrogante para los otros y para sí misma. En la Estampa primera Isabel la Clavela pregunta a doña Angustias por qué borda la protagonista la bandera y ante el comentario de que sus amigos liberales la obligan, sobre todo don Pedro, se asombra: «Si pensara como antigua, le diría... / embrujada», lo que es corregido rápidamente por doña Angustias: «Enamorada». Mariana reconoce que vive enajenada, que no es dueña de sí, que la obnubila el sentimiento hasta el punto de exponerse a nuevos peligros y olvidar a sus hijos:

> Y este corazón ¿adónde me lleva,
> que hasta de mis hijos me estoy olvidando?
> ....
> ¡Yo misma me asombro de quererle tanto!

Granada murmuraba sobre Mariana —murmuraciones que recoge el autor— y ella era consciente:

> Como dicen por Granada
> ¡soy una loca mujer!

Al terminar esta estampa, frente al nefasto presagio del juego de los niños con la bandera y el reproche de la madre adoptiva, Mariana corrobora:

> Tengo el corazón loco
> y no sé lo que quiero.

47

El mismo adjetivo lo emplea en la Estampa segunda cuando ante la inocencia de sus hijos monologa sobre su pasión:

> Dormid tranquilamente, niños míos,
> mientras que yo, perdida y loca, siento
> quemarse con su propia lumbre viva
> esta rosa de sangre de mi pecho.

Esta pasión desbordada e ingobernable posee las características del sino romántico. Una imagen poética configura y resume perfectamente esta fuerza que la arrastra a pesar suyo, con un símbolo que será clásico en el mundo de García Lorca: «Soy una mujer / que va atada a la cola de un caballo».

Al final de la obra, ante la fidelidad de Fernando, Mariana le pregunta qué es amor y ratifica la injusticia de no haber podido elegir libremente el objeto de su sentir:

> ¡A ti debí quererte más que a nadie en el mundo,
> si el corazón no fuera nuestro gran enemigo!
> Corazón, ¿por qué mandas en mi si yo no quiero?

Ya dispuesta a morir, desasida del mundo, sin esperanza, dirigiéndose en su delirio a Pedro *in absentia,* lo rechaza y rèitera la sinrazón de su amor:

> Y ahora ya no te quiero,
> ¡sombra de mi locura!

Los parlamentos de Mariana son mucho más líricos que los de los tres hombres. Este lirismo responde a la necesidad de manifestar en palabras vivencias que la sobrepasan, acaso incomunicables con el lenguaje cotidiano: su amor en peligro, el miedo, la angustia ante presagios funestos, el acoso de que —cada uno a su modo— la hacen víctima los tres hombres. Y ya en la Estampa tercera debe comunicar a la platea, no a los ocasionales interlocutores, la experiencia metafísica frente a los últimos porqués. Su oposición frente a Pedro —su soledad con él— se nota en las dos concepciones opuestas, en los sentimientos divergentes que contrastan en el diálogo de los amantes en la Estampa segunda. Don Pedro subordina la posibilidad de amar al hecho de vencer en la sublevación y lograr la libertad política:

> ¿Cómo podría quererte no siendo libre, dime?
> ¿Cómo darte este firme corazón si no es mío?

No le importa que sea cruenta la aventura:

> Venceré con tu ayuda, ¡Mariana de mi vida!
> ¡Libertad, aunque con sangre llame a todas las puertas!

Para Mariana, en cambio, la victoria es sólo la compañía del amado. Si se adhiere a los proyectos revolucionarios es sólo para amar sin peligros y la felicidad que le proporciona la presencia del amante le hace olvidar las enemistades políticas:

> ¡Mi victoria consiste en tenerte a mi vera!
> En mirarte a los ojos mientras tú no me miras.
> Cuando estás a mi lado olvido lo que siento
> y quiero a todo el mundo,
> hasta al rey y a Pedrosa.
> Al bueno como el malo.

Ante los planes de transformar social y políticamente a España y de cubrirla de «espigas y rebaños, / donde la gente coma su pan con alegría» y de «salvarla pronto con manos y con dientes», Mariana responde con un sueño casi doméstico de intimidad amorosa:

> Quiero tener abiertos mis balcones al sol,
> para que llene el suelo de flores amarillas
> y quererte, segura de tu amor, sin que nadie
> me aceche como en este decisivo momento.

El tono y los gestos anotados en las acotaciones refuerzan esta divergencia que expone el diálogo: Pedro habla *con pasión* cuando se refiere al alzamiento y a sus esperanzas libertarias. Mariana es *pasional* cuando anhela vivir en paz junto al amante. Fernández Cifuentes observa que «cierto desacuerdo gramatical acompaña esta divergencia de los interlocutores: el solipsismo de Mariana elige constantemente el pronombre singular de primera persona, mientras Pedro se inclina por "nosotros"; el discurso de Pedro favorece el pasado y el futuro, mientras el de Mariana insiste en el presente»[43]. Estas dos posiciones, no abiertamente en pugna durante la obra, se enfrentan en la Estampa tercera, cuando Mariana debe asumir su soledad, negarse a la delación y aceptar la muerte. Entonces conscientemente se identifica con la libertad que Pedro ama más que a ella y elige libremente su destino trágico. Conquista otra forma de libertad espiritual, desconocida y existencial, de la que es víctima propiciatoria y voluntaria:

> Pedro, quiero morir
> por lo que tú no mueres,
> por el puro ideal que iluminó tus ojos:
> ¡¡Libertad!! Por que nunca se apague tu alta lumbre
> me ofrezco toda entera.
> ¡¡Arriba corazones!!
> ¡Pedro, mira tu amor
> a lo que me ha llevado!
> Me querrás, muerta, tanto, que no podrás vivir.
> ....
> ¿Amas la Libertad más que a tu Marianita?
> ¡Pues yo seré la misma Libertad que tú adoras!
> ....
> Amas la libertad por encima de todo,
> pero yo soy la misma Libertad. Doy mi sangre,
> que es tu sangre y la sangre de todas las criaturas.

---

[43] *Op. cit.*, pág. 54.

En el clímax de la obra, desengañada y separada del mundo y de aquellos en quienes había confiado, en plena desesperanza entreví cómo es este tipo de libertad y la sabiduría que conlleva. Lo dice *gritando,* especifica el autor, arrebatada por el delirio:

> Ahora sé lo que dicen el ruiseñor y el árbol.
> El hombre es un cautivo y no puede librarse.
> ¡Libertad de lo alto! Libertad verdadera,
> enciende para mí tus estrellas distantes.

La heroína califica de verdadera esta libertad, desvalorizando las anteriores. El hombre está cautivo de su condición mortal, de su encarnadura. El ruiseñor que canta solo en la noche y el árbol que crece de la tierra al cielo denuncian metafóricamente la prisión del ser humano que únicamente se libera por la muerte. Libertad de categoría metafísica que Mariana descubre y que parece responder a la pregunta sin respuesta que se había hecho acerca de qué es muerte, como antes se había preguntado qué era amor. Este interrogante parece también tener ahora su contestación. La inminencia del sacrificio asumido y la iluminación maravillosa que invade la escena dan la clave:

> ¡Pero qué bien entiendo lo que dice esta luz!
> Amor, amor, amor y eternas soledades.

Este último verso plantea desde esta obra inicial un dilema que será vertebral en la dramaturgia lorquiana: el insistente amor y la plural y eterna soledad, radical en el hombre.

El diálogo con Pedrosa trasciende lo lingüístico y se constituye en un enfrentamiento no sólo verbal sino en un duelo de miradas. La mirada es, en la literatura romántica, un vehículo para la expresión del amor, del sentimiento o del deseo. En cambio en *Mariana Pineda* este código semiótico adquiere otro valor que no es el común en la recreación de la estampa romántica. También en *Doña Rosita la soltera o el lenguaje de las flores,* en la disyunción del título Lorca parece adscribirse al código semiótico romántico de las flores como lenguaje del sentimiento amoroso. Sin embargo, desvirtúa este planteo y, condensado en la rosa, la obra se transforma en una unidad semiológica sobre el paso del tiempo que reelabora el tema clásico de la brevedad de la vida. También en *Mariana Pineda* el juego de miradas está empleado para romper con el código tradicional. No es el cortejo por la mirada sino el desafío, la conquista del poder. El duelo se entabla entre un hombre que tiene a la ley de su lado y una mujer desvalida y, no obstante, del duelo de miradas saldrá victoriosa Mariana.

El diálogo de los ojos no se llevará a cabo siempre en escena. Muchas veces nos llega a través del relato de Mariana. En la Estampa primera le confiesa a Fernando:

¡No puedo mirar su cara!
....
Ayer tarde yo bajaba
por el Zacatín. Volvía
de la iglesia de Santa Ana,
tranquila; pero de pronto
vi a Pedrosa. Se acercaba,
seguido de dos golillas,
entre un grupo de gitanas.
¡Con un aire y un silencio!...
Él notó que yo temblaba.

Poco después, cuando Mariana va a revelarle a Fernando sus relaciones con Sotomayor, el miedo a Pedrosa se vuelve tangible:

¡Qué silencio el de Granada!
Hay puesta en mí una mirada
fija, detrás del balcón.
....

> Me mira
> la garganta que es hermosa,
> y toda mi piel se estira.
> ¿Podrás conmigo, Pedrosa?

En la Estampa segunda Mariana, sumamente atemorizada, cuenta a los conspiradores una visita que Pedrosa le hizo la víspera:

> Ayer estuvo aquí. Como es mi amigo...
> no quise, porque no debía, negarme.
> Hizo un elogio de nuestra ciudad;
> pero mientras hablaba tan amable,
> me miraba... no sé... ¡como sabiendo!,
> de una manera penetrante.
> En una sorda lucha con mis ojos,
> estuvo aquí toda la tarde...

Con la aparición de Pedrosa, el diálogo se llena de sobrentendidos. No hay acotaciones que señalen el diálogo con las miradas y los silencios, las ironías y la intencionalidad complementan las palabras. Pedrosa se siente dueño de la situación y una de sus frases marca todo su desprecio por lo femenino: «¡Los hierros duelen mucho / y una mujer es siempre una mujer!».

En la estampa última el duelo de miradas se resuelve a favor de la heroína:

> Antes me daban miedo sus pupilas.
> Ahora le estoy mirando cara a cara,
> y puedo con sus ojos que vigilan
> el sitio donde guardo este secreto,
> que por nada del mundo contaría.
> ¡Soy valiente, Pedrosa, soy valiente!

La víctima expresa el desprecio por su victimario, su grandeza moral frente a él, con el cambio en la fórmula de tratamiento: «Suelta, Pedrosa, vete». Él la había tuteado en la Estampa segunda cuando la creía dominada y en este momento la situación se revierte. Mariana al vencer su miedo se coloca por encima de su oponente y pasa a constituirse en una mártir civil que debilita la fuerza de un régimen despótico.

Fernando es el enamorado, joven y fiel. Es el que más da sin pedir sino amor a cambio. Su pasión por Mariana es paralela a la de ésta por don Pedro: no le importa arrostrar peligros por ella (Estampa primera) y va en lugar de su amante a intentar, a su modo, salvarla (Estampa tercera). El diálogo con Mariana constituye una especie de monólogos alternos. Ni él puede sustraerse a su apasionamiento juvenil ni Mariana a la experiencia que está viviendo.

Es un personaje esquematizado, como lo son los tres hombres que se enfrentan a la protagonista, personalidad tan rica en matices. Fernando es el enamorado rendido; Pedro, el libertario con fuerte predominio de lo político sobre los otros aspectos de su personalidad, y Pedrosa, el más negativo de los tres, reúne la crueldad, el autoritarismo y los impulsos libidinosos.

Doña Angustias es el hogar, la seguridad, la voz de la razón, la conciencia acallada de Mariana frente a sus deberes maternos.

Isabel la Clavela no llega a ser la nodriza confidente de la tragedia clásica, aunque es una visión objetiva de lo que pasa en el hogar.

Las novicias componen un elemento coral. Se conduelen de la mujer condenada y comentan una serie de fenómenos extraños que se producen en el Beaterio (el aura de Mariana, la presencia de otra luz, la abundancia de los pájaros al amanecer). Con su ingenuidad están muy cerca de los niños.

Los hijos de Mariana pertenecen a la realidad histórica, pero Lorca los aprovecha estéticamente para la visión infantil que pretende imprimirle a la obra. El sacrificio que la protagonista realiza para que sus hijos puedan llevar su nombre sin avergonzarse, se extiende en segundo término a todas las generaciones futuras para las que ella abre el camino de la libertad, y en este segundo término se hallan los niños que cantan el romance al principio y al final de la obra, destinatarios y transmisores de su mito. Tanto unos como otros definen la intención del autor y dotan a la obra de plasticidad y frescura infantil.

Los símbolos dramáticos

Lorca declaró que en esta obra había un doble fondo al cual llegaría sólo una parte del público. Se refería, sin duda, al lenguaje altamente metafórico que será una de las características de toda su producción teatral. La acumulación de símbolos para que sus obras impliquen una descodificación por parte del espectador y remite al plano pragmático en que cada lector —del texto o del espectáculo— debe establecer una categorización y una relectura de los símbolos.

Se parte, entonces, del principio de que ésta no será sino una lectura más de los símbolos en *Mariana Pineda*.

Como se trata de un teatro poético, encuadrado a su vez por un romance, no ha de extrañar que los símbolos sean en su gran mayoría verbales. Algunos son reelaboraciones de elementos poéticos que ya están en el romance: el bordado y la bandera, la flor que se corta en su apogeo.

El bordado está relacionado con las Parcas, y desde los primeros versos se puede asociar con las Muchachas que devanan la madeja roja en *Bodas de Sangre*. Dice doña Angustias:

> Borda y borda lentamente.
> Yo la he visto por el ojo de la llave.
> Parecía el hijo rojo, entre sus dedos,
> una herida de cuchillo sobre el aire.

Esta acción de bordar, de bordar lentamente como quien teme llegar al fin, se concluye abruptamente en la Estampa segunda. En la primera mención don Pedro le dice: «La bandera que bordas temblará por las calles». Pero luego Mariana confiesa: «La he mandado / a casa de una amiga mía, / allá en el Albaicín». No se sabe aún si acabada o no. Sin embargo, don Pedro parece entender que ha concluido la tarea pues en seguida cambiará el verbo a pretérito: «Mariana, la bandera que bordaste / será acatada por el rey Fernando / mal que le pese a Carlomarde». En el intervalo lírico que separa las escenas de los conspiradores de la entrada de Pedrosa, el hilo se transforma en negro: «¿Quién me compra hilo negro?» dice el contrabandista perseguido por la policía[44]. En la entrevista con Pedrosa la repetición del verbo en pasado confirma la conclusión del bordado: «La que bordó con estas manos blancas», afirmará el Alcalde del Crimen, y Mariana asentirá en el mismo tiempo: «Yo bordé la bandera con mis manos».

El fin del bordado implica la prueba del desacato y la muerte para la heroína. Bordar y vivir fueron sinónimos, tal parece desprenderse de las palabras de la condenada en la Estampa tercera: «En la bandera de la libertad / bordé el amor más grande de mi vida».

La bandera es un símbolo polisémico. La codificación cultural de patria o nación no es la que corresponde para *Mariana Pineda*. Para los conspiradores es símbolo de libertad, símbolo ascensional ya que la ven izada por las

---

[44] Todos los intervalos líricos son semánticamente recursivos del drama. En el romance de Ronda, los cinco toros muertos son víctimas propiciatorias, como lo será Mariana. El romance de Torrijos, además de su funcionalidad en el desarrollo de la acción, que se vuelve en contra de lo esperado por los conspiradores, es catafórico de la traición de los amigos y de la tragedia de Mariana. El romancillo del bordado tiene un obvio paralelismo con la historia de la heroína. El contrabandista de la canción también está eludiendo a la justicia y en el momento en que entra Pedrosa está siendo alcanzado por los guardias.

calles. Para quienes viven con la protagonista, la bandera es presagio de muerte. En la Estampa primera le dice Clavela:

> Desde que usted puso sus preciosas manos
> en esa bandera de los liberales,
> aquellos colores de flor de granado
> desaparecieron de su cara.

Y doña Angustias, asustada, relata el juego de los niños:

> Mariana, la bandera
> que bordas en secreto...
> [...] han hallado
> en el armario viejo
> y se han tendido en ella
> fingiéndose los muertos.

Así la bandera como mortaja cierra la Estampa primera y reaparece otra vez unida a los niños en el comienzo de la Estampa segunda, con el romancillo del duque de Lucena. La historia es paralela a la de Mariana, pero con un desenlace inverso: la niña borda la bandera para su amado, pero la inutilidad de este acto se pone de manifiesto cuando el viajero le cuenta que el duque de Lucena ha muerto en Córdoba. En las dos primeras estampas Mariana siempre está temiendo por su amado, que parece el más expuesto a los peligros. Este temor desvía la atención del desenlace conocido. El romancillo propende al mismo efecto con una narración poética y simple que libera las fantasías de la protagonista.

La bandera está tomada de la realidad y es cuerpo de delito para la prisión y condena de Mariana, sin embargo nunca aparece como un objeto visual sino como símbolo verbal resemantizado.

En 1924 Lorca comienza a concebir su otra obra de ambiente granadino, *Doña Rosita la soltera o el lenguaje de las flores*. Allí desarrollará metafóricamente el tema de la brevedad de la vida a partir de la *rosa mutabilis*. También en *Mariana Pineda* la protagonista está identificada con la flor por su belleza y por la manera en que es tronchada su vida. Como ya se adelanta, este símbolo aparece en el romance tradicional del Prólogo:

> Como lirio cortaron el lirio,
> como rosa cortaron la flor.

En la obra las comparaciones y metáforas florales son abundantísimas. Aparece la flor del romero, la del granado, el nardo. Sobre todo en la Estampa tercera, las novicias y las monjas del Beaterio se condolerán de Mariana con aposiciones florales:

> ¡Ay, Marianita,
> rosa y jazmín de Granada!
> ....
> ¿Dónde estará Marianita,
> rosa y jazmín de Granada?
> ....
> ¡Ay triste Marianita! ¡Rosa de los rosales!
> ....
> ¡Clavellina de mayo!

El símbolo de la brevedad de su vida queda bien manifiesto en esta lamentación de una de las novicias:

> ¡Ay, Mariana Pineda!
> Ya están abriendo flores
> que irán contigo muerta.

Son las flores que pedirá al marchar para el cadalso la protagonista:

> ¡Os doy mi corazón! Dadme un ramo de flores.

Como símbolo visual, a veces están marcadas en las acotaciones y otras, como en este caso, se desprenden del diálogo.

El símbolo de la opresión en *Mariana Pineda* se concreta a través del aro, ya ciña el cuello en el caso más evidente del garrote vil, ya ciña el dedo, como en el caso de la sortija.

En la Estampa primera, y aunque luego no tenga relevancia en esta estampa para la acción dramática, al presentar a la protagonista se acota: «No tiene más que una sortija de diamantes en su mano siniestra». En el Fragmento 2 (ver apéndice), Mariana, luego de confesarle a Fernando que era amante de Sotomayor le decía: «Y no me quema en el dedo / mi anillo de desposada». Versos que con ligera variante se tachan en el manuscrito. Mariana defiende su honra que, como sabe, corre de boca en boca por las calles: «Como dicen por Granada / ¡soy una loca mujer!»[45]. Al decir que la sortija no le quema en el dedo, está defendiendo su situación socialmente irregular: si es amante de Sotomayor, lo es por amor y exponiéndose a todo. La mención del anillo es importante ya que es el cerco simbólico que se traza en torno de la mujer casada o viuda. La mujer, no importa cuál sea su estado civil, se hallaba controlada y dependiente en lo sexual y en lo espiritual. Mariana reivindica para sí otro tipo de libertad, la de su alma y la de su cuerpo.

En la edición de la obra, el anillo pasa a tener relevancia para la acción en la Estampa segunda, en la escena entre Mariana y Pedrosa. Es notable que en el Fragmento 3 esta escena se desarrollase sin mención alguna del anillo, que sí aparecerá como elemento visual y dramático en el manuscrito.

---

[45] Al cerco social, al rechazo por todo aquello que escape a los roles preestablecidos de lo que corresponde hacer a una mujer, también se refiere Pedro de Sotomayor cuando exclama: «¡Qué sola estás, cercada de maliciosa gente!».

En la edición *princeps,* tras la acotación de la Estampa primera, en la Estampa segunda reaparece en otra acotación: «Mariana trata de escuchar y juega con su sortija, conteniendo su angustia y su indignación». Luego, al nombrar Pedrosa a Sotomayor, Mariana «tiene un ligero desvanecimiento nervioso; lo suficiente para que se le escape la sortija de la mano, o más bien, la arroja ella para evitar la conversación». El diálogo es interesante por las implicancias:

MARIANA

(Levantándose.)

¡Mi sortija!

PEDROSA

¿Cayó?

(Con intención.)

Tenga cuidado.

MARIANA

(Nerviosa.)

Es mi anillo de bodas; no se mueva,
vaya a pisarlo.

(Busca.)

PEDROSA

Está muy bien.

MARIANA

Parece
que una mano invisible lo arrancó.

60

El anillo adquiere aquí una nueva semántica. Es el escudo de la honra de Mariana. Por eso Pedrosa pregunta con intención «¿Cayó?» y luego aconseja «Tenga cuidado». Ella, a su vez comunica —al público más que a Pedrosa— que se trata de su anillo de bodas y le advierte al juez sobre su honra al decirle que no lo pise. Sin embargo, el valor simbólico de esta caída lo nota la misma Mariana cuando alega: «Parece / que una mano invisible lo arrancó». Es el momento en que la protagonista fluctúa entre el miedo y su dignidad. Vencerá su concepto de la honra y recobrada su sortija puede decir: «Como el agua que nace soy de limpia». De este modo queda desvirtuada la Mariana que intentaba seducir a su carcelero. Es una mujer que se entrega por amor y sólo por amor. Una mujer que lucha por la libertad cívica y por su libertad personal frente a una sociedad opresora que relegaba a la mujer a un segundo plano.

Así como en el lenguaje poético una y otra vez el cuello de Mariana se destacará sinecdóquicamente para anticipar el trágico final de la mujer, también Pedro de Sotomayor focaliza los dedos, sin mencionar la sortija, para aludir a la entrega incondicional de Mariana: «que me ofreces tu amor y tu casa y tus dedos», dice y se los besa en la Estampa segunda.

La crítica ha reparado en el protagonismo del cuello de Mariana[46]. A través de los pretextos es posible observar que, así como la sortija de diamantes, un objeto ornamental, es símbolo de opresión social, el collar fue pensado como objeto paralelo para significar la dominación despótica de un régimen político. En el manuscrito Fernando, al conocer la misión que le encomendaba Mariana, replicaba con ironía:

[46] Véase Concha Zardoya, «*Mariana Pineda,* romance trágico de la libertad», en *Homenaje a Federico de Onís, Revista Hispánica Moderna,* 34, 1968, págs. 491-492.

> El peligro no me espanta.
> Lo más que puede pasar
> es que adornen mi garganta
> con un precioso collar.

Y Pedrosa en el Fragmento 3 intimidaba a su víctima:

> No olvide que yo puedo en un momento...
> poner un gran collar alrededor
> de ese cuello admirable.

La metáfora del collar no pasa, empero, a la obra impresa. Posiblemente Lorca la descartó como demasiado preciosa para significar el garrote vil. La respuesta de Fernando es suprimida y en los versos de Pedrosa el collar es suplantado por las manos:

> pero ahora
> puedo apretar tu cuello con mis manos,
> ese cuello de nardo transparente,

En la misma escena, al referir al garrote vil, Pedrosa lo esquematizará en «hierros [que] duelen mucho».

El aro del garrote y la sortija se superponen y asimilan en el final de la obra, cuando Mariana se prepara como para un desposorio con la muerte:

> ¡Os doy mi corazón! Dadme un ramo de flores;
> en mis últimas horas yo quiero engalanarme.
> Quiero sentir la dura caricia de mi anillo
> y prenderme en el pelo mi mantilla de encaje.

La sortija, como símbolo de sumisión comúnmente aceptada por la mujer, se presenta de modo visual, poético y ornamental. La argolla del cuello, en cambio, no aparece como símbolo visual. En su ausencia el cuello se resemantiza en sitio de belleza, de fragilidad.

La opresión del entorno, esa opresión externa que en última instancia lleva a los hombres al cadalso por el simple disenso político, produce a su vez una opresión interna cuando el aliento se agosta con la falta de libertad[47].

Frente a los símbolos de opresión, uno de los símbolos más nítidos verbales de libertad es el del mar. En la simbología mítica lorquiana la mujer representa siempre la tierra. Mariana, sin embargo, tal vez por ser hija de un marino («Porque soy hija / de un capitán de navío, Caballero / de Calatrava»), o quizá por la asociación entre el mar y el comienzo de su nombre, se identifica con él. En el frente de su casa hay pintadas escenas marinas, según la acotación del Prólogo, y está lleno de pinturas de barcos, según Fernando. El rol del marino es marcadamente masculino. El marino es la libertad:

> Hombres de acantilado y mar abierto
> y, por lo tanto, libres como nadie.

Para su identificación final con la libertad Mariana pasará por una progresiva asimilación metafórica con lo marino. Dice en la Estampa primera:

---

[47] La «opresión aguda» a que Mariana se refiere en el manuscrito al proponer el brindis a los conspiradores, es un estado constante en la obra. Uno de los personajes lleva el nombre de Angustias. La acotación *Angustiada/o* se repite cinco veces y alterna con *reprimiendo una honda angustia, con angustia, llena de angustia, llena de angustia y terror, conteniendo su angustia.* A su vez, en el texto dramático Fernando se refiere a la «triste angustia del momento» y el mismo personaje ante la tragedia final de Mariana exclamará «Qué angustia». Asimismo, Mariana pide a Sotomayor: «Limpia / esta angustia que tengo y este sabor amargo», y luego reconoce que la opresión interior la está asfixiando: «Sé muy prudente / que me falta muy poco para ahogarme.» Con metáfora más elaborada, en un soliloquio siente: «Dolor de viejo lucero / detenido en mi garganta.» Y una visión externa de esta angustia la tiene la Novicia 1.ª: «la vi después llorando / y me pareció que ella / tenía el corazón en la garganta».

> Pero mi vida está fuera,
> por el aire, por la mar,
> por donde yo no quisiera.

Y su incertidumbre constante por el amado la lleva a compararse con la mujer del hombre de mar:

> Como la enamorada de un marinero loco
> que navegara siempre sobre una barca vieja,
> acecho un mar oscuro, sin fondo ni oleaje,
> en espera de gentes que te traigan ahogado[48].

Incluso el brindis que propone como dueña de casa a los conspiradores incorpora un adagio de la costa:

> «Luna tendida, marinero en pie»,
> dicen allá, por el Mediterráneo,
> las gentes de veleros y fragatas.
> ¡Como ellos, hay que estar siempre acechando!
> «Luna tendida, marinero en pie».

Y Pedro, al alzar la copa, hace suya la metáfora: «Que sean nuestras casas como barcos»[49].

En el romance de Torrijos el combate se libra en la arena. La libertad viene del mar y la ahoga la playa:

---

[48] En cambio, Pedro de Sotomayor —también conforme con la etimología de su nombre, que remite a la piedra— la detiene en su delirio con imágenes de campos y sembrado»: «No es hora de pensar en quimeras, que es hora / de abrir el pecho a bellas realidades cercanas / de una España cubierta de espigas y rebaños, / donde la gente coma su pan con alegría».

[49] La inquietud por los hombres de mar también se halla en las plegarias de los niños: «y guarde al hombre en la sierra / y al marinero en el mar» o «Rezaremos / la oración de San Juan y la que ruega / por caminantes y por marineros».

El viento mueve la mar
y los barcos se retiran
con los remos presurosos
y las velas extendidas.
Entre el ruido de las olas
sonó la fusilería,
y muerto quedó en la arena
....
Sobre los barcos lloraba
toda la marinería.

Los conspiradores tienen puesta su confianza para el alzamiento en la gente de mar:

Esa costa de Málaga está llena
de gente decidida a levantarse:
pescadores de Palos, marineros
y caballeros principales.

Cuando Mariana conoce la sentencia definitiva se identifica con una fragata amenazada en un combate naval:

«Ay, qué fragatita,
real corsaria! ¿Dónde está
tu valentía?
Que un velero bergantín
te ha puesto la puntería».

(Soñadora.)

Entre el mar y las estrellas
con qué gusto pasearía
apoyada sobre una
larga baranda de brisa.

(Con angustia.)

Pedro, coge tu caballo
o ven montado en el día.

¡Pero pronto! Que ya vienen
para quitarme la vida.
Clava las duras espuelas.

(Llorando.)

«¡Ay, qué fragatita,
real corsaria! ¿Dónde está
tu valentía?
Que un famoso bergantín
te ha puesto la puntería».

La inspiración popular le permite objetivar su batalla
con Pedrosa y dar paso a la fantasía: se ve entre el mar y las
estrellas, en una soledad tan absoluta como en la que está,
pero en calma, sin angustias, y otra vez en su delirio quiere
apurar la venida de Pedro a quien, por oposición, siempre lo
piensa a caballo, pisando la tierra. Mariana está «herida por
las cosas de la tierra», le confiesa a Sor Carmen. Por esa
tierra que representa la traición —en el romance de Torrijos y en el abandono de Pedro— y que la lleva a identificarse con el mar:

Mi sangre se agita y tiembla
como un árbol de coral
en la marejada tierna,

o a tener alucinaciones marinas:

el alba finge en las olas
fragatas de sombra y seda.

Con motivo del estreno de la obra en Buenos Aires, García Lorca declara: «Mariana Pineda se me antojaba un ente
fabuloso y bellísimo, cuyos ojos misteriosos seguían con
inefable dulzura todos los movimientos de la ciudad. Ma-
terializando aquella figura ideal, antojábaseme la Alhambra

una luna que adornaba el pecho de la heroína: falda de su vestido, la vega bordada en los mil tonos de verde, y la blanca enagua aquella nieve de la sierra, dentada sobre el cielo azul, puntilla labrada a la dorada llama de un cobrizo velón»[50]. Ya en estas imaginaciones infantiles hay una asimilación entre la ciudad y la protagonista que se descubre en algunos momentos de la obra. En la visión lorquiana, también Granada, como su heroína, sueña con el mar y no encuentra más salida que su puerto natural de estrellas[51]. Y esta salida hacia lo alto, hacia las «altas barandas», se metaforiza con la luz de los astros en el final de la Estampa tercera: «Ya soy como la estrella sobre el agua profunda»; «Nos espera una larga locura de luceros / que hay detrás de la muerte»; «Libertad verdadera, / enciende para mí tus estrellas distantes».

Por último, otro símbolo verbal para significar el ansia de libertad de la protagonista es el del ave: Amparo ve en sus ojos «un constante desfile de pájaros», reflejo de la necesidad de libertad de su espíritu. Al final de la pieza Mariana siente como a un pájaro herido su propio corazón: «¡Corazón, no me dejes! ¡Silencio! Con un ala / ¿dónde vas?». Y al conocer que entra en capilla, su deseo de estar junto al amado se expresa así: «¡Quién tuviera unas alas cristalinas / para salir volando en busca tuya!». Pero al hombre no le es dado satisfacer sus ansias de libertad: «Ahora sé lo que dicen el ruiseñor y el árbol. / El hombre es un cautivo y no puede librarse».

Pero el del ave es también un símbolo polisémico. El amor está íntimamente ligado a la libertad para Mariana. Sin ellos no tiene sentido su vida: «De qué sirve mi sangre, Pedro, si tú murieras? / Un pájaro sin aire ¿puede volar?». El pájaro que se queda sin pareja, de evidente raigambre

[50] *Obras Completas*, II, pág. 1046.
[51] Véase nota 42.

popular, es retomado en los juegos infantiles. La protagonista en un soliloquio le dice a los hijos ausentes:

> Soñar en la verbena y el jardín
> de Cartagena, luminoso y fresco,
> y en la pájara pinta que se mece
> en las ramas del agrio limonero.

La pájara pinta que se pregunta dónde estará su amor,
como hace la granadina, rememora a la tortolita de Fonte
Frida. Del mismo modo se siente ardida Mariana: «este
sabor de amor que me quema la boca». También en el romancillo del duque de Lucena:

> La albahaca y los claveles
> sobre la caja van,
> y un verderol antiguo
> cantando el pío pa.

Lorca va a otorgar fundamental importancia al canto del
pájaro. Es otra de las manifestaciones de su libertad: el canto inacallable. Al hombre se lo puede acallar, pero al pájaro
no; y el hombre silenciado, como Mariana, sobrevivirá en
el recuerdo y será símbolo de libertad en el canto de los
otros. Las novicias, entre las transformaciones que sufre el
Beaterio, advierten:

> ¡Y cuánto pájaro! ¿Has visto?
> Ya no caben en las ramas
> del jardín ni en los aleros;
> nunca vi tantos, y al alba,
> cuando se siente la Vela,
> cantan y cantan y cantan...
> ....
> ... y al alba,
> por cada estrella que muere
> nace diminuta flauta.

Al hombre individual se lo puede enmudecer, como se puede matar a un pájaro, pero la libertad será restaurada por los que sigan cantando. Los niños serán la diminuta flauta que aprenderá a amar la libertad a través del dolor de Mariana. «Contad mi triste historia a los niños que pasen», les pide la mujer condenada a las monjas, y éstas vaticinan:

> Mariana, Marianita, de bello y triste nombre
> que los niños lamenten tu dolor por las calles!

Lenguaje poético y versificación

Por la intención de evocar una época romántica *Mariana Pineda* se halla escrita totalmente en verso, con la sola excepción de la carta de Sotomayor. Rememora de este modo el teatro del siglo XIX y se sitúa en la línea del teatro histórico en verso de las primeras décadas de este siglo que frecuentaron, aunque con profundas diferencias con Lorca, Eduardo Marquina, Francisco Villaespesa, los hermanos Machado, Luis Fernández Ardavín, Enrique López Alarcón, Fernando López Marín y otros. En cuanto a lo temático, no se trata de un teatro de exaltación de las glorias imperiales de España y de las virtudes de la raza. Según José Monleón, «Lorca abre las vías de un teatro histórico progresista vivamente renovado en nuestros días»[52]. Es decir, una obra que elige un ingrato episodio del pasado de la nación y un personaje víctima del poder despótico del Estado para glorificar al amor y a la libertad. Apoya un teatro crítico de la historia española en otro registro que el de Valle-Inclán.

En lo referente al lenguaje poético, las formas conocidas se renuevan por la audacia de las metáforas y comparacio-

---

[52] En *Mariana Pineda,* ed. cit., pág. 14.

nes, de cuño ya lorquiano, que irrumpen a veces inusita-damente en medio de una lengua poética menos elaborada que contiene giros coloquiales, refranes o aforismos populares, letras de coplas, manifestaciones folklóricas, etc. Lorca mismo confiesa esta voluntad de estilo cuando declara que «unos pasajes son eruditos de expresión y otros populares» porque «de ese desequilibrio surge el contraste» que es «otro bello efecto teatral». Igualmente cuando afirma que así como la línea dramática de su obra busca el sentido clásico a lo Lope, persigue en «la línea poética, el sentido clásico —en sus dos direcciones: culta y popular—, a lo Góngora»[53].

En lo concerniente a la forma, abunda la romancesca, ya desde la inserción en el Prólogo del romance popular en deca-sílabos hasta los romances octosilábicos (los de la corrida de Ronda y de la muerte de Torrijos) y en heptasílabos (roman-cillo del bordado o del duque de Lucena). El verso popular español con rima asonante se emplea tanto en parlamentos como en canciones. Con rima consonante en las redondillas y cuartetas que se alternan sin orden fijo. Los heptasílabos aparecen romanceados y en canción en la Estampa tercera. Los endecasílabos, dodecasílabos y alejandrinos son asonantados y blancos o sueltos. El poeta va dosificando y adecuando la variedad métrica a la situación dramática y al dinamismo o lentitud que requiere la acción y el estado de ánimo de los personajes. Así como el octosílabo se muestra más eficaz para agilizar el diálogo y la narración, los alejandrinos acompasan el ritmo interiorizado de la última estampa.

Sistemas de signos no lingüísticos

El decorado.—En *Mariana Pineda* Lorca concibe los actos como estampas o viejas litografías. Así los colores y la iluminación están condicionados por una estilización pre-

---

[53] *Obras Completas*, II, págs. 966-967.

via. Ya en el Prólogo, la escena «estará encuadrada en un margen amarillento como una vieja estampa, iluminada en azul, verde, amarillo, rosa y celeste». Este margen será tenido en cuenta en la decoración realizada por Dalí. En el proyecto indica el pintor catalán: «Todas las escenas enmarcadas en el marco blanco de litografía que tú proyectaste»[54]. Antonina Rodrigo especifica que «para resaltar la calidad de estampas [...] las decoraciones eran más pequeñas que la embocadura, de lo cual resultaba un escenario dentro del escenario»[55].

La Estampa segunda se abre con la indicación: «Entonación en grises, blancos y marfiles, como una antigua litografía». Pero Lorca requiere a veces cierto hieratismo instantáneo, una súbita inmovilización en la disposición de los personajes en el escenario que contribuya a la evocación de las antiguas ilustraciones o grabados. Suele aprovechar el poeta momentos culminantes de la pieza. Así cuando Mariana va a confiarse a Fernando para salvar a don Pedro: «Mariana se sienta en una silla, de perfil al público y Fernando junto a ella, un poco de frente componiendo una clásica estampa de la época». Igualmente cuando la reunión nocturna de los conspiradores que es tópico de novelas y dramas del romanticismo, Lorca señala que «unos se sientan y otros quedan de pie, componiendo una bella estampa». Esta intención se advertirá a veces sobre el vestuario, que también apoya las litografías ochocentistas: «Aparece por la puerta del fondo Mariana, vestida de amarillo claro, un amarillo de libro viejo».

En *Mariana Pineda,* como ocurrirá luego con sus obras maduras, se irá hacia un predominio de lo blanco, color esencial de Andalucía: «En el último acto ella estará vestida de blanco y toda la decoración en este mismo tono»[56].

---

[54] Antonina Rodrigo, *Lorca-Dalí. Una amistad traicionada,* Barcelona, Planeta, 1981, pág. 114.

[55] *Ibídem,* pág. 119.

[56] Gallego Morell, *op. cit.,* pág. 56.

La utilería ocupaba poco espacio en el proyecto de Salvador Dalí con el que Lorca estaba en todo de acuerdo. En *Indicaciones generales para la realización plástica de Mariana Pineda* dice el pintor catalán: «Los telones de los decorados tienen que servir de meros fondos a las figuras, con afiligranadas *inclinaciones* plásticas de la escena; *el color* tiene *que estar en los trajes de los personajes,* por lo tanto, para que éstos tengan máxima visualidad, el *decorado* será casi monocromo, las ligerísimas cambiantes de tono tienen que ser como desteñidas, todos los muebles, cornucopias, consolas, etc. dibujadas sencillamente en el decorado, el clave, de cartón recortado y pintado igual que los demás muebles, en cambio, los *cristales* tienen que *ser de verdad...*»[57].

La recepción del momento notó la novedad del decorado. Rodríguez Codolà, en *La Vanguardia,* destacaba: «En cuanto a la presentación escénica se ofrece el contrasentido de trajes de estricto figurín de 1831, y de un decorado concebido con arreglo a normas, y convenciones en algún caso, de cosa de un siglo después. Esto es, remedador del arte de avanzada que priva ahora en algunos escenarios extranjeros». Igualmente Emilio Tintorer, en *Las Noticias,* afirmaba: «La obra se presentó bajo la dirección artística del joven Dalí. Algo parecido a lo que hacen en Francia los del llamado teatro de vanguardia. Decorados y accesorios para dar un ambiente artístico convencional, pero que impresione y precise. El joven Dalí demostró ser artista sincero y elegante»[58]. Y asistente al mismo estreno, en el diario *La Noche* Francisco Madrid expresaba su entusiasmo: «Salvador Dalí, íntimo amigo del poeta, comprometióse a evocar el ambiente sobre el decorado. Lo ha logrado [...]. Sus decoraciones estilizadas, sus líneas modernizadas no obstante, tenían la gracia y la humildad del decorado de la primera mitad del siglo XIX [...]. Los dos mu-

---

[57] En *Lorca-Dalí. Una amistad traicionada, op. cit.,* pág. 114.
[58] *Ibídem,* pág. 121.

chachos —García Lorca y Dalí— muy modernos, muy nuevos, han retrocedido al pasado siglo para ofrecernos a la vez que un viejo romance, una obra moderna. Así ha sido. He aquí su mayor elogio»[59].

La iluminación.—Es otro elemento innovador en el teatro lorquiano. Dalí ya concebía los vidrios como imprescindibles para el decorado. En «El espacio y tiempo escénicos» se expuso cómo la apertura del espacio se da a través de la iluminación que, al hacer confluir crepúsculo con aurora, posibilitará la salida del tiempo histórico y la entrada en el mítico. La luz favorece y dota de sentido la simultaneidad de la salida de la protagonista y el canto del coro de niños. Con la iluminación colabora el sonido que crece con la claridad: «Un campaneo vivo y solemne invade la escena y un coro de niños empieza, lejano, el romance. Mariana va saliendo lentamente [...] Una luz maravillosa y delirante invade la escena. Al fondo los niños cantan». Y la última acotación es «No cesa el campaneo».

Lo gestual.—El propósito de esencializar lo romántico eludiendo el *pastiche,* lleva a Lorca en las acotaciones a minuciosas y frecuentes indicaciones referidas sobre todo a lo gestual. Como aconseja antes de la difícil escena entre Mariana y Pedrosa, en la Estampa segunda, «hay que huir de la caricatura». La estilización implica para el poeta cierta actitud contenida y también un refinamiento extremado. Lucía será así «fina siempre». Algunos adjetivos como «delicado» y «exquisito» con la forma adverbial correspondiente los utiliza con el fin de puntualizar ese ideal. Fernando tiene «un exquisito, pero contenido gesto de desaliento». Mariana «llena de su delicado delirio se arregla los bucles y el escote». Igualmente cantará «repitiendo exquisitamente la canción». Si la heroína se angustia lo hará también «exquisitamente», sin desbordes desaforados o de mal gusto.

---

[59] *La Noche,* sábado, 25 de junio de 1927.

El adjetivo «divino» se suma a aquellos que quieren subrayar la distinción de los movimientos. El modo como Mariana se sienta en el banco, con las manos cruzadas y la cabeza caída, es «una divina actitud de tránsito» para exteriorizar la muerte de su esperanza.

Los superlativos, asimismo muy empleados, lo son para señalar gestos de suma fineza que no descartan la contención en la intensidad. De este modo, Mariana en la última escena con Pedrosa «tendrá un delirio delicadísimo, que estallará al final», su pasión será «vehementísima y profunda»; también Fernando se mostrará «enamoradísimo».

Aunque el dramaturgo no agregue nada más, es posible entender por el espíritu que anima a las otras acotaciones lo que intenta sugerir. A veces, por medio de adversativas: Fernando debe leer la carta de Sotomayor «desalentado, aunque sin afectación». Dos adjetivos que aparentemente se excluyen sirven a Lorca para inducir al equilibrio que desea en la interpretación: Mariana, escuchando los pasos de Pedrosa por la escalera, ha de cantar «con admirable y desesperado sentimiento», o conversará «aterrada pero con cierta serenidad».

En ocasiones Lorca lo aclara directamente: «Mariana trata de escuchar y juega con su sortija, conteniendo su angustia y su indignación».

Para lograr esa evocación romántica destaca la lentitud con que el personaje debe sacarse o ponerse la amplia capa española. Pero el movimiento no debe aparecer artificioso. Es propio de la época y de los caballeros que la representan: «Fernando cuelga lentamente la capa sobre sus hombros» o lo presenta «natural, digno y suave, poniéndose lentamente la capa». Igualmente, mientras habla muestra su caballerosidad «poniéndose la mano sobre la blanca pechera».

En general, Lorca procura siempre para toda la obra lo que señala para el primer encuentro escénico entre la protagonista y Pedrosa: «no caer en exageraciones que perjudiquen su emoción» porque, y podríamos extenderlo a la pieza entera, es «delicadísima de matizar» y se podría estar al borde mismo del fracaso si los matices no se lograran plenamente en la representación.

ESTUDIO TEXTUAL Y GENÉTICO

La pérdida del manuscrito o de un libreto apógrafo, reproducido por la única edición de *Mariana Pineda* en vida de su autor, en 1928, en la revista teatral *La Farsa*, continúa planteando un problema textual. En efecto, esta publicación difiere bastante del manuscrito conservado, que tiene fecha de 1925. A la pérdida que mencionamos debe sumarse otra: la del libreto que Guillermo de Torre utilizó para las primeras *Obras Completas* de García Lorca que aparecieron después, en Buenos Aires, editadas por Losada en 1938. Este texto posee diferencias con el de *La Farsa* y con el manuscrito, aunque se sirva, como veremos, de los dos.

La edición posterior de Aguilar, en 1954, no se ajusta a ninguna de las versiones anteriores. Arturo del Hoyo las ha cotejado y ha extraído de cada una lo que le ha parecido conveniente sin exponer motivos. Después, las ediciones que se han sucedido han optado, indiscriminadamente, por uno u otro de los textos impresos. Se hace necesaria, en consecuencia, una edición crítica que fundamente el texto lorquiano válido y lo estudie desde una perspectiva literaria y genética.

Para esta edición se ha contado con los siguientes materiales:

Pretextos

a) Un manuscrito autógrafo, fechado en Granada el 8 de enero de 1925 y regalado por el autor, con dedicatoria a su amigo Pepín Bello quien, a su vez, lo ha donado a la familia del poeta. Integra, en la actualidad, el fondo biblio-tecológico de la Fundación Federico García Lorca en Madrid, donde lo hemos consultado durante varios meses. El manuscrito consta de un Prólogo de 1 folio, de 15 × 21 cm, escrito de un lado con tinta negra y lápiz. Al dorso se ha impreso la huella de una nota escrita sobre papel superpuesto que dice: «Le voy a dedicar un poema». La Estampa primera abarca 29 folios, de 15 × 21 cm, escritos también de un solo lado. Alterna el uso de tinta verde con correcciones en negro y tinta negra con correcciones en verde. No está completa y los folios se numeran de este modo: 0,2 y hasta 29. Falta evidentemente el 30, si cotejamos con *La Farsa*. La Estampa segunda comprende 35 folios de la misma medida que los anteriores, escritos de una cara, en tinta verde con algunas correcciones y añadidos a lápiz. Se enumeran erróneamente de esta forma: 1 a 21, un folio sin número y después recomienza la numeración de 24 a 37. Sobre el dorso del folio 20, de mano de Lorca, en tinta oscura se halla escrito: «Falstaff»[60]. Sobre el folio 27v^a, escrito por alguien que no es el poeta, se lee: «Perteneciente / al Sr. García Lorca». La Estampa tercera consta de 27 folios, de 15 × 21 cm, escritos de una cara, en papel de varias calidades, en tinta verde, con agregados y correcciones a lápiz. En el folio 27, debajo de «Telón lento», dice: «Granada 8 de enero 1925». Y en el 27 v^a Lorca ha puesto a lápiz una

---

[60] A este popular personaje del teatro inglés parece haberlo tenido Lorca muy en cuenta por su relación con el teatro de títeres que escribía en esa época, al mismo tiempo que redactaba *Mariana Pineda*. En una función dada en Buenos Aires, en 1934, antes de la representación nocturna, para amigos, del *Retablillo de don Cristóbal*, el propio Lorca, que interpreta al Poeta, le hace al muñeco un elogio que acredita lo que decimos: «Usted es un puntal del teatro, don Cristóbal. Todo el teatro nace de usted. Hubo una vez un poeta en Inglaterra, que se llamaba Shakespeare, que hizo un personaje que se llamaba Falstaff, que es hijo suyo» (véase Federico García Lorca, *Obras Completas*, I, ed. cit., págs. 1211-1212.)

dedicatoria: «Para Pepín / Este manuscrito de mi / primer obra dramática. ¡A pesar de ser / un sinvergüenza! / Federico», con rúbrica.

b) Cinco fragmentos autógrafos de la obra y una copia hecha por el poeta de fragmentos de romances, sin fecha, descubiertos en la Fundación García Lorca, y no tenidos casi en cuenta hasta el presente. Todos son anteriores (excepto el 3, que estimamos inmediatamente posterior) al manuscrito del 25, como puede comprobarse, sobre todo, porque presentan variantes previas, muchas veces corregidas, a su vez, en el manuscrito. El Fragmento 3, brevísimo, escrito con la tinta verde de aquél, propone correcciones que aparecen en *La Farsa.* Con excepción del fragmento de romances, los otros habrían integrado quizá libretos o esbozos de escenas aisladas. Confirman de algún modo las declaraciones hechas por el poeta a Francisco Ayala el 1 de setiembre de 1927, en vísperas del estreno de *Mariana Pineda* en Madrid: «Tengo tres versiones completamente distintas del drama. Las primeras no viables teatralmente. En absoluto... La que estreno implica una conexión, una sincronización»[61].

Hemos ordenado estos fragmentos dejando en último término el de romances y numerando los otros según aparecen en la primera edición, pero cronológicamente el primero es el segundo pues revela un Lorca aún inmaduro para el teatro poético. Quizá se remonte su redacción a 1922 o 1923, fechas en que Marie Laffranque estima posible la primera escritura de *Mariana Pineda*[62], basándose en lo manifestado por el propio poeta al *ABC* de Madrid el 12 de octubre de 1927. Sin embargo, este texto contiene virtualmente segmentos vertebrales de la pieza.

---

[61] *Ibídem,* II, pág. 963.
[62] «Bases cronológicas para el estudio de Federico García Lorca», en *Federico García Lorca,* ed. de Ildefonso-Manuel Gil, ed. cit., pág. 430.

El Fragmento 1 comprende 2 medios pliegos, el primero de 15 × 21 cm y de 15 × 21,5 cm el otro. Escritos con tinta azul de un lado, están numerados 13 y 14, respectivamente. Corresponden a la Estampa primera, escena de Clavela, Mariana y Fernando (en el texto de *La Farsa,* la Escena VII). El Fragmento 2 abarca 9 cuartillas de 14,5 × 18,3 cm, numeradas de 18 a 26, escritas con tinta marrón de un lado, excepto la 26, que lleva al dorso un parlamento de Mariana tachado y numerado 18. El texto concuerda con el final de la Estampa primera desde la escena entre Mariana y Fernando, y luego Angustias. En esta redacción la última escena lleva el número XI y deducimos que lo anterior pertenece a la X (VIII y IX de *La Farsa).* El Fragmento 3 es una sola cuartilla de 15 × 21 cm, escrita con tinta verde en la parte superior. Pertenece a la Estampa segunda y describe minuciosamente el atuendo del Conspirador 4.º. Lo creemos contemporáneo de la redacción del manuscrito. El Fragmento 4 se compone de 2 cuartillas de 15,6 × 21,5 cm, escritas en tinta negra de un lado, y numeradas 19 y 20, y 5 cuartillas de 15 × 21,5, escritas también de una sola cara. Continúan la numeración anterior de la 21 a la 25, inclusive. Comprende el fin de la escena entre Mariana, Don Pedro, Clavela y los Conspiradores, y la escena siguiente entre Mariana, Pedrosa y Clavela al terminar la Estampa segunda. De acuerdo con la numeración de este fragmento, corresponde al final de la VII y a las Escenas VIII y IX. Concuerdan sólo con la VIII y IX de *La Farsa.* El Fragmento 5 se halla escrito con tinta negra en un lado de una cuartilla sin numeración. Intervienen en la escena Pedrosa, la Madre Carmen y Mariana en uno de sus monólogos. En esta versión figura como el final de la Escena VII y comienzos de la VIII en la Estampa tercera. La numeración cambia en *La Farsa,* donde el inicio del fragmento es la culminación de la Escena V y lo que sigue, el comienzo de la VI. El último fragmento, el 6, son dos cuartillas de 15 × 16,6 cm y transcribe estrofas o retazos de romances anónimos sobre la heroína, entre ellos una versión del utilizado por el poeta en el Prólogo y el final de la obra. En la segunda cuartilla, luego de la transcripción, hacia el margen izquierdo, dice: «Copiado de / Doña Antonia Urdembidelas [sic]»[63].

Ediciones

a) La única edición en vida del autor fue, como sabemos, publicada por la revista *La Farsa,* en su número 52, con fecha 1 de septiembre de 1928[64]. La obra se había estrenado en el teatro Goya de Barcelona el 24 de junio de 1927 y, en Madrid, la misma compañía de Margarita Xirgu la sube a escena el 12 de octubre de ese año, en el teatro Fontalba. Puede conjeturarse, pues, que García Lorca entregó a *La Farsa* un texto no muy distinto del libreto del estreno, aunque sí del manuscrito. Y no cabe duda de que autorizó y propició la edición, ya que cuatro dibujos suyos la ilustran. No podríamos, sin embargo, asegurar que haya corregido personalmente las pruebas de imprenta, porque solía delegar esta tarea.

No conocemos otra edición antes de la muerte del poeta, a pesar de las declaraciones que le hace a José E. Serna,

---

[63] Es conocido el interés del poeta por las expresiones poéticas populares. Acompañó a Ramón Menendez Pidal en 1920, en su excursión en busca de romances por los barrios granadinos del Albaicín y el Sacromonte (véase Ramón Menéndez Pidal, *Romancero hispánico* [Hispanoportugués, americano y sefardí], Teoría e historia, II, Madrid, Espasa-Calpe, 1968, págs. 438-439). Mario Hernández recuerda el episodio y consigna, entre algunos romances recogidos por Menéndez Pidal en esa ocasión, el «infantil dedicado a Mariana Pineda» (véase «Cronología crítica del *Romancero gitano*», en Federico García Lorca, *Romancero gitano*, Madrid, Alianza, 1981, págs. 138-159).

[64] Aguilar en su «Bibliografía» menciona otra edición publicada en 1928 por Editorial Moderna de Santiago de Chile y reimpresa en 1936 que no hemos podido hallar. Creemos, sin embargo, por la fecha, que debe reproducir la primera edición madrileña.

80

en 1933, acerca del propósito de publicar varias obras teatrales estrenadas o no, entre las cuales cita especialmente a *Mariana Pineda* en «una edición nueva, exquisita»[65]. Hemos considerado, en consecuencia, este texto de *La Farsa* como básico por ser el único —tenemos la certeza— que el poeta autorizó para su publicación. Grandes diferencias lo separan del manuscrito, entre añadidos y correcciones, en los que no cabría descartar haya influido una mayor experiencia escénica, por estar publicado a más de un año del estreno en Barcelona, donde Lorca había participado activamente junto a Salvador Dalí. Asimismo pudo influir la recepción de la crítica y el público madrileños. Sabemos, además, que Lorca solía corregir e incorporar a sus producciones dramáticas, después del estreno, cambios y acotaciones, como pasó con *La zapatera prodigiosa* al presentarla en Buenos Aires, en 1933[66]. Para explicarse ciertas modificaciones convendría considerar también que era ya el autor del *Romancero gitano,* aparecido en julio de 1928 y compuesto entre 1924 y 1927, según el propio poeta, aunque algún romance incluido pueda haberse escrito con anterioridad. Tres años de simultaneidad de producción entre el *Romancero* y *Mariana Pineda* avalan la evolución poética de Lorca[67]. Los romances incluidos en la obra teatral que se

---

[65] *Obras Completas,* II, pág. 999.

[66] Mario Hernández, «Introducción» a *La zapatera prodigiosa,* Madrid, Alianza, 1982, pág. 42.

[67] Ya había escrito también en 1923 poemas de *Suites* y *Canciones.* Y había terminado el *Poema del cante jondo* y *Primeras canciones.* En cuanto a su vocación dramática, no había quedado inactiva luego del fracaso de *El maleficio de la mariposa.* Un manuscrito de la *Tragicomedia de don Cristóbal y la señá Rosita* está fechado en 1922. Allí se nombra justamente a la heroína de Granada. En el cuadro sexto dice la señá Rosita: «Voy al suplicio como fue Marianita Pineda. Ella tuvo una gargantilla de hierro en sus bodas con la muerte, y yo tendré un collar..., un collar de don Cristobica». Esta coincidencia da la pauta de la simultaneidad de la creación lorquiana y de la común folklorización de temas. Un libreto de títeres, inspirado en un cuento tradicional andaluz, se había represen-

hallan ya con variantes en el manuscrito «son piezas aislables y muy próximas a las del *Primer romancero*»[68]. Pero es sobre todo en los nuevos versos de la edición de *La Farsa* donde la metáfora lorquiana alcanza una calidad comparable a la del *Romancero,* no sólo si la juzgamos separadamente sino integrando la eficacia del lenguaje dramático.

b) Las primeras *Obras Completas,* bajo la dirección de Guillermo de Torre, se comienzan a editar por Losada, en Buenos Aires, en 1938. El volumen V, aparecido el 7 de diciembre del mismo año, reúne *Mariana Pineda* con la otra obra de ambiente granadino: *Doña Rosita la soltera o el lenguaje de las flores.*

Sorpresivamente nos encontramos con una edición distinta de la *princeps.* Reaparecen partes del manuscrito excluidas en *La Farsa* y, a veces, se restauran otras junto a aquellas que las sustituían. También se hallan arreglos que no figuran en el manuscrito ni en *La Farsa.* Lamentablemente ha desaparecido el libreto usado por el compilador, pero es evidente que quien corrigió conocía los dos textos a fondo. Todo podría llevarnos a suponer que ha sido el propio Lorca quien lo ha hecho. En el prólogo al volumen primero de estas *Obras* Guillermo de Torre deja constancia de cómo le han llegado los originales o las copias de éstos,

---

tado en su propia casa el día de Reyes de 1923 para su hermanita Isabel y sus amiguitos, con musicalización de Manuel de Falla. Había escrito también en 1923, en la línea farsesca del teatro de guiñol para actores, el primer acto de *La zapatera prodigiosa,* según le escribe a Melchor Fernández Almagro. Y en 1924, al leerle su amigo Moreno Villa, en un libro de botánica, la historia de la *rosa mutabilis,* empieza a concebir *Doña Rosita la soltera o el lenguaje de las flores.* Esta ebullición creadora, esta actividad de producción incesante, y no incluimos otras tentativas frustradas que ahora también se conocen, confirman que Lorca había seguido experimentando en el hecho teatral y que su *Mariana Pineda* no podía ser obra de principiante, como alguna crítica la juzgó, influida quizá por declaraciones del propio poeta.

[68] Mario Hernández, «Introducción» al *Romancero gitano,* Madrid, Alianza, 1981, pág. 18.

y en las mismas notas a pie de página explicita su agradecimiento: A Ricardo Molinari y a Eduardo Blanco Amor, por la poesía; a Pablo Sueiro, por *Así que pasen cinco años;* y a Margarita Xirgu, Irene Polo y Miguel Ortín, por ser «quienes nos han facilitado las únicas copias auténticas de los manuscritos dramáticos de García Lorca con los últimos retoques del autor»[69]. Es decir, se contó con un libreto de la Xirgu o de alguien de su compañía. La falta de división escénica en Losada respaldaría la suposición de que se trata de un libreto, tal vez aportado por Ortín, que era actor y será el segundo esposo de la actriz, o por Irene Polo, periodista y representante del grupo cuando Margarita Xirgu arriba a Buenos Aires, procedente de Chile, el 4 de mayo de 1937, en plena guerra civil española, ya para nunca retornar a su patria[70].

El extravío de la copia, fuente de la edición, nos impide comprobar si era un apógrafo, conocer su datación, y si era posterior a la publicación de *La Farsa,* quizá el libreto que Margarita Xirgu utiliza cuando estrena *Mariana Pineda* en Granada, en 1929, acompañada por Federico. Pero, aunque no se pueda, debido a estas causas, reemplazar por esta edición a la del 28 como texto base, no podemos ignorarla, precisamente por tantas hipótesis como plantea.

c) En cuanto a la versión incluida en las *Obras Completas* de la Editorial Aguilar, en 1954, al cuidado de Arturo del Hoyo, está compuesta, como adelantamos, de fragmentos de los tres textos. No explica del Hoyo los criterios que tiene en cuenta para su fijación. No obstante, puede colegirse que da preferencia al manuscrito, aunque a veces lo descarta y transcribe el texto de *La Farsa* o de Losada. Quedan a nuestro entender las razones que puedan haberlo de-

[69] «Federico García Lorca», en *Obras Completas,* Buenos Aires, Losada, 1938, vol. 1, pág. 19, nota.

[70] Antonina Rodrigo, *Margarita Xirgu y su teatro,* Barcelona, Planeta, 1974, pág. 249.

cidido, ya que no atiende a ningún fundamento filológico explícito. Las «Notas al texto» incurren en errores y erratas que se han venido repitiendo desde la primera edición hasta la última de 1986, en que se ha alcanzado la vigésimo segunda. Cabe recordar que la edición de Aguilar fue la primera que se permitió en España durante el régimen franquista, después de años de estar prácticamente prohibida la obra lorquiana. Sin embargo, el hecho de publicarse estas *Obras* con cierto lujo, tapa de cuerina, papel biblia y algún aparato crítico, las hizo poco accesibles y atrayentes para el lector común. Circunstancia que, junto al malestar que aún provocaba en el gobierno el nombre del poeta, tal vez haya incidido en ciertas exclusiones de fragmentos con algunas implicancias políticas, no anulados en el manuscrito, los que nunca se incorporan al texto ni tampoco se transcriben en las «Notas». No ocurre igual con otros en las mismas condiciones pero sin relevancia política o religiosa.

El manuscrito y las ediciones

a) Las características textuales del manuscrito revelan, a pesar de no ser el primero, como vimos al cotejarlo con los fragmentos, una ardua tarea de elaboración por las abundantes correcciones, tachaduras y marcaciones. Son muchos también los añadidos, intercalados entre líneas con letra diminuta o más pequeña que la común del texto, e igualmente a ambos márgenes, sobre todo en el derecho, donde queda el mayor espacio disponible. Esto nos alerta acerca de que el poeta ha corregido después de una redacción primera. En ésta Lorca parece atender, sobre todo, al diálogo, dejando para después lo referente a las acotaciones en general, que suele incorporar con letra de menor tamaño.

En cuanto a las correcciones, cuando una se produce sobre la marcha y afecta a un fragmento, el poeta anula con una cruz varios renglones, ya corregidos en parte, y también, con rayas horizontales que atraviesan la página, los aísla del texto que los precede y del que los continúa. Lo hace a menudo para retrotraer algunos versos o líneas, insertar otros nuevos y repetir los finales, o con parecidos propósitos, en una nueva redacción que prosigue la anterior. Así lo explicamos en el aparato crítico en varias ocasiones (véanse la Estampa primera [424-433], y la Tercera [117-130]).

Sin duda, la corrección horizontal (al lado de la tachadura) permite imaginar que fue hecha en el instante mismo de la redacción. La mayor parte de las variantes, sin embargo, se encuentra, en el manuscrito, encima o abajo de los vocablos, frases o versos, lo que no asegura tampoco que no sea hecha la corrección inmediatamente después de haber escrito. El escalonamiento de variantes autoriza, no obstante, a suponer como más probable una revisión posterior, así como las numerosas palabras a medio escribir o frases sin terminar tachadas implican que el autor tantea con rapidez sus posibilidades de expresión. Nos ha facilitado mucho, para descifrar el tiempo de las correcciones, el uso que hace Lorca de tintas de distinto color o de lápiz.

Los titubeos o dudas no resueltos suelen estar marcados con rayas verticales u onduladas en el margen derecho de los fragmentos, versos o líneas, y también con otro tipo de señales, que no especificamos porque el poeta parece usarlas indistintamente.

En muchas partes el autor explicita, como una advertencia para sí mismo, casi siempre del lado derecho de las marcaciones, la vacilación o la decisión de suprimir, con leyendas como «quizá no» o «no», lo que implicaría una revisión del texto después de marcarlo. También llega a utilizar autorrecordatorios entre paréntesis para un agregado que no lleva a cabo en el manuscrito. Entre muchos, por ejemplo, en la Estampa primera [9-10], leemos: «(alusión a los mayorazgos y al robo del ciego Pineda)» y abajo: «(madre adoptiva)» adicionado en el margen de la derecha. En *La*

Farsa se insertará «madre adoptiva de Mariana», entre comas, después de «aparece Doña Angustias» (Estampa primera, [5-6]).

De otras líneas también señalizadas y abarcadas por un «no» o «quizá no» se omiten a veces sólo algunas en *La Farsa* (véase Estampa segunda, [506-507]).

Algunos versos marcados, tachados y reemplazados por otros en el manuscrito, se restauran en *La Farsa,* que anula la variante. Así, entre otros, en el romance de la corrida de Ronda (véase Estampa primera, [256-257]).

Muchas correcciones fundamentales para la obra quedan a medias en el manuscrito, como pasa con las del Prólogo (véase sobre todo [16-18, 18-20, 21-22]). Y otras líneas añadidas se omiten totalmente en la edición *princeps* (véase Estampa primera [211-213]).

Para concluir, destacaremos que el manuscrito posee, por supuesto, ciertas características propias de los autógrafos lorquianos: descuido en la puntuación y en la ortografía, sobre todo en la acentuación, que es casi inexistente. A menudo el uso de las mayúsculas sin que lo requiera la sintaxis, o a principio de verso, sin que responda al deseo de comenzarlo con letra capital, como se estilaba en la poesía romántica del siglo XIX. También una arbitraria utilización de las minúsculas y un caprichoso manejo de los signos de entonación: exclamación, interrogación, paréntesis, etc. Todo deberá ser salvado en *La Farsa.*

En consecuencia, se debería reiterar que el manuscrito es un texto en elaboración, casi diríamos no terminado. Muchas vacilaciones no se resuelven en él y sólo se aclaran y completan en la primera edición.

b) Fragmentos marcados de tema político. Entre los fragmentos marcados del manuscrito muchos refieren a la situación política de la época de Fernando VII pero pueden alcanzar otra semántica si el espectador los vincula a la política del momento, en que gobernaba el dictador Primo de Rivera con la adquiescencia de Alfonso XIII. Así este fragmento de la Estampa primera [395-397] sobre la falta de libertad:

FERNANDO

¡Y las gentes cómo aguantan!
¡Señor, es ya demasiado!

MARIANA

¡Es ya demasiado horror!

Otros versos de la misma Estampa [438-443] se hacen eco de la pésima reputación del Rey y de su ministro, lo que puede encubrir también una definida posición anti-monárquica:

FERNANDO

¡Sufren tanto las criaturas
y aunque yo no entiendo nada,
el rey me parece un bicho
triste de narices largas,
un traidor de baja estofa
y Calomarde, un canalla!

Igualmente, en la Estampa segunda [475-478] hallamos una incitación al alzamiento que puede tener otra lectura, otra recepción. Dice el Conspirador 2.º:

Ya nos llega la sombra hasta la frente
y hay que lanzarse pase lo que pase
a quitar el terror que nos rodea
con gentes de Granada o de otra parte.

Dentro de la misma Escena VII, unas respuestas de los Conspiradores a la pregunta de Mariana: «¿No es Fernando un juguete de los suyos?», intensifican el retrato negativo del rey. La interrogación se suprime en *La Farsa* y sólo la recoge Aguilar, pero sin los parlamentos que transcribimos:

CONSPIRADOR 3.º

Amigo de manolos y truhanes,
los manolos dirigen nuestra España,
la navaja de muelles en el talle.

(MARIANA *sale por la puerta del foro.*)

CONSPIRADOR 2.º

Dicen que baja por Madrid de noche
y que ronda los barrios populares,
embozado en la capa de los majos.

CONSPIRADOR 1.º

El rey se curará de sus errores.

CONSPIRADOR 2.º

Pero su plebeyismo es incurable [492-501].

Asimismo en esta escena se hace la crítica de la personalidad falaz del Conde de Montijo, fustigando indirectamente a la nobleza:

CONSPIRADOR 2.º

¿Y el conde de Montijo?

PEDRO

No podemos
contar con él. Sigue enfermo y cobarde.

(*Entra* MARIANA.)

CONSPIRADOR 3.º

¡Más limpio saldrá todo!

PEDRO

Así lo creo.
El conde siempre ha sido un intrigante
con dos caras. Un hombre peligroso
a quien jamás podría confiarme [498-506].

En esta misma Estampa, una marcación, con la indicación dubitativa «quizá no», abarca 6 versos y 1 acotación.
La Farsa transcribe sólo la acotación y los 2 últimos y anula los más comprometedores que expresan el desolado sentimiento que provoca en los liberales el autoexilio por la
persecución política [620-623]:

CONSPIRADOR 4.º

Mañana lo más tarde partiré.

PEDRO

Y es el gran dolor verse arrancado
del sitio donde el alma se recrea
violentamente y sin piedad, de cuajo.

Estos versos desechados en *La Farsa* lo son también en Losada. Aguilar no explica por qué, como de costumbre, no
ha seguido el manuscrito. Sólo deja constancia de que esta
vez no lo ha hecho: «dice el Ms. (que no hemos seguido en
este lugar)» y únicamente transcribe el verso 1.º: «Mañana
lo más tarde partiré», ideológicamente inocuo. Es evidente
que Aguilar, en la posguerra, con toda la intelectualidad

89

republicana exiliada, prefiere suprimir versos que parecen una alusión a esa nueva circunstancia histórica. Esta tesitura la extrema Aguilar en la Estampa primera, cuando no traslada un texto no tachado en el manuscrito, aunque marcado, que *La Farsa* incorpora y desaparece en Losada. Es aquel en que Fernando atribuye una premeditada crueldad a Pedrosa y acusa indirectamente a la Iglesia de complicidad con el monarca:

> Se trajo en el maletín
> un centenar de mortajas,
> hechas, según se murmura,
> por manos que son sagradas [427-430].

Aguilar no lo transcribe tampoco en «Notas...», como acostumbra hacer con otros textos marcados. En la misma Estampa, una alusión al garrote vil, dicha por Fernando [614-617] con ironía, se halla señalizada en el margen izquierdo, no está anulada y es omitida en *La Farsa* y en todas las ediciones:

> El peligro no me espanta.
> Lo más que puede pasar
>
> *(Irónico.)*
>
> es que adornen mi garganta
> con un precioso collar.
>
> (MARIANA *se lleva las manos al cuello.*)

Si bien la supresión de este fragmento puede haberse debido, en este caso, a otras razones[71], es de notar que to-

---

[71] Tal vez a las demasiadas y explícitas premoniciones sobre el cuello de Mariana, cuya historia se da por supuesto que el espectador conoce.

dos estos textos han padecido una doble censura: la del 27, que pesa sobre el poeta que desea ver representada su obra, y la del 54, que soporta Aguilar en pleno régimen franquista. Se daban, en efecto, dos circunstancias históricas semejantes. García Lorca marcó estos fragmentos, sin anularlos, quizá por los temores que embargaron a Gregorio Martínez Sierra. Este director, luego del entusiasmo inicial por llevar la obra a escena (le había augurado un éxito comparable al *Tenorio),* fue cambiando de opinión. Pidió al parecer al autor que suavizara ciertas escenas porque no quería correr el riesgo de que le cerraran el teatro. Temía que *Mariana Pineda* fuese malinterpretada como un solapado ataque contra la dictadura. En principio parece que el poeta accedió a ello[72], pero el nuevo texto no disipó los miedos de Martínez Sierra, quien desistió del proyecto. Aun años más tarde, como disculpa por no haberla estrenado, declara Martínez Sierra que *Mariana Pineda* «no es un panfleto contra la dictadura de Primo de Rivera, pero lo parece»[73].

Todo hace suponer que este manuscrito expurgado persistirá en el libreto que Eduardo Marquina debería haber entregado a Margarita Xirgu y que subió, finalmente, a escena en el 27. No había cambiado la situación política y Lorca espera nerviosamente que su carrera teatral se reinicie (luego del estruendoso fracaso de *El maleficio de la mariposa* en el 20). No eran momentos para volver a intercalar los textos omitidos. Además, como veremos, Lorca había

---

[72] José Mora Guarnido se refiere a una carta que le envió Manuel de Falla, en junio de 1924, donde le comunica que, en Madrid, García Lorca le dijo «que Mz. Sierra había aplazado el estreno de *Mariana Pineda* y que estaba reformando la obra» *(Federico García Lorca y su mundo,* Buenos Aires, Losada, 1958, pág. 158). Antonina Rodrigo asimismo lo consigna: «El dramaturgo decidió revisar la obra y matizó ciertos pasajes» («Mariana Pineda, madrigal de libertad», en *Mariana Pineda,* Barcelona, Aymá, 1975, pág. 40).

[73] Francisco García Lorca, *Federico y su mundo,* Madrid, Alianza Tres, 1981, pág. 286.

también añadido muchos textos nuevos que van transformando radicalmente el manuscrito del 25 y la figura de la protagonista. De algo estamos seguros: las correcciones posteriores a enero del 25 finalizan o con el estreno de Madrid o con el de Barcelona o con la edición *princeps,* es decir, en el 27 o en el 28. Toda otra posibilidad es mera suposición.

c) Correcciones del manuscrito que se retoman en *La Farsa.* Aquí sólo trataremos de algunas correcciones que consideramos, entre otras, fundamentales para la significación de *Mariana Pineda* y de su estructura dramática que *La Farsa* acepta, modifica o rechaza y que originan, a veces, problemas textuales con Losada y Aguilar. Hemos asentado el resto de las correcciones en el aparato crítico.

Uno de los procesos correctivos más importantes es el del Prólogo. En el manuscrito, en la primera redacción a tinta, luego de la segunda estrofa del romance infantil, aparece lo siguiente:

(Más lejos.)

Oh, qué día tan triste en Granada,
las campanas doblar y doblar.
Con la musiquita se extingue la evocación

Mutación

El poeta ha corregido a lápiz en otro momento, con seguridad. Ha tachado la acotación final y ha añadido otra, después de los versos, que dice: «De una ventana se asoma una mujer con un velón encendido». Incorpora dos personajes nuevos: la mujer que llama y la niña que responde y otras dos acotaciones:

MUJER

María, niña.

(Cesa el coro.)

(Desde lejos.)

Ya voy...

(Sigue el coro.)

Ha quedado sin tachar, por olvido, el vocablo «Mutación» a tinta, que indicaba tal vez una transición menor que la de «Telón lento», a lápiz, que también ha agregado. En la primera edición Lorca anula la acotación «(Más lejos)» y la estrofa última de dos versos: «Oh, qué día tan triste en Granada, / las campanas doblar y doblar». Con variante permanece lo que se añadió a lápiz. Se suprime el nombre de la niña pero no el grito de la mujer: «¡Niña! ¿No me oyes?». Ahora la niña entra en escena «vestida según la moda del año 50». Y canta otra estrofa del romance antes de entrar en la casa. El coro sigue y repite los primeros versos del romance. Con esta reiteración García Lorca enfoca una visión circular del texto y prepara al espectador para adentrarlo en el mito de Mariana Pineda. La niña encarna la perduración de la historia de la heroína con el romance. Además, la nueva estrofa anticipa la fragilidad del personaje en la comparación floral, que se hará símbolo después en las Estampas. La génesis del Prólogo, como vemos, ha requerido por lo menos tres revisiones del poeta y la corrección estará recién cumplida con *La Farsa* o en los estrenos. Aguilar, sin embargo, no anula los dos versos del romance y mantiene partes de la primera acotación escénica, como consignamos en 5 [16-18].

Otras correcciones ayudan a dilucidar, a través del proceso genético, de qué modo el poeta introduce modificaciones que van a llevar la obra del plano histórico al mítico. En la Estampa tercera, entre los fragmentos tachados, hay uno que posterga una escena para varias páginas después.

En el aparato crítico figura como: [117-130]. Se retomará
con variantes en 243-251. Es la escena en que Mariana oye
llegar del jardín una voz que canta, con acompañamiento
de guitarra, la copla que ella repetirá: «A la vera del agua, /
sin que nadie la viera, / se murió mi esperanza». Pero lo que
varía de la segunda redacción no tachada, que luego traslada *La Farsa,* es que aquí, en la primera, anulada, interviene
la Madre Carmen para comentar con Mariana la identidad
del cantor:

CARMEN

(Ríe.)

Alegrito el jardinero.

MARIANA

¡Canta con una voz nueva!

CARMEN

¡Pues ya es viejo!

Cuando reaparece el fragmento en el manuscrito, la voz
que canta queda anónima porque la acotación que la identifica ha sido tachada: *(La voz del jardinero acompañado de
guitarra)* y reemplazada por otra: «En el jardín se siente una
guitarra. Los cipreses se mueven con el viento» [243-244].
Nadie dialogará sobre el dueño de la voz. Nadie especula
sobre a quién pertenece. Ni siquiera se aclara si es de mujer
o de hombre, aunque Mariana identifique a la vihuelista
con la Muerte. Sólo se indica: «Voz». Adrede el poeta la
deja indeterminada.

El gran acierto dramático que se logra en esta versión
que recoge *La Farsa* con alguna variante (omite la última
oración del manuscrito, pese a no estar anulada, y corrige

el verbo de la primera) consiste en crear una dimensión misteriosa donde el desengaño de Mariana se objetiva líricamente en una pura voz poética.

Otra corrección del manuscrito, aceptada por *La Farsa*, en la Estampa tercera [156], alcanza una resonancia especialísima. Lo que refiere Alegrito a Mariana acerca de que Granada está vacía de gentes, terminaba con una puntualización que luego fue tachada:

> No encontré más que una niña
> llorando sobre la puerta
> de la antigua Alcaicería
> *y un soldado en Plaza Nueva.*

La supresión del último verso permite que la figura de la niña se alce solitaria entre las calles desiertas y autoriza una relación casi mítica con la niña del Prólogo, quebrando espacio y cronología, como ha señalado la crítica[74].

Una diferencia textual con Losada y Aguilar se origina en una corrección del manuscrito que la edición *princeps* no transcribe. En la Estampa segunda, [640-646], cuando el brindis de Mariana con Pedro y los Conspiradores, se ha insertado, en letra pequeña y entre paréntesis, debajo de: «¡Y tenemos razones para estarlo!», lo siguiente: «(Pero a pesar de esta opresión aguda)». Esta parentética se une, por una oblicua, al último paréntesis de la acotación: «Mar (levantando su copa)», indicándose así que el texto que se halla en el primer paréntesis deberá intercalarse antes de lo que dice Mariana para brindar. *La Farsa* no traslada este verso [640] y el brindis empieza directamente con la cita poética: «Luna tendida, marinero en pie». En Losada, en cambio, se transcribe ese verso y además se le adiciona otro que reitera lo dicho por Pedro en su último parlamento: «y

---

74 Sumner Greenfield, «El problema de *Mariana Pineda*», en Ildefonso-Manuel Gil, *op. cit.*, págs. 381-382.

de tener razones para estarlo...» [640] y [641], respectivamente. Aguilar copia con exactitud la modificación de Losada. Hemos respetado el texto de *La Farsa* porque no cabe duda de que el poeta descartó lo que había intercalado en el manuscrito. Y no tenemos la misma certeza sobre la autoría de la restauración e innovación de Losada.

De igual modo, un texto marcado en el manuscrito y después eliminado en *La Farsa* ha dado lugar a otra diferencia textual. Nos referimos a las líneas [614-617] que ya incluimos en los fragmentos de referente político. Pertenecen a un parlamento de Fernando en la Estampa primera. Fuera de la marcación, el último verso, [612], dice: «Y esto a mi modo de ver...». Los suspensivos concuerdan con la acotación «(irónico)» de que dependía la tonalidad de los versos anteriores. Pero al suprimirse éstos en *La Farsa*, la semántica del verso que se mantiene adquiere, en el contexto, otra connotación, aunque reproduzca textualmente el manuscrito:

FERNANDO

Y esto, a mi modo de ver...

MARIANA

¡No debo pedirte nada!

En efecto, al desplazarse el antecedente del pronombre anafórico «esto» hasta la línea 604, los suspensivos indican, al parecer, que Fernando no ha terminado de manifestar su voluntad de servir, pese al peligro, cuando Mariana lo interrumpe, arrepentida ya de exponer así al joven. Losada sustituye el verso del manuscrito por otro: «Pero esto no puede ser», variante que implica, por el contrario, una rotunda negativa de Fernando que no condice con lo que expresa anteriormente. Aguilar recurre a una nueva distribución de los versos y los invierte, dejando el 612 en el parlamento de Mariana, y variando también el verso 613:

¡No puedo pedirte nada!
Pero esto no puede ser.

No sabemos en qué sustenta Aguilar estas novedades. Quizá en otros versos del manuscrito que figuran a continuación y que también expresan una lucha de Mariana consigo misma ante lo que va a pedir a Fernando: «¡Yo no puedo!» [618] y «*Eres tan joven, Dios mío*» [619]. Creemos, sin embargo, que no se justifica una alteración tan libre del texto, ya que el manuscrito establece, especialmente en este caso, un orden numérico en los versos que *La Farsa* respeta y Aguilar desconoce al trastrocarlos (véanse [612-615]). Y si alguna duda puede existir en cuanto al autor de la variante de Losada, no hay ninguna acerca del responsable de las de Aguilar. Además, tanto éstas como aquélla tergiversan la corrección hecha por el poeta en la primera edición.

d) *Añadidos de La Farsa*. Nos interesa destacar que los más importantes se dedican al carácter de Mariana, que va a quedar definitivamente acabado por la adición (y también supresión y corrección) de textos, tanto en los parlamentos propios de la heroína como en las alusiones con que otros personajes se refieren a ella. En la Estampa primera, cuando Amparo le recuerda lo que Fernando dice sobre sus ojos, el manuscrito trae: «y un temblor divino como de agua clara / sorprendida siempre bajo el arrayán». *La Farsa* corrige: «como de agua oscura» [173]. El poeta no cambia sólo el color de los ojos, sino que empieza a sugerir, con la oscuridad, lo conflictivo, la lucha de Mariana consigo misma. Esta hondura anímica se intensifica y trasluce mejor en los versos que se agregan enseguida [175-176]:

o temblor de luna sobre una pecera,
donde un pez de plata finge rojo sueño.

Sugieren el destino nefasto («temblor de luna») y la prisión interior de la mujer, ignorada por ella misma («pecera»), y la aparente contención de una pasión amorosa que desembocará en delirio («pez de plata», «rojo sueño». Son signos catafóticos que anuncian los soliloquios de Mariana.

Casi de inmediato Lorca sustituye en la primera edición una estrofa del manuscrito por otra. Leemos en aquél:

> La misma alegría que la viejecilla
> siente cuando el sol se duerme en sus manos
> y ella lo acaricia creyendo que nunca
> la noche y el frío cercarán su casa [183-186].

Y en *La Farsa*:

> La misma alegría que debe sentir
> el gran girasol al amanecer,
> cuando sobre el tallo de la noche vea
> abrirse el dorado girasol del cielo [183-186].

Parece que Lorca ha intentado, al abandonar la primera versión, una metáfora más grandiosa, una imagen cósmica, más acorde con el poeta maduro que ya era, en que Mariana sienta sus tinieblas interiores frente a la claridad y transparencia de las visitantes[75].

Otros versos insertados en el manuscrito, con letra diminuta y tinta verde [211-213], pertenecientes a los parlamentos de Mariana y Amparo, son desechados en *La Farsa*, aunque Aguilar los retoma:

---

[75] Resulta por eso sorprendente que reaparezcan en Losada, al lado de los versus del manuscrito, los que los sustituyen en *La Farsa*. La variante del último verso que trae Losada: «la noche de estrellas cercará su casa» vuelve ambiguo el sentido de decrepitud o vejez. También el orden en que se sitúan las dos versiones es inverso al cronológico, lo que produce cierto descenso poético de la grandiosidad alcanzada en la imagen de la edición *princeps*.

cómo necesito de tu gracia joven
Mi alma tiene el mismo color del vestido.

AMPARO

¡Qué cosas tan lindas dices, Marianilla!

Consideramos que la anulación puede deberse a que su-
perficializa el personaje que Lorca desea ahora interiori-
zar[76], y estos versos le sonarían un poco pueriles o cursis.
Esta subjetivización prosigue en el primer monólogo. *La
Farsa* añade cuatro versos [312-315] que anticipan con
imágenes vanguardistas la soledad y angustia que acompañarán la expectación continua del personaje:

Hora redonda y oscura
que me pesa en las pestañas.
Dolor de viejo lucero
detenido en mi garganta.

Al final de la Escena VII la variante que introduce *La Farsa* [561] en el diálogo de Mariana con Clavela es significativa.
En el manuscrito, Mariana le advierte: «y respeta y ama lo
que estoy bordando» cuando aquélla alude a «esa bandera de
los liberales». Es decir, le exige a la criada una adhesión a su

---

[76] Lorca tiende a modificar en *La Farsa* lo que sea color por el colorido mismo y anula lo que resulta sólo vistoso. En la Estampa segunda
[166], permuta el final de verso del manuscrito: «en las ramas del verde
limonero» por «agrio limonero», cambiando un adjetivo exterior, dramáticamente ineficaz, por el subjetivema «agrio» que connota la amargura
de la protagonista. Con la misma intención el poeta corrige un epíteto en
el último verso de este monólogo: «los blancos vilanicos» por los «tenues»
vilanicos» [170] en que la imagen sólo visual se trueca en otra más sutil
que refleja la inestabilidad emocional de Mariana.

ideología política y a su símbolo. La variante de la edición *princeps,* por el contrario, va a implicar sólo un mayor temor en quien habla: «y no me recuerdes lo que estoy bordando». Caracteriza a una mujer enamorada y temerosa de las consecuencias de su pasión, en desmedro de la fervorosa y convencida heroína civil que definía la respuesta anterior.

En la Estampa segunda del manuscrito parece ponerse de manifiesto una duda de Mariana ante algo que debió haber dicho Pedro cuando va a huir con los otros conspiradores por la súbita irrupción de Pedrosa. El Conspirador 4.º había exclamado: «Es indigno dejarla» [672] y el Conspirador 2.º repite: «¡No debemos / dejarla abandonada!» [683-684]. La reflexión de Mariana consigo misma parece aludir a esto. En el manuscrito leemos:

> Él no debió de... ¡Loca! Por ahí
> se interna enseguida por el campo [702-703].

Luego aparece tachado: «Él lo debió decir...». Igualmente lo trae con variante el Fragmento 4:

> Él no debió de... ¡Loca! Por ahí
> se perderán muy pronto por el campo (pág. 20, 39-40).

Las tres variantes manuscritas indicarían que la mujer enamorada se extraña de que no fuese al amante a quien se le ocurriera preocuparse de su suerte. En los textos sin tachadura la protagonista parece llamar al orden a su propio pensamiento con los suspensivos y la exclamación: «¡loca!». Esta duda acerca de don Pedro queda omitida en *La Farsa.* Con seguridad el poeta ha pensado que el desengaño será más eficaz dramáticamente si sobreviene de golpe. Toda sospecha o vislumbre del desamor del amante se demora en la Mariana de *La Farsa* hasta la Estampa tercera.

Al finalizar la Estampa segunda, la edición primera adelanta, al último parlamento de Mariana en el manuscrito:

«Ahora empiezo a morir», otra oración por demás sugerente: «Mírame y llora» [991], como si la protagonista se hubiera empezado a mirar desde afuera, como ser digno de compasión, agonizante y agonista por la pérdida de la libertad. Los añadidos en la Estampa tercera reforzarán esta sensación de muerte. «Porque ya estoy muerta», le aclara Mariana a la Madre Carmen cuando le explica que no podría, aunque lo deseara, quedarse en el Beaterio para siempre (Estampa tercera, [90]). En los versos que continúan en el manuscrito:

> ¡No se asuste! En mi conciencia
> limpia y en reposo pueden
> reflejarse las estrellas,

Mariana tiende sólo a tranquilizar a la monja acerca de su rectitud de conciencia en un plano moral o religioso. *La Farsa* los trueca por otros muy diferentes:

> Pero el mundo se me acerca,
> las piedras, el agua, el aire,
> ¡comprendo que estaba ciega![77] [93-95].

que van acercando a una trascendencia cósmica, a una comunión de Mariana con los elementos primordiales de la naturaleza. Una nueva perspectiva de la heroína que va

---

[77] Los versos de *La Farsa* provienen de otro momento del diálogo entre Mariana y la Madre Carmen que estaba ubicado más adelante en el texto del 25. También lo decía Mariana y se hallaban tachados; «Me parece / que todo es nuevo, las piedras, / el agua, el aire, yo misma. / Comprendo que estaba ciega.» (Estampa tercera [127-130]). El último verso, con su carga de desengaño, se retoma de donde se encontraba en el manuscrito y se lo reubica, tal como era, en la línea 122 de la Estampa. Puede verificarse gráficamente la línea que une el verso anulado a la nueva redacción, después de «Nace el que muere sufriendo».

acompañada por un desencanto de lo humano: política, pasiones, amor.

Otros versos se adicionan para ampliar metafóricamente la función del silencio y la soledad. Internalizados en Mariana preparan un ensoñamiento que será, al fin, alucinación:

> Este silencio me pesa
> ....
> y otras veces, finge en mí
> una larga cabellera.
> ¡Ay, qué buen soñar! [103-105].

La Farsa concreta, en el diálogo de Mariana con Alegrito, en doce octosílabos nuevos, con una imagen visionaria, la culminación de ese esperar contra toda esperanza que sostendrá a Mariana hasta el fin. El romance, en principio narrativo, deriva al monólogo lírico y alcanza entonces un clímax que lo aproxima a los mejores lorquianos:

> Él vendrá como un San Jorge
> de diamantes y agua negra,
> al viento la deslumbrante
> flor de su capa bermeja.
> Y porque es noble y modesto,
> para que nadie lo vea,
> vendrá por la madrugada,
> por la madrugada fresca.
> Cuando sobre el aire oscuro
> brilla el limonar apenas
> y el alba finge en las olas
> fragatas de sombra y seda [187-198].

Las metáforas funden sensaciones de irradiación luminosa con la oscuridad («diamantes y agua negra», «alba y olas», «sombra y seda», «aire oscuro» y «limonar brillante»), comunicando de este modo las contradicciones del buceo anímico de Mariana.

Dibujo de Lorca para el prólogo de *Mariana Pineda*.

En la Escena IV el poeta añade el símbolo del caballo, propio del mundo onírico lorquiano, que surge unido a la premonición de la muerte, en uno de los soliloquios alucinados, cuando Mariana se dirige a un Pedro ausente y habla, en realidad, al huerto:

> Y aunque tu caballo pone
> cuatro lunas en las piedras
> y fuego en la verde brisa
> débil de la Primavera,
> ¡corre más! ¡Ven a buscarme!
> Mira que siento muy cerca
> dedos de hueso y de musgo
> acariciar mi cabeza [228-235][78].

Inmediatamente anterior al fragmento que comentamos, el manuscrito trae tres versos que lo contrastan, rotundamente vitales:

> Mi sangre caliente y nueva
> rayos de metal fundido
> hace de todas mis venas.

Lorca los corrige en *La Farsa*. La imagen se deshumaniza, metaforizándose en el símbolo marino:

> Mi sangre se agita y tiembla
> como un árbol de coral,
> con la marejada tierna [225-227].

Otras variantes de *La Farsa* completan la transformación de la protagonista. En el último diálogo con Fernando, que acaba en monólogo, pero dirigiéndose a Pedro, Mariana exclama:

---

[78] Se halla latente la famosa «Canción del jinete» de *Canciones*.

> Y ahora ya no te quiero,
> ¡porque soy una sombra!

donde la incapacidad de amar parece provenir de su propio agostamiento. En *La Farsa* el texto se muta por:

> Y ahora ya no te quiero,
> ¡sombra de mi locura! [611-612].

Se rompe el nexo causal y lo que caracteriza a Mariana, su calidad de sombra, se transfiere en un vocativo a Pedro. Pedro se vuelve sombra, sombra que Mariana rechaza por ser sólo reflejo de su propia locura. Quien se agosta entonces es Pedro, que carece de ser y termina no siendo sino una proyección de su amante.

La primera edición perfecciona también el mensaje de Mariana, la develación del secreto que ha llegado a descifrar, aquello que dicen el ruiseñor y el árbol. En el manuscrito se lee: «El hombre es un cautivo». *La Farsa* lo amplía: «El hombre es un cautivo y no puede librarse» [685], con lo que acerca a Mariana, en su enfrentamiento con el destino, a los héroes de la tragedia clásica.

Los Fragmentos

En un cotejo con el texto del 25, los Fragmentos pueden proporcionarnos una idea aproximada de cómo se ha ido gestando lo dramático y textual de la obra. Que son anteriores, con excepción del 3, queda demostrado porque —como adelantamos y se comprueba en el aparato crítico— las variantes y correcciones de los Fragmentos, incorporadas al manuscrito, son corregidas u omitidas y también por la poca elaboración y mayor simplicidad de la trama. Las situaciones y personajes evidencian a un autor aún inexperto e inhábil para adecuar los recursos dramáti-

105

cos y poéticos al tema elegido. Sobre todo, en el Fragmento 2, que es el más antiguo y extenso, se advierten de inmediato las indecisiones y el largo camino que todavía le falta recorrer para alcanzar el género y estructura definitivos. No es arriesgado suponer que este pretexto pueda ser anterior a la carta que escribía en 1923 a Gallego Burín donde habla de hacer «un gran romance teatral sobre Marianita Pineda»[79]. El texto parece más cerca de otra manera de realizar su proyecto que lo tentó al principio y que luego desechó porque Valle-Inclán lo hacía «insuperablemente» bien. Algo perdura de esta intención de plasmar el tema «con manchones de cartel callejero»[80]; ciertas exageraciones en el trazado de los personajes, que carecen de matices, con rasgos un poco acartonados. Mariana, por ejemplo, se presenta como otro tipo de mujer. Habla abiertamente de Pedro como de su amante:

> Una pobre
> mujer que no tiene amigos,
> cuyo amante estaba preso (pág. 20, 71-73).

En el manuscrito es Fernando quien dice «amante» con ironía y tristeza y da pie a que Mariana reconozca su amor. Aquí Mariana proclama su pasión con desenfado, rotundamente melodramática, para desanimar al joven, al que no tutea como en el manuscrito:

> Soy toda suya y lo digo
> para que no piense más
> en mí. Quisiera gritarlo
> apoyada en la veleta.
> Y no me quema en el dedo
> mi anillo de desposada (pág. 19, 50-55).

---

[79] Antonio Gallego Morell, *García Lorca. Cartas, postales, poemas y dibujos, op. cit.*, 1968, pág. 123.
[80] *Obras Completas*, I, pág. 1169.

Mariana actúa como respondiendo a otra personalidad, como una mujer paradójicamente más cercana de la Pineda histórica, que se aprovecha de su poder de seducción en favor de la causa política. Parece admitir también un pasado turbulento y que otros hombres puedan hacerle reproches de traiciones. Ante la negativa de Fernando, le recrimina:

> ¡Es claro!
> Comprendo. Siempre lo mismo.
> ¡Ya lo sé! Luego dirá
> que apuñalo diestramente.
> ¡Como todos! (pág. 19, 34-38).

Y para conseguir lo que desea, no vacila, a su vez, en reprochar:

> Usted se porta muy mal
> con una mujer que ruega,
> rodeada de peligros
> y acechanzas (pág. 20, 68-71).

Lo inadmisible para esta Mariana es que Fernando arguya su propio amor para no ir en ayuda de Pedro:

> ¡le pido,
> porque no tengo con quien
> y tras un esfuerzo enorme,
> que me socorra y usted,
> después de haber aceptado,
> al saber la causa, ¡no!,
> ¡imposible, no!, contesta
> porque me quiere! ¿Esto es justo?
> Yo no debí nunca hablarle (pág. 21, 86-94).

Esto no obsta para que, vencida la resistencia de Fernando, unos pocos versos después, Mariana parezca de pronto presa de remordimientos y se desmerezca y después pase al tuteo:

> ¡Fernando, qué mala soy!
> Mujer sin alma y sin ley
> que te lanzo a los peligros,
> ¿en nombre de qué? (pág. 22, 127-130).

Y enseguida, casi sin transición, se arrodilla repentinamente para detenerlo:

> ¡No vayas!
> ¡Déjame morir perdida!
> ¡Como una estrella en las olas!
>
> (pág. 22, 130, 132-133).

En consecuencia, enaltece metafóricamente a Fernando y se denigra a sí misma de modo extremo:

> ¡Perdón, perdón, niño amigo!
> Das flor a cambio de víbora (pág. 22, 137-138).

Asimismo Fernando cae en hipérboles. Así explica el efecto que le ha causado la lectura de la carta:

> Como un pedazo de plomo
> sobre agua que va soñando,
> así esta carta en mi frente (pág. 18, 20-22).

Y también con esta comparación:

> Siento como si me hubiera
> puesto anciano en un segundo (pág. 20, 66-67).

La misma tesitura tremendista le hace decir:

Iré, Mariana, ¡perdón!
Ahora mismo. Ya me han puesto
la mortaja y la corona (pág. 21, 110-112).

Lo más sorprendente de este Fragmento lo encontramos en parlamentos de Fernando. Antes de partir, presa de celos, hace suya, por dos veces, una pregunta que se halla en boca de Mariana en el manuscrito y en *La Farsa*, al final de la Estampa tercera: «¿Amas la Libertad más que a tu Marianita?» [564] y que se repite con variante en la última escena: «¿Amas la libertad por encima de todo?» [678]. Esta pregunta precede en los dos casos la identificación de Mariana con la libertad y funciona como elemento síntesis y desencadenante de la catarsis y tragicidad de la obra. Mariana se dirige, en los dos momentos, a un Pedro *in absentia,* ya que se halla al borde del delirio y deja de lado, en el primero, a su interlocutor real, Fernando, y en el otro, a las Monjas y al juez.

En el pretexto, Fernando, exaltado por celos, también se dirige a un Pedro ausente, cosa absolutamente insólita, porque acaba de enterarse de su existencia. Cuando decide partir, dice, fuertemente, según la acotación:

¡Pedro de Sotomayor!,
¿amas tu Libertad
más que a Marianita? (pág. 22, 121-123).

Y luego también la reitera «en la puerta», sin signos de exclamación, con alguna variante:

Pedro de Sotomayor,
¿amas tú la Libertad
más que a Marianita?[81] (págs. 164-166).

─────────

[81] Hemos extremado, en realidad, la fidelidad al texto del Fragmento. Pero sospechamos que, en la primera versión de la pregunta, deberíamos

Quizá Lorca, dramaturgo incipiente, ha creído posible, forzando la convención teatral, que la pregunta de Fernando se justifique como un aparte y Mariana pueda no enterarse de ella. Por lo demás, opone a los personajes masculinos que en la obra nunca aparecen en oposición. Este parlamento extemporáneo autoriza a considerar el Fragmento como un núcleo generador dinámico o genotexto[82] que contiene segmentos de semiosis vertebrales de *Mariana Pineda* que luego, en un posterior reordenamiento, serán estructurados en las secuencias de mayor conflicto de la Estampa primera y de la Estampa tercera. Es decir, que la escritura irá polarizando una visión primera, global y casi simultánea.

Deben tenerse también en cuenta los inesperados octosílabos blancos que Lorca utiliza en la parte primera del Fragmento, tan lejano de los sonoros, de rima consonante, muchas veces aguda, agrupados en redondillas o cuartetas, del manuscrito, con los que el poeta evoca adrede el teatro romántico español. En cambio, en la Escena XI de este Fragmento usa ya el octosílabo romanceado para una primeriza versión del juego de los niños con la bandera y el final de la Estampa. Llama la atención cómo esta parte se halla más próxima al manuscrito y al texto básico que la anterior. Conviene recordar que en septiembre del 23, en carta a Fernández Almagro, después de comunicarle su intención de escribir sobre Mariana Pineda, Lorca le dice que le gustaría que conociera «el argumento y su división de las

---

haber exceptuado de la tachadura el artículo «la», sobre todo si consideramos que el sustantivo se halla personificado, con mayúscula. Es decir, que Lorca puede haber querido sólo tachar la preposición «a» y el impulso le ha hecho —a veces solía pasarle— anular también lo que sigue: «la». Si así fuera, el posesivo sería pronombre personal y las preguntas iguales. La única diferencia estribaría en las exclamaciones, pero ya sabemos que a veces el poeta descuidaba ponerlas.

[82] Este concepto dinámico de «núcleo generador» lo expone y usa Ana María Barrenechea en *Cuaderno de bitácora de Rayuela*, de donde lo tomamos (Buenos Aires, Sudamericana, 1983, pág. 127, nota 6).

escenas»[83]. Puede suponerse entonces que algunas escenas hayan sido trabajadas aisladamente y se encuentren más adelantadas, lo que explicaría esta diferencia entre dos escenas del mismo pretexto. En cuanto a las metáforas de la Escena X, se hallan alejadas de lo popular o tradicional con que Lorca acompaña las expresiones poéticas cultas en la pieza. A veces son casi herméticas como: «Qué frío silencio evoca / un diapasón de azabache», cuya primera versión la clarifica: «El silencio vibra como / un diapasón de azabache» (pág. 20, 64-65) o «A qué extraño laberinto / de espejos...» (pág. 21, 104-105), con intertextos en *Libro de poemas* o *Suites*. Otras se contaminan con símbolos del *Poema del cante jondo*:

> Siento sobre mi cabeza
> girar impasibles todas
> las veletas de Granada (pág. 21, 113-115).

En algunas de estas imágenes y metáforas podemos rastrear la génesis de otras del manuscrito que se trasladan al texto básico. Así «pájaro loco y sin alas» (pág. 20, 60), referido a la ilusión amorosa, o:

> No pueden volar los pájaros
> —se romperían la cabeza—
> sobre el tejado del aire (pág. 22, 117-119)

---

[83] Gallego Morell, *op. cit.,* pág. 56. Que Lorca acostumbró a escribir resúmenes y argumentos de sus obras antes de redactarlas esta comprobado. Basta recordar el esbozo que publica Mario Hernández en su edición anotada de *La zapatera prodigiosa (op. cit.,* pág. 137). Hernández afirma que «a la hora de proyectar una pieza teatral García Lorca recurrió en más de una ocasión a fijar por escrito el esbozo narrativo del conflicto y trama que ocupaban su imaginación» *(ibíd.,* págs. 23-24). Igualmente, por este tiempo, alguna de las obras de teatro «inconclusas de la época de madurez», que ha publicado Marie Laffranque, ostenta sólo una síntesis inicial, como *Diego Corrientes* o *Ampliación fotográfica (Teatro inconcluso,* Universidad de Granada, 1987, págs. 103 y 105).

se relacionan con «Un pájaro sin aire, ¿puede volar?» (Estampa segunda, 216) y «Corazón, no me dejes [...]. Con un ala, / ¿dónde vas?» (Estampa tercera, 656-657). El amor de Fernando que «va como un barco sin norte» (pág. 20, 61) se traslada a la imagen que tiene Mariana de sí misma, en el manuscrito:

> como la enamorada de un marinero loco
> que navegara eterno sobre una barca vieja

> (Estampa segunda, 308-309).

A la inversa, la explicitación de «y Pedrosa tiende al aire / sus mortajas» (pág. 18, 5-6) se encuentra en el manuscrito:

> Se trajo en el maletín
> un centenar de mortajas

> (Estampa primera, 427-428).

A pesar de estas similitudes, el lenguaje poético, como vemos, está distante del empleado en el manuscrito. Sin embargo, y aunque las secuencias respectivas tampoco coincidan con exactitud, el Fragmento 2 va siguiendo el mismo lineamiento semántico. Si cotejamos los dos textos podemos comprobarlo. El inicio del pretexto «Confío en usted» concuerda con «Confío en tu corazón» del manuscrito (pág. 18, 1 y Estampa primera, 637). En éste se retorna lo metafórico con la alucinación de Mariana:

> Hay puesta en mí una mirada
> fija, detrás del balcón.

> (Estampa primera, 640-641)

lo que da pie a la pregunta de Fernando: «¿Qué estás hablando?» (643). En el pretexto irrumpe también lo alucinatorio:

... estamos
rodeados de anchos fosos
y Pedrosa tiende al aire
sus mortajas (pág. 18, 3-6).

y la consiguiente interrogación del joven: «¿Qué habla usted?». Pedrosa surge asimismo en el manuscrito: «¿Podrás conmigo, Pedrosa?» (pág. 18, 8 y Estampa primera, 648). Luego, tanto en el manuscrito como en el Fragmento, Mariana entrega la carta a Fernando. En el manuscrito dice: «Toma esta carta, Fernando» y en el Fragmento: «Amigo, lea esta carta» (650 y pág. 18, 10). La situación es semejante. En el pretexto se atrasa la hora: «Fernando coge la carta y empieza a leerla. Pausa. En este momento el reloj da las doce lentamente. Las luces de los candelabros hacen temblar la estancia.» Este discurso casi descriptivo se metaforiza mucho más en el manuscrito: «Fernando coge la carta y la desdobla. En este momento, el reloj da las ocho lentamente. Las luces topacio y amatista de las velas hacen temblar líricamente la estancia» (pág. 18, 11-14 y 654-657). Las reacciones de Fernando en el pretexto son realistas: «Fernando presa de vivísima agitación se levanta de la silla y estruja la carta nerviosamente». En cambio, en el texto del 25, el desasosiego que produce la lectura se adecua a un Fernando distinto, casi adolescente. Y se equilibra estilizadarnente en tres momentos: «Éste lee el comienzo de la carta y tiene un exquisito, pero contenido, gesto de desaliento». Luego, al leer el comienzo en voz alta, lo hace «con sorpresa, y mirando, asombrado y triste, a Mariana». Y termina la lectura, «desalentado, aunque sin afectación» (pág. 18, 14-16 y 659-663, 668-669). Fernando lee en voz alta, en el manuscrito, el contenido de la carta en prosa, mientras que, en el Fragmento, Mariana lo narra en verso más adelante, alterando el orden de la secuencia. Lo refiere en tercera persona. Coinciden el léxico y el orden de los sucesos que se relatan. Dice Mariana hablando de Sotomayor:

113

> Logra escaparse vestido
> de capuchino, me escribe
> que le mande con quien pueda
> un pasaporte que tengo
> y un caballo porque debe
> mudar esta noche mismo
> de domicilio y al alba
> internarse por la sierra (pág. 20, 77-84).

Y leemos en el manuscrito: «Gracias al traje de capuchino que tan diestramente hiciste llegar a mi poder me he fugado de la torre [...]. Necesito antes de las nueve el pasaporte que tú has preparado y una persona que sea de tu absoluta confianza que espere con un caballo [...] para internarme en la sierra» (670-672, 678-683). También se corresponden semánticamente por la sorpresa y decepción el parlamento de Fernando después de la lectura, aunque la tonalidad tan diversa implique otro carácter en quien lo dice. La exclamativa significa la resistencia a aceptarlo: «No, Mariana, ¡no! Imposible» y en el manuscrito, ayudada por la acotación, una expresión más resignada: «(Enamoradísimo) ¡Mariana!» (pág. 18, 17 y 688-689). La respuesta de Mariana es más pudorosa en el manuscrito: «(Rápida, llevándose las manos a los ojos)». «¡Me lo imagino! / Pero silencio, Fernando» y enérgica en el Fragmento: «(Fuerte.) Está bien pero ¡silencio!» (690-692 y pág. 18, 18-19). En los dos textos se halla el reproche de Fernando, con muy disímil plasmación poética: en el manuscrito:

> ¡Cómo has cortado el camino
> de lo que estaba soñando! (693-694).

Y en el Fragmento:

> Como un pedazo de plomo
> sobre agua que va soñando,
> así esta carta en mi frente (pág. 18, 20-22).

114

La negativa de Fernando a encontrarse con Pedro es parecida en los dos casos. En el pretexto:

> Yo no puedo ir a salvar
> a un hombre que... (pág. 18, 23-24).

En el manuscrito:

> ahora tengo que ayudar
> a un hombre que empiezo a odiar (697-698).

Tanto en éste como en el Fragmento, Mariana proclama su amor por Pedro. Dice en el pretexto:

> Lo es todo para mi vida.
> ¡Oh que escozor y relumbre
> me envuelve! (págs. 18-19, 26-28).

Y en el manuscrito:

> Decirte cómo le quiero
> no me produce rubor.

A continuación seguían versos que surgían del Fragmento y serán anulados:

> ¡Qué relumbre y escozor
> envuelve mi cuerpo entero!
> Y en el dedo no me quema
> mi anillo de desposada.

Los dos primeros permanecen con variante:

> Me escuece dentro su amor
> y relumbra todo entero (719-720).

Y los otros dos versos tachados se hallan también en la Escena X, un poco después, con ligera variante, cuando Mariana sigue reiterando su amor por Sotomayor:

115

Y no me quema en el dedo
mi anillo de desposada (pág. 19, 54-55).

La réplica de Fernando, que alega su propio sufrimiento, se
halla en el Fragmento:

Mariana, me estáis hiriendo
demasiado la ilusión (pág. 19, 58-59).

E igualmente en el manuscrito:

Mas, ¿no has oído
que el corazón tengo herido
y las heridas me duelen? (735-737).

En los dos textos Mariana reconoce su exigencia desmesu-
rada. En el Fragmento: «Conozco toda mi infamia / al proponer esto...» (pág. 21, 100-101) y en el manuscrito, pero
antes de la lectura de la carta:

¡No debo pedirte nada!
Como dicen por Granada,
¡soy una loca mujer! (613-615).

En el Fragmento insiste después en este juicio peyorativo
de sí misma: «Mujer sin alma y sin ley» (pág. 22, 128). Pero
ya Fernando ha decidido partir, arrepentido de haberse negado: «Iré, Mariana, ¡perdón!» (pág. 21, 110), propósito que
reitera después: «Iré, Mariana. Ahora mismo» (pág. 22, 116).
Y en el manuscrito, menos prosaica y más irónica y musi-
cal, aparece la misma decisión:

Yo iré en busca de tu amante
por la ribera del río (713-714).

El imperativo reclamo de los papeles de parte de Fernando se encuentra en los dos textos: «¡Basta! ¡Dame el docu-

116

mento!», en el del 25, y en el Fragmento: «... Vengan / los papeles» (743 y pág. 23, 140-141). En ambas versiones Mariana los saca de una cómoda, según se especifica en las acotaciones respectivas: «(Mariana va a una cómoda rápidamente)», en el manuscrito y «(Yendo a sacarlo de una cómoda)» en el pretexto (744 y pág. 23, 142). También la despedida posee rasgos comunes; en el Fragmento dice Mariana:

> Dios pague su caridad
> y a mí me perdone (pág. 23, 159-160).

y en el manuscrito:

> ¡Perdón, amigo!
> Que el Señor vaya contigo (758-759).

Esta comparación, que no pretendemos extender a la Escena XI del Fragmento por tener ésta muchas menos diferencias con el manuscrito, nos ha permitido verificar cómo dos versiones muy distanciadas y disímiles recorren prácticamente la misma trama, sólo con modificaciones en el orden de unidades de la secuencia que no afectan la línea semántica fundamental. Podríamos ahora deducir y especular de qué modo Lorca ha ido elaborando la textualidad dramática de *Mariana Pineda*. Parte, como sabemos, de un argumento dividido en escenas y, sobre este esquema, va componiendo un diálogo que movilice la acción a través de personajes, todavía primarios, no perfilados en profundidad, dentro de una concepción teatral marcadamente melodramática y que roza a veces lo grotesco. Al mismo tiempo el poeta intenta un tono lírico y un lenguaje poético adecuados. En el manuscrito del 25, y tal vez en otros autógrafos que no nos han llegado, ha seguido depurando y reelaborando el diálogo con personajes en otra dimensión y optando por otras formas poéticas y símbo-

117

los que implican un género «romance» y no «cartelón de ciego»[84]. También intercala y desarrolla acotaciones. Éstas serán, a su vez, corregidas y, en general, sintetizadas en el libreto que reproduce la edición *princeps,* donde el diálogo dramático que conduce la acción Lorca lo irá desplegando en otro diálogo circunstancial y muchas veces lírico que sirve para la recreación de la época, para la verosimilitud ficcional y, sobre todo, para la caracterización psicológica de los personajes.

Lo que venimos diciendo acerca de la génesis textual, en lo referente a la reelaboración del diálogo para poetizarlo, lo podemos constatar en la Escena XI, donde la narración del juego infantil premonitorio es sumamente escueta:

> dile al curita nuestro
> y al sacristán que doblen
> por dos niños pequeños.
> Ya vienen los obispos,
> decían *uri memento,*
> cerraremos los ojos
> y que nos lleven... (pág. 25, 194-200).

En cambio, en el manuscrito, García Lorca la despliega líricamente con otros versos, algunos ya insertados y otros añadidos en el margen derecho:

> dile al curita nuestro
> que traiga banderolas
> y flores de romero,
> que traigan encarnadas
> clavellinas del huerto.
> Ya vienen los obispos,
> decían *uri memento,*
> y cerraban los ojos,
> poniéndose muy serios (821-829).

---

[84] Gallego Morell, *op. cit.,* pág. 56.

118

Dejando de lado otras variantes, como el paso a discurso referido de lo que decían los niños en la otra versión, nos interesa destacar cómo lo narrado se vuelve descriptivo y una explosión de color y aroma se instala entre los versos. En concordancia con esto, también se modifica en el manuscrito la acotación que introduce la escena en el pretexto, donde la sensación olfativa es indicio de decadencia: «En su ambiente hay un profundo olor de flores viejas». Lorca insiste en la misma sensación, pero esta vez de signo contrario, el olor de la fruta, como exaltación vital, marco que considera quizá más apropiado al juego de niños, aunque éste conlleve un mal presagio: «El frío y otoñal perfume de los membrillos invade todo el ambiente (pág. 24, 172-173 y Estampa primera, 799-800).

El final de esta escena en el pretexto es esquemático. Algunas partes están apenas enunciadas. Así el parlamento de Angustias que abarca un solo verso: «Mariana, triste tiempo» (pág. 25, 207) se desarrolla como exégesis lírica en el manuscrito:

> Mariana, ¡triste tiempo
> para esta antigua casa
> que derrumbarse veo
> sin un hombre, sin nadie
> en medio del silencio! (838-842).

Asimismo el Fragmento es más superficial. Lo que declara Mariana sobre su pasión no motiva más que una respuesta comprensiva y hasta elogiosa de Angustias:

MARIANA

¡Qué corazón tan loco!

ANGUSTIAS

¡Qué corazón tan nuevo! (págs. 25-26, 209-210).

119

En el manuscrito, antes de esta anáfora, se encuentra la acusación de la madre adoptiva y la desorientada exclamación de la protagonista. Ambas ahondan en la psicología de las dos mujeres.

ANGUSTIAS

Y luego tú...

MARIANA

(Desorientada y con aire trágico.)

¡Por Dios!

ANGUSTIAS

Mariana, ¿tú qué has hecho?
Cercar estas paredes
de guardianes secretos (843-848).

En lo que resta de la escena, y según el texto de la edición del 28, ya que falta la última página del manuscrito, se halla la anáfora antedicha, convertida en una aseveración de Mariana con sentido reflexivo seguida de otro verso que expresa su desconcierto interior:

Tengo el corazón loco
y no sé lo que quiero (849-850).

En el pretexto queda Mariana sola al terminar la Estampa primera. Una corrección en su último parlamento descarta que se reprenda a sí misma con: «¡Mala madre!» (pág. 26, 219). Lorca no lo retoma en el texto básico, aunque una alusión sobre el mismo tema se encuentra en el manuscrito, proveniente del Fragmento 1, también en la misma estampa. Un verso que se adiciona sobre otro tachado y cuya significación se completa con el anterior (pag. 14, 39-40 y 536-537):

> Y este corazón, ¿adónde me lleva,
> que hasta de mis hijos me estoy olvidando?

Mariana se reconviene en forma menos directa, ya que el descuido materno queda justificado como consecuencia de un fatalismo amoroso que la priva de responsabilidad. Lorca aclaró justamente que no había en la obra «ausencia de amor maternal» sino que entre las Marianas posibles, la heroica, la madre, la bordadora, la vulgar, ha elegido la Mariana amante que llega a sentirse la libertad y que ama a sus hijos supeditada a «aquella norma suprema»[85].

Muchas de las características estudiadas en el Fragmento 2 se repiten en los otros pretextos. Sobre todo en los Fragmentos 1 y 4. Por consiguiente, no nos detendremos en detalles que hacen a la reelaboración lírica del diálogo o a variantes que agilicen la acción a través de los parlamentos, como podría ser el cotejo con el manuscrito de la primera intervención de Clavela (1-4) o del monólogo de Mariana antes de rasgar la carta (11-15) o del último diálogo que sostiene con Fernando (26-34) en el Fragmento 1, sino a otros aspectos o elementos que consideramos de importancia, porque revelan indecisiones en la estructuración o en el género o que refieren a fuentes populares consultadas.

El Fragmento 4 proporciona algunos cambios en el orden de las unidades de la secuencia. Mariana canta la primera estrofa de «El contrabandista» antes de que Pedrosa entre en escena acompañado de Clavela. El diálogo entre Mariana y el Alcalde del Crimen tiene partes superfluas y erráticas (por ejemplo, pág. 21, 80-88), y hasta un ingenuo aparte de Mariana, antes de cantar la segunda estrofa, a

---

[85] *Obras Completas,* II, pág. 965.

pedido de Pedrosa: «¡Pedro con los demás ya está seguro!» (pág. 21, 88). Falta el recurso del anillo que Mariana arroja al suelo en el manuscrito para retardar el conflicto. En este pretexto Pedrosa intenta besarla, acercando su cabeza a la de Mariana, sólo con el aparente «afán de ver la música».

Del mismo modo que en el Fragmento 2, algunos parlamentos caen en excesos verbales y metáforas que traslucen la primera idea dramática de Lorca antes de elegir la estilización del «romance». Así cuando Pedrosa le recuerda a Mariana su origen plebeyo de parte de madre (históricamente cierto), como forma de intimidación, y Mariana, al interrumpir, sin desmentirlo, parece consentir y participar en los prejuicios sociales de su tiempo:

PEDROSA

Mariana, no presuma. Al fin y al cabo
es hija de quien...

MARIANA

¡Eso no! ¡Silencio!
¡Hablad de mí! ¡Señor, es demasiado!

(pág. 22, 120-123).

Las variantes anteriores a esta última versión son aún más fuertes, ya que nombraban directamente a la madre y aludían a su conducta dudosa: *es hija de una...»* y *«vuestra madre no fue...».* Las metáforas incurren en el melodrama abiertamente en los parlamentos de Mariana y Pedrosa. Dice aquélla, por ejemplo: «De lejos siento el frío que lo rodea» (pág. 22, 119) y Pedrosa amenaza con:

Yo soy el hombre que tiene las llaves.
Los fuertes muros se abrirán si quiero.

(pág. 23, 125-126).

De golpe el diálogo se contamina con letras populares, no tradicionales, que lo debilitan y lo llevan al borde de lo irrisorio. Mariana responde de este modo a la amenaza de Pedrosa:

> ¿Por la fuerza? ¡Cobarde! Usted no sabe
> lo que una granadina hace cuando ama

(pág. 24, 177-178).

O se alarga innecesariamente, como cuando Mariana se niega a delatar a sus amigos y enardece a Pedrosa con datos que son un desafío a destiempo:

> Mas no diré sus nombres. Y han estado
> aquí esta noche misma, ¡en este sitio!
> Pero ya están muy lejos.
>
> (PEDROSA *lleno de ira y despecho se dirige a la puerta.*)
>
> Es inútil.
> No puede figurarse quiénes son
> y ya están en sus casas.
>
> *(Ríe dramáticamente.)*

(pág. 24, 166-174).

Las acotaciones, como vemos, acompañan en entonación y movimiento lo melodramático excesivo de la réplica.

Todavía en este pretexto el poeta reitera la mención de los hijos de la protagonista por motivos a veces fútiles (pág. 21, 83): «Cuando se tienen hijos falta tiempo», o por reforzar el enfrentamiento con Pedrosa: «Primero doy mi sangre / con mi honra y con mis hijos» (pág. 24,159-160). Lo mismo pasaba en el Fragmento 1, donde los incluía en las excusas que da a Fernando por su nerviosismo: «Sufro

123

por mis niños» (pág. 13, 30) y en una corrección que es la única que ha permanecido en el manuscrito y ha derivado a *La Farsa* y de la que ya hablamos: «que hasta de mis hijos me estoy olvidando». De acuerdo con lo que Lorca declara, quizá haya suprimido esos textos al no elegir a «la Mariana madre» como protagonista y al fundamentar su negativa a la delación, como lo explicita él mismo, también en el honor de sus hijos, en la Estampa tercera[86].

Otra novedad del Fragmento 4, referente a lo que debió decir Pedro antes de fugar con los conspiradores: «Él no debió de... ¡loca!» (pág. 20, 39) que pasa al manuscrito y se anula en la *princeps*, la hemos tratado en «Añadidos de *La Farsa*».

También se reitera el símbolo del cuello dos veces: la primera no menciona aquí sólo el cuello como en el manuscrito, sino que designa metafóricamente el garrote vil:

No olvide que yo puedo en un momento...
poner un gran collar alrededor
de ese cuello admirable.

(pág. 22, 115-117).

La otra mención que es casi pueril: «Su cuello hace olvidar» (pág. 24, 155), se anula en el manuscrito, mientras la primera se trasmuta metafóricamente en «cuello de nardo transparente» (Estampa segunda, 915).

Es evidente que todavía en esta etapa de la génesis de *Mariana Pineda* Lorca no ha advertido que el diálogo de Mariana y Pedrosa corre el peligro de deslizarse al grotesco o al ridículo. En el manuscrito la escena le merece una acotación extensa que se halla insertada contra el margen derecho de la página, y después de comenzada, a la altura de la línea 815 del texto básico, como si el poeta se

---

[86] *Ibídem*.

hubiera dado cuenta, sobre la marcha, de las dificultades y adelanta que «habrá pausas imperceptibles y rotundos silencios instantáneos, en los que luchan desesperadamente las almas de los dos personajes». En la primera edición se halla ubicada antes, en línea 759.

Los Fragmentos 3 y 5 son los más breves. El primero creemos que es casi simultáneo del manuscrito: inmediatamente posterior de la escena o del texto íntegro. Utiliza el mismo color de tinta verde y la página tiene la misma medida que las de aquél. Se incorpora a *La Farsa* reemplazando «el traje popular de la época» del manuscrito, después del verbo «Viste» (508). Sus correcciones se respetan en el texto básico. Contiene una descripción del traje del Conspirador 4.°. Da la impresión de que Lorca hubiera consultado algún libro sobre vestimentas típicas del siglo XIX y lo hubiera adicionado. El Fragmento 5 se encuentra también muy cercano del manuscrito, aunque el parlamento primero de Pedrosa, cuya última palabra no se ha terminado de escribir y podemos conjeturar que dice «peligrosa» da la pauta de que todavía persiste cierta falta de sobriedad adecuada a la situación: «¡Vigilen a Mariana! Es peligrosa» (2). También la Madre Carmen arriesga «y es inocente» que se anula en el manuscrito, finalizando la oración en «señor».

La copla difiere con el manuscrito en el verso «tu lozanía» (14), que variará a «tu valentía» y así también se transcribirá en la repetición de la estrofa en el Fragmento (28) y en el manuscrito. Pero en éste se permuta «Que un velero bergantín» por «Que un famoso bergantín» y de este modo se traslada a *La Farsa*. Nos detenemos en esta estrofa porque disponemos, además del pretexto, de otra versión autógrafa, incluida en una recopilación de canciones populares, con correcciones del poeta. La división métrica es distinta: son cuatro versos, el primero decasílabo y los otros octosílabos. Dos variantes pertenecen a Lorca, que ha cambiado «fue» por «está» en el segundo verso y «velero» por «famoso» en el tercero. En el cuarto aparece la forma popular aspirada «jecho» que está sustituida en el pretexto por «puesto» y se mantendrá así en el manuscrito y la *princeps*. La variante primera de esta cuarteta se halla ya en el Fragmento. Transcribimos la estrofa sin depurarla:

> Ay que fragatita real corsaria
> esta
> Donde *fue tu* tu valentía
> famoso
> que un *velero* bergantín
> Te ha jecho la puntería

Nos interesa también señalar que en este Fragmento las comillas que cierran la primera transcripción de la canción y las que abren la segunda apuntalaron, como el manuscrito, nuestra corrección en el texto básico.

El último pretexto, el Fragmento de romances, es un documento de valor inestimable porque, por primera vez, tenemos acceso a estas versiones que el poeta manejó y copió. Se hallan con variantes no sólo las que cantan los niños en el Prólogo y al final de la obra, sino otras, como la que puede haber influido en la Estampa tercera, en el último diálogo de Mariana con Fernando, cuando éste trata de vencer la resistencia de aquélla para que denuncie y termina invocando a sus hijos: «¡Sálvate y di los nombres! / ¡Por tus hijos!» (567-568). El romance tematiza algo muy similar:

> A sus hijos los ponen delante
> Por si algo pueden conseguir
> Y responde más firme y constante:
> «No declaro pues quiero morir».

También Mariana en el manuscrito quiere morir: «Pedro, quiero morir / por lo que tú no mueres», aclara a un Pedro ausente, y enseguida explicita que lo desea para que nunca se apague la alta lumbre de la Libertad (599-600 y 602). En el romance, la presencia de los hijos, en vez de debilitar

126

su decisión, parece fortalecerla. Mariana contesta «más firme y constante». Lorca tenía también muy claro que Mariana precisamente por amar a sus hijos guarda silencio. Le recita, como prueba de esto, a González Olmedilla, en la entrevista ya citada, todos los versos de la Estampa tercera que respaldan su aserción (569-572)[87].

El último de los romances recogidos finaliza con una recomendación que Mariana hace a los ciudadanos para que cuiden a sus hijos: «y a mis hijos no desamparéis». En el manuscrito, Mariana también los recomienda a las Monjas: «No olviden a mis hijos» (672).

Otra versión de la que Lorca transcribe sólo el primer verso con suspensivos, lo que indica que ya la conocía, es la que refiere a un militar:

Marianita salió de paseo...

Lorca lo cita más ampliado en su correspondencia. Y según Antonina Rodrigo el pueblo ha cantado este romance[88], que la ligaba a un militar liberal, no sabemos si a Casimiro Brodett o a Fernando Álvarez de Sotomayor. Lo que no cabe duda es que Lorca lo ha tenido muy presente en la gestación de la obra[89].

---

[87] *Ibídem.*

[88] Antonina Rodrigo, *Mariana de Pineda, op. cit.*, pág. 54. De que era realmente difundido no cabe duda. Aun en Buenos Aires hemos podido registrar una original versión que enlaza la estrofa citada por Rodrigo y Lorca con otra referente al bordado y al arresto: «Marianita salió de su casa. / Al encuentro salió un militar / y le dijo: "Vuélvase usted a casa / que hay peligro allá atrás." // Marianita volvió a su casa, / la bandera se puso a bordar. / ¡La cogieron con ella en la mano / y no pudo el delito ocultar!» Nos ha llegado a través de Juana Juliana Domínguez de Sánchez, argentina, de setenta y tres años, a quien su madre, española de Vigo, se lo cantaba cuando niña.

[89] Ya en carta a Fernández Almagro de 1923 la cita y califica la estrofa de «evocadora» y a la Mariana que aparece en sus versos, de *Marianita de la leyenda* (Gallego Morell, *op. cit.*, pág. 55).

El romance sobre Pedrosa y el otro sobre la orfandad en que han de quedar los hijos de Mariana no han incidido al parecer en el manuscrito del 25. El primero habla de una relación con Pedrosa que en ningún momento sugiere Lorca, aunque el allanamiento haya sido real, y sobre la maternidad de Mariana como recurso dramático el propio poeta ha indicado la estrategia que ha seguido al respecto[90].

Las fórmulas de tratamiento

Una gran vacilación para Lorca representaron las fórmulas de tratamiento entre los personajes. Por ejemplo, en el Fragmento 2 se advierte que, en principio, el trato entre Mariana y Fernando era un voseo respetuoso que en el mismo Fragmento ya corregirá por el *usted*. Sin embargo, en el manuscrito optará por el tuteo.

Igualmente en el Fragmento 3 el trato entre Pedrosa y Mariana fluctúa entre el *usted* y el *vos,* para luego corregir por el *usted*.

En la literatura andaluza del siglo XIX hubo algunos testimonios de voseo. No obstante, se descarta que Lorca quisiese dar un tono de época con esta fórmula. Más bien habría que pensar en una duda de dramaturgo novicio, agravada por su condición de andaluz, ya que en esta región se ha perdido el *vosotros* como plural de confianza.

Algunas de estas vacilaciones han perdurado en la obra impresa. Así, en la Estampa primera, Lucía emplea el voseo de respeto para con doña Angustias. En la Estampa segunda, Mariana les advierte a sus hijos, confundiendo el *vosotros* con el *ustedes:* «¡Que recéis sin reírse!». La misma confusión se advierte en las escenas de los conspiradores, en que la heroína trata a éstos individualmente de *usted,* pero

---

[90] *Obras Completas,* II, pág. 965.

al dirigirse a ellos en conjunto utiliza el *vosotros* («*y os* lo digo»; «¿habrá quien *os* siga?»; «Dios *os* guarde»; «que tengáis cuidado»). También en la visita nocturna de Pedrosa quedó sin corregir un imperativo voseante («Perdonad»).

En la Estampa tercera, Sor Carmen alterna tuteo, voseo y trato de *usted* con Mariana («¡Decidlo, señora!»; «Eres muy buena»; «¿Asistirá / esta tarde a la novena?») sin que se justifique por intentos de aproximación o rechazo, como ocurre con Pedrosa. Del mismo modo Alegrito alterna el *vos* con el *usted* («Paciencia / para lo que vais a oír»; «Señora, lo que usted quiera»). Y Pedrosa recaerá en el vos tratando a Mariana («¿No os parece?») y a Sor Carmen («No *os* pregunté»). La protagonista, también hablando con Pedrosa, emplea un posesivo voseante alternando con el de tercera persona, posiblemente por razones métricas («Fuerte y sorda seré a *vuestros* halagos. / Antes me daban miedo *sus* pupilas»). Esta última estampa parece la menos corregida en cuanto a fórmulas de tratamiento.

Esta edición

Se han seguido, en general, las características de las ediciones críticas de las obras de Lorca (que forman ya una tradición al respecto) para la transcripción de los manuscritos, la puntuación y las siglas.

Correcciones y variantes

A pie de página se consignan las correcciones y variantes que surgen del cotejo de la edición de *La Farsa*, considerada como texto básico, con los fragmentos, con el manuscrito de 1925 y con las ediciones de Losada y Aguilar. Los fragmentos autógrafos se hallan numerados según el orden en que aparezcan las partes correspondientes en el texto básico, y el Fragmento de romances, copiado de puño y letra de Lorca, sin numeración. Los Fragmentos, por ser muy disímiles casi siempre, se comparan sólo en las partes más próximas al texto básico. Cuentan para la numeración todas las líneas (versos, acotaciones, escenas) excepto la línea de personajes.

Variantes textuales

Se usa el signo // entre las variantes, siempre que puedan transcribirse siguiendo una línea horizontal. Si son varios versos o estrofas, se colocan simplemente una debajo de otra, cada una precedida de la sigla del documento donde se encuentran y siguiendo un orden cronológico, igual que en las anteriores.

Tachaduras

Las tachaduras se transcriben en cursiva y se distinguen dos clases:

— Tachaduras que no afectan al verso o línea enteros. Hablamos de línea porque es lo que se tuvo en cuenta para la numeración, ya sea en las partes en prosa o separaciones escénicas o en los versos partidos por el diálogo. Reproducimos una parte de la línea o la línea entera donde lo tachado se muestra siguiendo un orden ascendente, de manera que la capa superior de la escalera representa la última etapa de la redacción. Excepto las escasas veces en que Lorca realiza la corrección horizontalmente. En esos casos no hay escalera y se incluye en la misma línea lo tachado.

— Tachaduras que afectan a la línea o líneas enteras. Las reproducimos precedidas de un número o números entre corchetes que indican la ubicación que le hubiera correspondido en el texto definitivo. Por ejemplo, si el lector encuentra dos versos precedidos de [491-492], estos versos tachados en el manuscrito deberían colocarse después del verso 490 del texto definitivo:

[491-492]   *Abrir los ojos y encontrar un mundo*
            de gente libre y corazón honrado

También se reproducen precedidos de un número o números entre corchetes los versos o líneas que hayan sido suprimidos en el texto de *La Farsa* aunque no estén tachados en los documentos originales. Los números entre corchetes señalan, como en el caso anterior, el lugar que deberían haber ocupado en el texto definitivo. Cuando los números entre corchetes son sucesivos en el aparato crítico remiten al número de línea o verso anterior al primero en el texto definitivo.

Otras variantes

Cuando la variante no abarca el verso entero o es sólo una parte de la línea, reproducimos después de una raya vertical la palabra o palabras que afectan del texto definitivo. Por ejemplo, en la nota de la Estampa segunda

309 Ms. y Ag.: navegara eterno | navegara siempre

debe entenderse que la segunda expresión pertenece al verso 309 del texto que estimamos definitivo, mientras que «navegara eterno» aparece en el manuscrito del 25 y en la edición de Aguilar en el sitio correspondiente a «navegara siempre».

Cuando una palabra, tachada o no, en los manuscritos, se hace difícil de descifrar o no puede garantizarse con exactitud su transcripción, aparece inmediatamente después el signo (?).

Si a una palabra o palabras o parte de palabra se le superponen otra u otras, en el aparato crítico se colocan aquéllas en primer lugar y después del signo + las palabras sobrepuestas.

Todo lo que se reproduce de los manuscritos en el aparato crítico aparece tal como se encuentra, respetándose la falta de acentuación, la puntuación, el uso de mayúsculas y minúsculas y cualquier error ortográfico. En cambio, en el Apéndice, donde se publica íntegro el texto de los Fragmentos, la versión es depurada, con notas donde se aclaran

133

las tachaduras, mostrándolas en forma ascendente o precedidas de un número entre corchetes si afecta al verso entero, como en el aparato crítico.

Los corchetes se utilizan cuando se intercalan aclaraciones al lado de variantes o tachaduras que pueden ser confundidas con éstas. También para insertar un vocablo o parte de él que Lorca haya salteado.

Se usa una raya oblicua / para indicar a veces el cambio de verso o línea.

Puntuación

Se ha respetado en el aparato crítico la escasa puntuación del autor, y en el texto básico se ha corregido lo que era error o errata evidente. Igualmente a pie de página se han reproducido fielmente las mayúsculas y minúsculas, mientras que han sido corregidos los descuidos o erratas de la edición de *La Farsa*.

Siglas

Ms.: manuscrito del 25.
Frag.: fragmento con el número correspondiente al lado.
FR.: fragmento de romances.
LF.: edición de la revista *La Farsa*.
L.: edición de Losada.
Ag.: edición de Aguilar.

AGRADECIMIENTOS

Ésta sería una lista muy larga si no me viera precisado a puntualizar los nombres de quienes más directamente han colaborado en esta edición. Primeramente la Fundación

Federico García Lorca, que la ha hecho posible facilitándome material inédito y la memoria de hechos que iluminaron mi tarea. A Isabel García Lorca, que con su calidez humana alienta el recuerdo vivo del poeta y la tarea de los lorquistas. A Manuel Fernández Montesinos, que aúna la condición de buen conocedor de la obra de su tío a su diligencia ejecutiva. A Tica Fernández Montesinos, por su paciencia y generosidad. A todo el personal de la Fundación, que en todo momento colaboró conmigo.

Además esta investigación contó con el apoyo económico —imprescindible— del Ministerio de Asuntos Exteriores de España. Personalizo mi agradecimiento en dos funcionarios que me alentaron y prestaron su respaldo: A Salvador Blasco, amistoso promotor cultural, quien lamentablemente no podrá ya leer esta edición, y a la Dra. Maruja González, directora de Becas, quien amabilísimamente resolvió mis problemas.

Bibliografía

Auclair, Marcelle, *Vida y muerte de García Lorca,* México, Era, 1972.

Berenguer Carisomo, Arturo, *Las máscaras de Federico García Lorca,* Buenos Aires, 1941.

Brown, G. G., *Historia de la literatura española,* 6. El Siglo XX, Barcelona, Ariel, 1974.

Buero Vallejo, Antonio, *García Lorca ante el esperpento,* Discurso de entrada en la Real Academia Española, leído el 21 de mayo de 1972, Madrid, 1972,

Bussette, Cedric, *Obra dramática de García Lorca,* Nueva York, Las Américas, 1971.

Cano, José Luis, *García Lorca,* Barcelona, Destino, 1974.

Cirre, Francisco Javier, «El caballo y el toro en la poesía de García Lorca», en *Federico García Lorca,* ed. de Ildefonso-Manuel Gil, Madrid, Taurus, «El escritor y la crítica», 1975, págs. 153-167.

Couffon, Claude, «¿Quién fue Mariana Pineda?», en *Granada y García Lorca,* Buenos Aires, Losada, 1967, págs. 46-66.

Devoto, Daniel, «Notas sobre el elemento tradicional en la obra de García Lorca», en *Federico García Lorca,* ed. de Ildefonso-Manuel Gil, ed. cit., págs. 23-72.

Díaz-Plaja, Guillermo, *Federico García Lorca,* Madrid, Espasa-Calpe (Austral, 1221), 1961.

Edwards, Gwynne, *El teatro de Federico García Lorca,* Madrid, Gredos, 1983.

Fernández Cifuentes, Luis, «Poesía y "esfumatura"», en *García Lorca en el teatro: La norma y la diferencia,* Zaragoza, Universidad, 1986, págs. 45-62.

Frazier, Brenda, *La mujer en el teatro de Federico García Lorca,* Madrid, Playor, 1973.

137

GALLEGO MORELL, Antonio, *García Lorca. Cartas, postales, poemas y dibujos,* Madrid, Moneda y Crédito, 1968.

GARCÍA LORCA, Federico, *Obras Completas,* Madrid, Aguilar, 1980 (2 tomos).

— *Obras Completas,* V, Buenos Aires, Losada, 1938.

— *Mariana Pineda,* Madrid, *La Farsa,* 1928.

— *Mariana Pineda,* con textos de José Monleón y Antonina Rodrigo, Barcelona, Aymá, 1976.

GARCÍA LORCA, Francisco, *Federico y su mundo,* Madrid, Alianza Tres, 1981.

GIBSON, Ian, *Federico García Lorca, 1. De Fuente Vaqueros a Nueva York, 1898-1929,* Barcelona, Grijalbo, 1985.

GREENFIELD, Sumner, «El problema de *Mariana Pineda»,* en *Federico García Lorca,* ed. de Ildefonso-Manuel Gil, ed. cit., págs. 371-382.

GUARDIA, Alfredo de la, *García Lorca. Persona y creación,* Buenos Aires, Schapire, 1961.

GUIBERT, Armand y PARROT, Louis, *Federico García Lorca,* París, Seghers, 1973.

HONIG, Edwin, *García Lorca,* Barcelona, Laia, 1974.

LAFFRANQUE, Marie, «Bases cronológicas para el estudio de Federico García Lorca», en *Federico García Lorca,* ed. de Ildefonso-Manuel Gil, ed. cit., págs. 421-469.

— «Federico García Lorca. Experiencia y concepción de la condición del dramaturgo», en Jean Jacquot *et al., El teatro moderno,* Buenos Aires, Eudeba, 1967.

— Estudio preliminar y notas en Federico García Lorca, en *Teatro inconcluso,* Universidad de Granada, 1987.

LÁZARO CARRETER, Fernando, «Apuntes sobre el teatro de Federico García Lorca», en *Federico García Lorca,* ed. de Ildefonso-Manuel Gil, ed. cit., págs. 327-342.

LIMA, Robert, *The Theatre of García Lorca,* Nueva York, Las Américas Publishing Company, 1963.

Lorca, en Cuadernos del Centro Dramático Nacional, selección de Andrés Amorós, Madrid, Ministerio de Cultura, temporada 1986-1987.

MARTÍN, Eutimio, «Mariana Pineda, heroína cristiana», en *Federico García Lorca, heterodoxo y mártir,* Madrid, Siglo XXI de España, 1986, págs. 325-336.

MARTÍNEZ CUITIÑO, Luis, «La génesis poética de *Mariana Pineda*», en *Homenaje a Federico García Lorca,* Ayuntamiento de Málaga, 1988, págs. 101-110.

MARTÍNEZ NADAL, Rafael, *Lorca's The Public,* A Study of His Unfinished Play *El Publico* and of Love and Death in the Work of Federico García Lorca, Londres, Calder & Boyars, 1974.

MONLEÓN, José, *García Lorca. Vida y obra de un poeta,* Barcelona, Aymá, 1973.

MORA GUARNIDO, José, *Federico García Lorca y su mundo,* Buenos Aires, Losada, 1958.

RAMOS-GIL, Carlos, *Claves líricas de García Lorca,* Madrid, Aguilar, 1967.

RÍO, Ángel del, *Federico García Lorca (1899-1936). Vida y obra. Bibliografía. Antología. Obras inéditas, Música popular,* Nueva York, Hispanic Institute in the United States, 1941.

ROBERTSON, Sandra, «*Mariana Pineda:* el romance popular y su "retrato teatral"», en *Boletín* de la Fundación Federico García Lorca, 3, junio de 1988, págs. 88-106.

RODRIGO, Antonina, *Mariana de Pineda,* Madrid, Alfaguara, 1965.

— *Margarita Xirgu y su teatro,* Barcelona, Planeta, 1974.

— *Lorca-Dalí. Una amistad traicionada,* Barcelona, Planeta, 1981.

RUIZ RAMÓN, Francisco, *Historia del teatro español. Siglo XX,* Madrid, Cátedra, 1975.

— Introducción a José Martín Recuerda, *Las salvajes en Puente San Gil. Las arrecogías del beaterio de Santa María Egipcíaca,* Madrid, Cátedra, 1977.

SÁNCHEZ, Roberto G., *García Lorca, estudio sobre su teatro,* Madrid, Jura, 1950.

TORRE, Guillermo de, «Federico García Lorca», en *Obras Completas,* I, Buenos Aires, Losada, 1938, págs. 9-21.

ZARDOYA, Concha, «*Mariana Pineda,* romance trágico de la libertad», en *Homenaje a Federico de Onís, Revista Hispánica Moderna,* 34, 1968, págs. 472-497.

Mariana Pineda

Dedicatoria

*A la gran actriz
Margarita Xirgu*

FEDERICO GARCÍA LORCA

REPARTO

PERSONAJES	ACTORES
Mariana Pineda	Margarita Xirgu.
Isabel la Clavela	Pascuala Mesa.
Doña Angustias	Eugenia Illescas.
Amparo	Carmen Carbonell.
Lucía	Julia Pacello.
Niño	Luisito Peña.
Niña	María López Silva.
Sor Carmen	Julia Pacello.
Novicia primera	Carmen Carbonell.
Novicia segunda	María Gil Quesada.
Monja primera	María Díaz Valcárcel.
Fernando	Luis Peña.
Don Pedro Sotomayor	Alfonso Muñoz.
Pedrosa	Francisco López Silva.
Alegrito	Elías Sanjuán.
Conspirador primero	Luis Alcaide.
Conspirador segundo	Fernando Porredón.
Conspirador tercero	Antonio Alarma.
Conspirador cuarto	Fernando Fresno.

Mujer del velón, niñas, monjas.

Prólogo

Telón representando el desaparecido arco árabe de las Cucharas y perspectiva de la plaza Bibarrambla. La escena estará encuadrada en un margen amarillento, como una vieja estampa, iluminada en azul, verde, amarillo, rosa y celeste. Una de las casas que se vean estará pintada con escenas marinas y guirnaldas de frutas. Luz de luna. Al fondo, las niñas cantarán, con acompañamiento, el romance popular: 5

¡Oh! Que día tan triste en Granada,
que a las piedras hacía llorar   10

árabe

1 Ms.: el *vie* desaparecido arco de las Cucharas
y perspectiva de plaza encuadrada

2-3 Ms.: Cucharas en colores apagados // L.: plaza Bibarrambla en Granada. La escena está // Ag.: plaza Bibarranbla en Granada, encuadrado
una vieja estampa

3-4 Ms.: en un *marco* margen *perga* amarillento como *uno de ejes viejos* iluminada,
grabados

5 Ms.: celeste sobre un fondo de paredes negras. // Ag.: y celeste, sobre un fondo de paredes negras. // L.: casas que se ven

7 L.: las niñas cantan

9 FR. y Ms.: Oh que dia // Ag.: Oh, qué día

10 FR.: Que a las piedras les hizo llorar

al ver que Marianita se muere
en cadalso por no declarar.

Marianita, sentada en su cuarto,
no paraba de considerar: 15
«Si Pedrosa me viera bordando
la bandera de la Libertad».

> *(De una ventana saldrá una mujer con un velón
> encendido. Cesa el coro.)*

MUJER

¡Niña! ¿No me oyes?

NIÑA

(Desde lejos.)   20

¡Ya voy!

---

11 FR.: Solo al ver que Marianita muere
12 Ag.: por no declarar!
14 FR.: así sola se puso a pensar // Ms.: de considerar
[17-19] Ms.: —mas lejos—
           Oh que dia tan triste en Granada
           las campanas doblar y doblar...
      Ag.: (Más lejos.)
           ¡Oh, qué día tan triste en Granada,
           las campanas doblar y doblar!
17 Ms.: se asoma una mujer // L.: sale una mujer // Ag.: se asoma una
mujer
[18] Ms.: *Con la musiquita se extingue la evocación* [Tachado a lápiz.]
19 Ms.: Mu- Maria —niña (cesa el coro) [A lápiz.]
20-21 Ms.: Voz (desde lejos) *Yavo* Ya voy...

- Prologo.

Telon representando el viejo desaparecido arco de las
Cucharas en colores apagados sobre un fondo de paredes negras.
azul verde amarillo rosa, sobre un fondo de paredes negras.
unas de las casas que se ven se retiran pintada con escenas marinas y
guirnaldas de frutas.   Luz de luna.

Al fondo las niñas cantaran con acompañamiento el romance popular

Oh que dia tan triste en Granada
que a las piedras hacia llorar.
Al ver que Marianita se muere
en cadalso por no declarar.

Marianita sentada en su cuarto
no paraba de considerar
"Si Pedrosa me viera bordando
la bandera de la Libertad.

— mas bajo —
Oh que dia tan triste en Granada
las campanas doblar y doblar —

En una ventana se asoma una mujer con un velo
encendido — Plaza — niña (casa d'oro
Voz color lejos   Muterio — (Sugar d'oro)

(Por debajo del arco aparece una niña vestida se-
gún la moda del año 50, que canta.)

Como lirio cortaron el lirio,   25
como rosa cortaron la flor,
como lirio cortaron el lirio,
mas hermosa su alma quedó.

(Lentamente, entra en su casa. Al fondo, el coro
continúa.)

¡Oh! Qué día tan triste en Granada,   30
que a las piedras hacía llorar.

TELÓN LENTO

_____

[22] Ms.: Mutación — (Sigue el coro) [Lo primero escrito a tinta, lo
segundo a lápiz.]
[23] Ms.: — telon lento
22-27 Ms.: Faltan.
23 L. y Ag.: del año 1850
27 L.: más hermosa
30 Ag: ¡Oh qué día
31 Ag: hacía llorar!

Estampa primera

Casa de MARIANA. Paredes blancas. Sobre una mesa, un frutero de cristal lleno de membrillos. Todo el techo estará lleno de la misma fruta, colgada. Encima de la cómoda, grandes ramos de rosas de seda. Tarde de otoño. Al levantarse el telón, aparece DOÑA ANGUSTIAS, madre adoptiva de MARIANA, sentada, leyendo. Viste de oscuro. Tiene un aire frío, pero es maternal al mismo tiempo. ISABEL LA CLAVELA, viste de maja. Tiene treinta y siete años.

5

ESCENA PRIMERA

CLAVELA

(Entrando.)

10

¿Y la niña?

---

3 L.: está lleno

3-4 Ms.: lleno de esta misma fruta.

5-6 Ms.: aparece Doña Angustias, sentada leyendo *un*

7 Ms.: frío pero *mate* es maternal.

7-8 Ms.: Clavela tiene treinta y siete años. Viste de maja.

---

7 «Isabel la Clavela era una persona de la que mi madre nos hablaba, aunque no puedo reconstruir en mi recuerdo su figura. Sé que era mujer del pueblo, cuyo nombre de pila, más el poético sobrenombre, Federico ha retenido en el drama» (Francisco García Lorca, *op. cit.*, pág. 298.)

9-10 Ms.: Al costado derecho de Es I se lee: «(alusión a los mayorazgos y al robo del ciego Pineda» y abajo: «(madre adoptiva)». Este autorrecor-

Borda y borda lentamente.
Yo la he visto por el ojo de la llave.
Parecía el hilo rojo, entre sus dedos,
una herida de cuchillo sobre el aire.   15

CLAVELA

¡Tengo un miedo!

ANGUSTIAS

¡No me digas!

---

datorio de Lorca refiere a don José de Pineda, tío y tutor de Mariana, a la
muerte de su padre. Don José, sin visión desde los tres años, renuncia a
la tutoría de la niña cuando al año decide casarse, y la deja en manos de
un matrimonio de dos dependientes suyos, José de Mesa y Úrsula de la
Presa, que fueron los padres adoptivos de Mariana desde sus tres años. En
Mariana Pineda, doña Úrsula figura como doña Angustias. En *La Farsa*
Lorca inserta «madre adoptiva» como aposición de doña Angustias:
«Doña Angustias, madre adoptiva de Mariana, sentadas». Cuando Lorca
escribe «el robo del ciego Pinedas», se hace eco de una creencia popular
sobre la infancia pobre de Mariana porque su tío la había despojado.
Según Antonina Rodrigo esta historia acerca del «ciego Pineda, como
despectivamente lo llamaban» no es verdad. Se debe al primer biógrafo de la heroína, don José de la Peña y Aguayo, que llegó a decir que «este
inhumano tío», «prevalido de la orfandad de la sobrina» se alzó con todos
sus bienes y aun «hizo más: renunció a la tutela cuando ya había consu-
mado el despojo». Antonina Rodrigo rectifica este infundio, aunque
fue la viuda del ciego Pineda quien puso posteriormente trabas judiciales
que le impidieron a Mariana entrar en posesión de la herencia paterna (Antonina Rodrigo, *Mariana de Pineda,* Madrid, Alfaguara, 1965, págs. 31-33
y 38-40).

12 Ms.: An (dejando la lectura) // Ag.: Angustias (Dejando la lectura.)
La primera versión en tinta oscura lo mismo que la línea anterior: «Cla
(entrando) ¿Y la niña?»

¡No me digas!
17 Ms.: *Yo no vivo*

Estampa 5ª

Casa de Mariana. Paredes blancas. Al fondo bajo un ??
pintados de oscuro. Sobre una mesa un frutero lleno de ??
lleno de membrillos. Todo el techo estará lleno de esta
misma fruta y colgada. Encima de la ?? la pared se ??
de rosas de relief. Tarde de Otoño. Al levantar el telon
aparece doña Angustias, cantando la leyenda. Vestido oscuro.
Tiene un aire frío pero ?? es ?? maternal al mismo tiempo.
la ?? se repite y ?? vestida de oscuro.

E I

Ella (entrando) y ? la niña
Au. dejando de cantar)   buenos.   ?? lentamente
                   Yo la he visto por el ojo de la llave
                   Parecía el ?? rojo entre mis labios
                   una hembra de ?? ?? sobre ??

Ella   ¡Tengo un miedo!   ¡No me digas!
Au.   ? de ??

Ella (fatigada)
Au.   ter tu luego por Granada no se sabe
Ella   ¿Porque ?? esa ventana?
                              Ella me dice

(Intrigada.)

¿Se sabrá?

ANGUSTIAS

Desde luego, por Granada no se sabe.   20

CLAVELA

¿Por qué borda esa bandera?

ANGUSTIAS

Ella me dice
que la obligan sus amigos liberales.

(Con intención.)

Don Pedro, sobre todos; y por ellos   25
se expone... a lo que no quiero acordarme.

CLAVELA

Si pensara como antigua, le diría...
embrujada.

---

no quiero acordarme
26 Ms.: Se expone (con gesto doloroso)... a lo que *debe pensarse* // Ag.:
se expone (Con gesto doloroso.) a lo que no quiero acordarme.
22-26 L.: Por error se ha transcrito en prosa.
27-28 L.: Un solo verso

Casa de Mariana Pineda. Dibujo de Lorca.

ANGUSTIAS

(Rápida.)

Enamorada.   30

CLAVELA

(Rápida.)

¿Sí?

ANGUSTIAS

(Vaga.)

¡Quién sabe!

(Lírica.)   35

Se le ha puesto la sonrisa casi blanca,
como vieja flor abierta en un encaje.
Ella debe dejar esas intrigas.
¡Qué le importan las cosas de la calle!
Y si borda, que borde unos vestidos   40
para su niña, cuando sea grande.
Que si el Rey no es buen Rey, que no lo sea;
las mujeres no deben preocuparse.

CLAVELA

Esta noche pasada no durmió.

---

40 Ms.: un*as* + os bander (?) vestidos
39-40 Ms.: Intercalados con letra pequeñísima.
42 Ms.: Que [agregado al margen] Si el rey no es *un* buen

42-43 Revela lo insólito que significaba para la sociedad de la época la
intervención de una mujer en política.

¡Si no vive! ¿Recuerdas?... Ayer tarde...   45

(Suena una campanilla alegremente.)

Son las hijas del Oidor. Guarda silencio.

(Sale CLAVELA, *rápida.* ANGUSTIAS *se dirige a la
puerta de la derecha y llama.)*

Marianita, sal, que vienen a buscarte.   50

ESCENA II

*(Entran dando carcajadas las hijas del Oidor de la
Chancillería. Vienen vestidas a la moda de la época, con mantillas y un clavel rojo en cada sien.
LUCÍA es rubia tostada, y* AMPARO, *morenísima,   55
de ojos profundos y movimientos rápidos.)*

ANGUSTIAS

(Dirigiéndose a besarlas, con los brazos abiertos.)

¡Las dos bellas del Campillo
por esta casa!

---

45 Ms.: Recuerdas ayer tarde...

53-54 Ms.: 1.ª versión: Visten enormes faldas llenas de volantes. *Una trae
pamela y otra sombrerito calañé ceñido a la cara por un gracioso barbuquejo;*
2.ª versión: Visten [...] volantes. Y vienen *sin nada en la cabeza* peinadas
a la moda de la época con un clavel rojo en cada sien.; 3' versión: Visten [...]
volantes. Y vienen con mantillas peinadas [...] sien. // Ag.: Visten enormes
faldas de volantes y vienen con mantillas, peinadas a la moda de la época, con
un clavel rojo en cada sien. [En el Ms. corregido y tachado con tinta verde].

56 L. rápidos. Muy rápida de dicción y movimiento).

58-59 L.: Un solo verso, Ag. en sus «Notas al texto» atribuye equivocadamente a L. el verso: «¡Las dos bellas del Campillo en esta casa!,
op. cit., II, pág. 1563.

(Besa a doña Angustias *y dice a* Clavela.) 60

¡Clavela!
¿Qué tal tu esposo el clavel?

Clavela

*(Marchándose, disgustada, como temiendo más
bromas.)*

¡Marchito! 65

Lucía

(Llamando al orden.)

¡Amparo!
(Besa a Angustias.)

Amparo

(Riéndose.)

¡Paciencia! 70
¡Pero clavel que no huele,
se corta de la maceta!

61-62 L.: Un solo verso: ¡Clavela! ¿Qué tal tu esposo el clavel?
61 Ms.: Clavela ¡Clavela!

---

58 Estos nombres pertenecieron a la realidad. Según cuenta Mora
Guarnido llegaron a Lorca «por el camino de las referencias y recuerdos
maternos». Comprobamos una vez más que el poeta reelabora sobre algo
real ya existente *(op. cit.,* pág. 170).
63 Ms.: disgustada y como // Ag.: disgustada, y como
63-64 Ms.: mas burla.) | más bromas.)
67 Ms.: Amparo | ¡Amparo!

LUCÍA

Doña Angustias ¿qué os parece?

ANGUSTIAS

(Sonriendo.)

¡Siempre tan graciosa!   75

AMPARO

Mientras
que mi hermana lee y relee
novelas y más novelas,
o borda en el cañamazo
rosas, pájaros y letras,   80
yo canto y bailo el jaleo
de Jerez, con castañuelas;
el vito, el ole, el bolero,
y ojalá siempre tuviera
ganas de cantar, señora.   85

ANGUSTIAS

(Riendo.)

¡Qué chiquilla!

(AMPARO coge un membrillo y lo muerde.)

---

73 Ms.: ¡Doña Angustias!, ¿qué os parece?
83 Ms.: el vito, el ole, el sorongo // Ag.: el vito, el ole, el sorongo,
        ganas de cantar señora
85 Ms.: *una flor de calabaza*

LUCÍA

(Enfadada.)

¡Estate quieta!   90

AMPARO

*(Habla con lo agrio de la fruta entre los
dientes.)*

¡Buen membrillo!

*(Le da un escalofrío por lo fuerte del ácido, y
guiña.)*   95

ANGUSTIAS

(Con las manos en la cara.)

¡Yo no puedo

mirar!

LUCÍA

(Un poco sofocada.)

¿No te da vergüenza?   100

AMPARO

Pero ¿no sale Mariana?
Voy a llamar a su puerta.

97-98 Ms.: ¡Yo no puedo / mirar! [En *LF* creemos que por error que
conviene corregir se encuentra como un solo verso, lo que quiebra la
versificación octosilábica de la escena: «¡Buen membrillo!» y «¡Yo no puedo» formar un octosílabo, lo mismo que «mirar!» y «¿No te da verguenza?»]
            no sale Mariana?

101 Ms.: Pero ¿*Mariana no*

(Va corriendo y llama.)

¡Mariana, sal pronto, hijita!

LUCÍA

¡Perdonad, señora!   105

ANGUSTIAS

(Suave.)

¡Déjala!

ESCENA III

(La puerta se abre, y aparece MARIANA, vestida
de malva claro, con un peinado de bucles, peineta 110
y una gran rosa roja detrás de la oreja. No tiene
más que una sortija de diamantes en su mano
siniestra. Aparece preocupada, y da muestras, con-
forme avanza el diálogo, de vivísima inquietud.
Al entrar MARIANA en escena, las dos muchachas 115
corren a su encuentro.)

AMPARO

(Besándola.)

¡Cómo has tardado!

MARIANA

(Cariñosa.)

¡Niñas!   120

LUCÍA

(Besándola.)

¡Marianita!

AMPARO

¡A mí otro beso!

LUCÍA

¡Y otro a mí!

MARIANA

¡Preciosas!   125

(A DOÑA ANGUSTIAS.*)*

¿Trajeron una carta?

ANGUSTIAS

¡No!

(Queda pensativa.)

AMPARO

(Acariciándola.)   130

Tú, siempre
joven y guapa.

122 Ms.: Marianita | ¡Marianita!
124 Ms.: Y otro a mí! | ¡Y otro a mí!
125-127 L.: Transcriptos como prosa.
127 Ms.: Trajeron una carta | ¿Trajeron una carta?
131-132 L.: Un solo verso.

MARIANA

(Sonriendo con amargura.)

¡Ya pasé los treinta!

AMPARO

¡Pues parece que tienes quince!   135

(Se sientan en un amplio sofá, una a cada lado.
DOÑA ANGUSTIAS *recoge su libro y arregla la*
cómoda.)

MARIANA

(Siempre con un dejo de melancolía.)

                                           ¡Amparo!   140

¡Viudita y con dos niños!

LUCÍA

¿Cómo siguen?

---

133 Ms.: Mar *(con amargura e ironia)* [Corregido en verde; tachado en
tinta oscura.]
     Ya
134 Ms.: *¡Pues* pasé [Corregido en tinta verde.]
135 Ms.: Pues parece que tienes quince | ¡Pues parece que tienes quince!
137-138 Ms.: una comoda) // Ag. una cómoda.)
139 Ms.: un dulce dejo | un dejo
140 Ms.: Amparo | ¡Amparo!
        siguen
142 Ms.: ¿Como estan?

---

134 Mariana Pineda fue ajusticiada a los veintisiete años, conforme
registran sus biógrafos.

Han llegado ahora mismo del colegio,
y estarán en el patio.

ANGUSTIAS

       Voy a ver.   145
No quiero que se mojen en la fuente.
¡Hasta luego, hijas mías!

LUCÍA

(Fina siempre.)

¡Hasta luego!

(Se va DOÑA ANGUSTIAS.)   150

ESCENA IV

MARIANA

¿Tu hermano Fernando, cómo sigue?

LUCÍA

          Dijo
que vendría a buscarnos, para saludarte.

---

143 Ms.: del colegio *(adelan* (?)
147 Ms.: luego *hijitas,* hijas mías
148 Ms.: Falta
      ¡Hasta luego!
149 Ms.: *¡Adiós Doña Angustias!*
153-154 L.: Un solo verso

Se estaba poniendo su levita azul.
Todo lo que tienes le parece bien.
Quiere que vistamos como tú te vistes.
Ayer...

AMPARO

(Que tiene siempre que hablar, la interrumpe.)   160

Ayer mismo nos dijo que tú

(LUCÍA *queda seria.*)

tenías en los ojos... ¿qué dijo?

LUCÍA

(Enfadada.)

¿Me dejas   165
hablar?

(Quiere hacerlo.)

AMPARO

(Rápida.)

¡Ya me acuerdo! Dijo que en tus ojos
había un constante desfile de pájaros.   170

_____

[156] Ms.: (a Am)
165-166 L.: Un verso.
167 Ms.: (hace intencion de hacerlo) // Ag.: (Hace intención de hacerlo.)
169-172 L.: Transcripto como prosa.

(Le coge la cabeza por la barbilla y le mira los ojos.)

Un temblor divino, como de agua oscura,
sorprendida siempre bajo el arrayán,
o temblor de luna sobre una pecera,   175
donde un pez de plata finge rojo sueño.

LUCÍA

(Sacudiendo a MARIANA.)

¡Mira! Lo segundo son inventos de ella.

(Ríe.)

AMPARO

¡Lucía, eso dijo!   180

MARIANA

                    ¡Qué bien me causáis
con vuestra alegría de niñas pequeñas!
La misma alegría que debe sentir
el gran girasol al amanecer,

---

173 Ms.: Y un temblor divino como de agua clara // Ag.: Un temblor
divino, como de agua clara,
174 Ms.: Arrayán. | arrayán,
175-176 Ms.: Faltan.
[183-186] Ms.: La misma alegría que la viejecilla
                    siente cuando el sol se duerme en sus manos
                    acaricia
                    Y ella lo *aprisiona* creyendo que nunca
                    la noche y el frío cercarán su casa.
184 L. y Ag.: el gran girasol, al amanecer,

164

cuando sobre el tallo de la noche vea   185
abrirse el dorado girasol del cielo.

(Les coge las manos.)

LUCÍA

¡Te encuentro muy triste!

AMPARO

¿Qué tienes?

(Entra CLAVELA.*)*   190

MARIANA

(Levantándose rápidamente.)

¡Clavela!

¿Llegó? ¡Di!

CLAVELA

(Triste.)

¡Señora, no ha venido nadie!   195

(Cruza la escena y se va.)

[188-191] L. y Ag. añaden a la estrofa de *LF,* la que acabamos de
transcribir, variando en L. el último verso: «la noche de estrellas cercará
su casa».

188 Ms.: Te encuentro muy triste | ¡Te encuentro muy triste!

190 Ms.: (entra la criada) | (Entra Clavela.)

Si esperas visita, nos vamos.

AMPARO

                Lo dices,
y salimos.

MARIANA

(Nerviosa.)   200

       ¡Niñas, tendré que enfadarme!

AMPARO

No me has preguntado por mi estancia en Ronda.

MARIANA

Es verdad que fuiste; ¿y has vuelto contenta?

AMPARO

Mucho. Todo el día baila que te baila.

(Queda seria de pronto al ver a MARIANA, *que* 205
está inquieta, mira a las puertas y se distrae.)

---

[198] Ms.: *Mar (nerviosa)*

198-199 L.: Un verso solo.
        y salimos

199 Ms.: *y a la calle*

204 Ms.: ¡Mucho todo el dia baila que te baila!

205-206 Ms.: (Mariana esta inquieta y llena de angustia *y* mira a las puertas
a los lados y se distrae)

166

LUCÍA

(Seria.)

Vámonos, Amparo.

MARIANA

(Inquieta por algo que ocurre fuera de la escena.)

¡Cuéntame! Si vieras   210
cómo necesito de tu fresca risa.

(MARIANA sigue de pie.)

LUCÍA

¿Quieres que te traiga una novela?

AMPARO

Tráele
la plaza de toros de la ilustre Ronda.   215

Ag: (MARIANA está inquieta, y, llena de angustia, mira a las puertas y se distrae.)

207 Ms.: Falta «(Seria)».

208 Ms.: ¡Vamonos Amparo!

210 Ms.: ¡Si vieras!

210-212 L.: Se transcribe en prosa.

[211] Ms.: como necesito de tu gracia joven [Insertado en verde con letra pequeña, como los versos que siguen.]

[212-213] Ms.:   mi alma tiene el mismo color del vestido
                Am   que cosas tan lindas dices Marianilla

[211-213] Ag.:   cómo necesito de tu gracia joven.
                    Mi alma tiene el mismo color del vestido.
                Amparo
                    Qué cosas tan lindas dices, Marianilla.

214-215 L.: En prosa.

(Ríen. Se levanta y se dirige a MARIANA.*)*

¡Siéntate!

*(*MARIANA *se sienta y la besa.)*

MARIANA

(Resignada.)

¿Estuviste en los toros?   220

LUCÍA

¡Estuvo!

AMPARO

En la corrida más grande
que se vio en Ronda la vieja.
Cinco toros de azabache,
con divisa verde y negra.   225
Yo pensaba siempre en ti;
yo pensaba: si estuviera
conmigo mi triste amiga,
¡mi Marianita Pineda!
Las niñas venían gritando   230
sobre pintadas calesas
con abanicos redondos
bordados de lentejuelas.
Y los jóvenes de Ronda
sobre jacas pintureras,   235
los anchos sombreros grises
calados hasta las cejas.
La plaza con el gentío

---

217 Ms.: Sientate | ¡Siéntate!
221 L.: ¡Estuve! | ¡Estuvo!

(calañés y altas peinetas)
giraba como un zodíaco   240
de risas blancas y negras.
Y cuando el gran Cayetano
cruzó la pajiza arena
con traje color manzana,
bordado de plata y seda,   245
destacándose gallardo
entre la gente de brega
frente a los toros zaínos
que España cría en su tierra,
parecía que la tarde   250
se ponía más morena.

---

242 Ms.: Y cuando [falta el final del verso,]
244-245 Ms.: Agregados en letra diminuta, con tinta verde, al margen derecho.

240-241 La imagen posee lo cósmico unido a lo mínimo como en el *Romancero gitano*. Contraste, impresionismo y sinestesia se concentran en estos versos.

242 A este torero es inútil buscarle existencia histórica, como la tuvieron Pedro Romero y Pepe Hillo. En carta a José María de Cossío, probablemente de enero de 1927, lo aclara Lorca: «El [romance] de Mariana Pineda va íntegro. He puesto un Cayetano ¡que no sé quién es!... ni me importa ¡pero es tan precioso nombre!» *(Epistolario*, II. Edición de C. Maurer, Madrid, Alianza, 1983, pág. 19). Las razones de la inclusión son, pues, sólo eufónicas.

250-251 Cuenta Gonzalo Torrente Ballester, asistente a una representación de *Mariana Pineda* por Margarita Xirgu en Oviedo, siendo todavía estudiante, que «al cuarto verso, los escasos espectadores arrugan la frente y se miran... "Una herida de cuchillo sobre el aire". Y cuando, un poco más adelante, doña Angustias dice que a Mariana "Se le ha puesto la sonrisa casi blanca / como vieja flor abierta en un encaje", el despiste es general. A mi lado, cuchichea un señor: "Debe de ser una cosa escrita por uno de esos poetas de ahora". Unos minutos después, Carmen Carbonell, que era entonces una mocita preciosa, recitó el romance de la fiesta de toros en Ronda, y cuando llegó a aquello de "parecía que la tarde / se ponía más morena" el estupor cuajó como un cristal de hielo, y, acto seguido, los espectadores se desentendieron de la obra [...] Creo, sin em-

¡Si hubieran visto con qué
gracia movía las piernas!
¡Qué gran equilibrio el suyo
con la capa y la muleta!   255
¡Mejor, ni Pedro Romero
toreando las estrellas!
Cinco toros mató; cinco,
con divisa verde y negra.
En la punta de su espada   260
cinco flores dejó abiertas,
y a cada instante rozaba
los hocicos de las fieras,
como una gran mariposa
de oro con alas bermejas.   265
La plaza, al par que la tarde,

256-257 Ms.: Tachados en verde. Con la misma tinta se añaden al margen derecho en letra pequeñísima dos versos: «Ni Pepe Hillo ni nadie / toreó como el torea». *LF.* restaura los versos anulados. Al margen izquierdo otros dos versos tachados en tinta negra, como variante de los del texto básico, también con letra diminuta: *(Pedro Romero estaría / mirándolo en las estrellas).* // Ag.: Ni Pepe-Hillo ni nadie / toreó como él torea.

260 Ms.: En la punta de su estoque (espada) // Ag.: En la punta de su estoque.

flores
rosas
261 Ms.: cinco *flores*

---

bargo, que aquella tarde de otoño murió en Oviedo el siglo XIX literario. Es probable que los señores que podían pagarse una butaca de patio o una platea siguieran algunos años más sin comprender que la tarde podía ponerse morena, y, lo que es peor, intentando entenderlo...» *(Primer Acto,* 50, febrero de 1963, págs. 27-28).

256-257 Según Alfredo de la Guardia, Pepe Hillo, mencionado en la variante del manuscrito, era un «torero que había perdido la vida en el redondel, el año 1801» *(García Lorca. Persona y creación,* Buenos Aires, Schapire, 1961, 4.ª ed., pág. 281).

261 La técnica del uso del guarismo es frecuente en la poesía de Lorca, afirma su hermano Francisco *(op. cit.,* pág. 207). Asimismo, la reiteración del número es recurso tradicional y popular que a menudo empleará el poeta.

vibraba fuerte, violenta,
y entre el olor de la sangre
iba el olor de la sierra.
Yo pensaba siempre en ti;   270
yo pensaba: si estuviera
conmigo mi triste amiga,
¡mi Marianita Pineda!...

....

MARIANA

(Emocionada y levántandose.)

¡Yo te querré siempre a ti   275
tanto como tú me quieras!

LUCÍA

(Se levanta.)

Nos retiramos; si sigues
escuchando a esta torera
hay corrida para rato.   280

AMPARO

Y dime: ¿estás más contenta?
Porque este cuello, ¡oh, qué cuello!,

(Le besa el cuello.)

no se hizo para la pena.

_____

267 Ms.: vibraba, fuerte, violenta,
271 Ag.: ¡Si estuviera
273 Ms.: mi Marianita Pineda. // Ag.: mi Marianita Pineda!
281 Ms.: Y dime estas mas contenta

LUCÍA

(En la ventana.)   285

Hay nubes por Parapanda.
Lloverá, aunque Dios no quiera.

AMPARO

¡Este invierno va a ser de agua!
¡No podré lucir!

LUCÍA

¡Coqueta!   290

AMPARO

¡Adiós, Mariana!

MARIANA

¡Adiós, niñas!

(Se besan.)

AMPARO

¡Que te pongas más contenta!

---

288 Ms.: Sin exclamaciones.
291 Ms.: Adios Mariana
292 Ms.: Adios niñas
294 Ms.: Sin exclamaciones.

MARIANA

Tardecillo es. ¿Queréis   295
que os acompañe Clavela?

AMPARO

¡Gracias! Pronto volveremos.

LUCÍA

¡No bajes, no!

MARIANA

¡Hasta la vuelta!

(Salen.)   300

ESCENA V

(MARIANA *atraviesa rápidamente la escena y mira la hora en uno de esos grandes
relojes dorados, donde sueña toda la poesía exquisita de la hora y el siglo. Se aso-* 305
*ma a los cristales y ve la última luz de la
tarde.*)

MARIANA

Si toda la tarde fuera
como un gran pájaro, ¡cuántas

295-296 Ms.: Un solo verso [Se corrige errata: «acompañe, Clavela?»]
301 Ms.: Es IV | Escena V

308-311 En estos versos, según Francisco García Lorca, por «la melancolía con que muchas veces el personaje central expresa su soledad» parece

duras flechas lanzaría   310
para cerrarle las alas!
Hora redonda y oscura
que me pesa en las pestañas.
Dolor de viejo lucero
detenido en mi garganta.   315
Ya debieran las estrellas
asomarse a mi ventana
y abrirse lentos los pasos
por la calle solitaria.
¡Con qué trabajo tan grande   320
deja la luz a Granada!
Se enreda entre los cipreses
o se esconde bajo el agua.
¡Y esta noche que no llega!

    (Con angustia.)   325

¡Noche temida y soñada;
que me hieres ya de lejos
con larguísimas espadas!

312-315 Ms.: Faltan.
316-317 Ms.: Un gran signo de interrogación al final de los versos,
que refleja al parecer una duda del poeta.
320-321 Ms.: *Con que gran trabajo deja*
         la luz del día a Granada
Al margen derecho en letra muy chica:
         Con que trabajo tan grande
         deja la luz a Granada
         ¡Y esta noche
324 Ms.: *La no*
326 Ms.: Noche temida | ¡Noche temida
328 Ms.: infinitas espadas

---

resonar «el tierno, delicado lirismo de las *Canciones* del poeta, en formas tan
acendradas que de haber sido poemas sueltos hubiesen tenido acceso al citado
libro, a pesar del casi implacable rigor con que Federico y yo hicimos la selección final» *(op. cit.,* pág. 296). Cita también el crítico los versos 320 a 328.

174

ESCENA VI

Fernando

(En la puerta.)   330

Buenas tardes.

Mariana

(Asustada.)

¿Qué?

(Reponiéndose.)

¡Fernando!   335

Fernando

¿Te asusto?

Mariana

No te esperaba,

(Sonriendo.)

y tu voz me sorprendió.

Fernando

¿Se han ido ya mis hermanas?   340

---

329 Ms.: Es V | Escena VI // Ag. omite el cambio de escena.
337-339 L.: Un solo verso.

Ahora mismo. Se olvidaron
de que vendrías a buscarlas.

> (FERNANDO *viste elegantemente la moda de la
> época. Mira y habla apasionadamente. Tiene die-
> ciocho años.)*   345

FERNANDO

¿Interrumpo?

MARIANA

Siéntate.

(Se sientan.)

FERNANDO

(Lírico.)

¡Cómo me gusta tu casa!   350
Con ese olor a membrillos.

(Aspira.)

341-342 L.: Un verso.

343 Ms.: viste elegantisimamente // L.: viste elegantísimamente //
Ag.: viste elegantísimamente

344-345 Ms.: apasionadamente. A veces le temblará la voz y se turbará a menudo.) // Ag.: apasionadamente. Tiene diez y ocho años. A veces
le temblará la voz y se turbará a menudo.)

Toma asiento

347 Ms.: *Siéntate* [Subrayado, no tachado.]

¡Y qué preciosa fachada
tiene, llena de pinturas,
de barcos y de guirnaldas!...   355

MARIANA

(Interrumpiéndole.)

¿Hay mucha gente en la calle?

FERNANDO

(Sonríe.)

¿Por qué preguntas?

MARIANA

(Turbada.)   360

Por nada.

FERNANDO

Pues hay mucha gente.

MARIANA

(Impaciente.)

¿Dices?...

---

353 Ms.: Y que preciosa fachada | Y qué preciosa fachada
354 Ag.: tienes..., | tiene,
          de barcos y de guirnaldas
355 Ms.: *de rosas y de na*
1357 Ms.: ¿Hay mucha gente en la calle? [Ag. en sus «Notas al texto»
(pág. 1564, pág. 137, líneas 14-15), por error anota que el interrogante
transcripto sólo figura en *LF.* y L.]
[358] Ms.: (inquieta) // Ag.: (Inquieta.)
          impaciente
363 Ms.: *(inquietísima)*

Al pasar por Bibarrambla   365
he visto dos o tres grupos
de gente envuelta en sus capas,
que aguantando el airecillo
a pie firme comentaban
el suceso.   370

MARIANA

(Ansiosamente.)

¿Qué suceso?

FERNANDO

¿Sospechas de qué se trata?

MARIANA

¿Cosas de masonería?...

FERNANDO

Un capitán que se llama...;   375

(MARIANA *está como en vilo.*)

---

364 Ms.: ¿Dices? // Ag.: ¿Dices? | ¿Dices?...
          Al pasar por
365 Ms.: *En la plaza* Bibarrambla
                dos o tres grupos
366 Ms.: he visto *grupos nutridos*
374 Ms.: de masonería? // Ag.: de masonería?

no recuerdo...; liberal,
prisionero de importancia,
se ha fugado de la cárcel
de la Audiencia.   380

(*Viendo a* MARIANA.)

¿Qué te pasa?

MARIANA

Ruego a Dios por él. ¿Se sabe
si le buscan?

FERNANDO

            Ya marchaban,   385
antes de venir yo aquí,
un grupo de tropas hacia
el Genil y sus puentes
para ver si lo encontraban,
y es fácil que lo detengan   390
camino de la Alpujarra
¡Qué triste es esto!

MARIANA

(*Angustiada.*)

¡Dios mío!

---

379 Ms.: de la carcel [Intercalado «la» con tinta verde.]
383-384 L.: Un solo verso.
393 Ms.: Mar (llena de angustia) // Ag.: Mariana. (Llena de angustia.)

El preso, como un fantasma,   395
se escapó; pero Pedrosa
ya buscará su garganta.
Pedrosa conoce el sitio
donde la vena es más ancha.
Me han dicho que le conoces.   400

(La luz se va retirando de la escena.)

Mariana

Desde que llegó a Granada.

Fernando

(Sonriendo.)

¡Bravo amigo, Marianita!

[395-397] Ms.: Fer — ¡Y las gentes como aguantan!
                        ¡Señor es ya demasiado!
               Mar — ¡Es ya demasiado horror!
[395-396] Ag.: Fernando
                        Y las gentes cómo aguantan.
                        Señores, ya es demasiado.
Los tres versos del Ms. llevan al margen derecho una línea recta que los abarca. *LF.* no los transcribe.
                        escapo   pero
396 Ms.: se *ha escapado mas* Pedrosa [Al margen derecho, una marcación abarca este verso y el anterior. La corrección y tachadura con tinta verde.]
[400-401] Ms.: ¡por donde brota la sangre
                        mas caliente y encarnada!
            Ag.: por donde brota la sangre
                        más caliente y encarnada.
Insertados en el Ms. en letra pequeña con tinta oscura. *LF.* los ha omitido.
                        Tu le conoces?
[402] Ms.: ¡Que chacal!... *Y es vuestro amigo?* // Ag.: ¿Qué chacal! ¿Tú le conoces?

180

Le conocí por desgracia.   405
Él está amable conmigo,
y hasta viene por mi casa,
sin que yo pueda evitarlo.
¿Quién le impediría la entrada?

FERNANDO

¡Qué gran alcalde del crimen!   410

MARIANA

¡No puedo mirar su cara!

FERNANDO

¿Te da mucho miedo?

(Sonriendo.)

---

409 Ms.: Marcado con dos rayas paralelas al margen derecho. Insertado con letra más chica.

[410] Ms.: Fer *Es un viejo*   // Ag.: FERNANDO. Ojo, que es un viejo verde.

[411] Ms.: Mar ¡Es un hombre que me espanta! (menos luz) // Ag.: Es un hombre que me espanta [Ag. equivoca la numeración de las líneas que faltan en *LF.* y L. en sus «Notas...» Refiere a líns. 27-30 de la pág. 139 cuando debiera referir a líns. 25-28 (pág. 1564, col. 2.ª, líns. 16-18).]

410-411 Ms.: Intercalados con tinta verde en letra diminuta:
          Fer — Que gran alcalde del crimen
          Mar — No puedo mirar su cara
[412] Ms.: Fer (serio) // Ag.: Fernando (Serio.)
413 Ms. y Ag.: No figura.

---

410 Ironía que juega con el valor bisémico que puede darse al título de Pedrosa.

¡Mucho!
Ayer tarde yo bajaba   415
por el Zacatín. Volvía
de la iglesia de Santa Ana,
tranquila; pero de pronto
vi a Pedrosa. Se acercaba,
seguido de dos golillas,   420
entre un grupo de gitanas.
¡Con un aire y un silencio!...
¡Él notó que yo temblaba!

(La escena está en una dulce penumbra.)

Volvía
416 Ms.: por el Zacatin. *Venía* [Tachado y corregido en verde.]
        tranquila!
418 Ms.: *¡contenta!* pero de pronto
421 Ms.: entre un grupo de gitanas, [Se agrega al costado del verso con
tinta verde. Suple a dos variantes anteriores tachadas también en verde:]
        Envuelto en su negra capa
        Ms.: *Venía envuelto en su capa*
[424] Ms.: A partir de aquí nueve versos y dos acotaciones se hallan
anulados con dos rayas horizontales que delimitan el fragmento. A su vez,
éste está tachado por dos oblicuas que se cruzan. Los dos versos primeros se
hallan marcados al final por una línea vertical en verde que los abarca. El
poeta los ha intercalado, posteriormente a esta redacción, en verde, como
ya dijimos, en 410-411: «Fer— ¡Que gran alcalde del crimen! / Mar. No
puedo mirar su cara». Los versos siguientes y las dos acotaciones se tachan
para insertar otros (425 a 430) y luego se retoman: (levantándose) Es noche... Clavela... luces / Fer Ahora los rios sobre España / En vez de ser rios
son / largas cadenas de agua / Mar— Por eso hay que mantener / la cabeza
levantada (la escena esta en una dulce penumbra) / Fer— Las gentes sufren». Este último varía [438] y la 2.ª acotación se ubica en 424.
424 Ms.: Con tinta verde agregado a la derecha.

---

416 Calle comercial, originariamente de ropavejeros, que desemboca
en la Alcaicería, antiguo mercado árabe de sedas y actual conjunto de
negocios de artesanías granadinas.
420 Sinécdoque familiar española que nombra a los magistrados por
el cuello que usan.

¡Bien supo el Rey lo que hacía   425
al mandarlo aquí a Granada!
Se trajo en el maletín
un centenar de mortajas,
hechas, según se murmura,
por manos que son sagradas.   430

MARIANA

(Levantándose.)

Ya es noche. ¡Clavela! ¡Luces!

FERNANDO

Ahora los ríos sobre España,
en vez de ser ríos, son
largas cadenas de agua.   435

MARIANA

Por eso hay que mantener
la cabeza levantada.

Bien supo el rey lo [que] se hizo

425 Ms.: *El rey supo lo* [que] *se hizo*   // Ag.: ¡Bien supo el rey lo que se hizo [La corrección y tachadura del Ms. son en verde.]

427 Ms.: Y + Se trajo [En verde se sobrepone «Se».]

427-430 Ms.: Marcados con una línea ondulada en verde en el costado derecho. Ag. y L. no los reproducen.

432 Ms.: Ya Es noche Clavela... luces [Se añade en verde «Ya».]

CLAVELA

(Entrando con dos candelabros.)

¡Señora, las luces!

MARIANA

(Palidísima y en acecho.)   440

¡Déjalas!

(Llaman fuertemente a la puerta.)

CLAVELA

¡Están llamando!

(Coloca las luces.)

FERNANDO

(Al ver a MARIANA *descompuesta.)*   445

¡Mariana!
¿Por qué tiemblas de ese modo?

[438-444] Ms.: Fer¡ Sufren tanto las criaturas! ... [En verde los suspensivos.]
y aunque yo no entiendo nada [Marcación en verde.]
El rey me parece un bicho
triste de narices largas
gran inteligente en horcas
de baja estola
un traidor *un gran traidor*
y Calomarde, ¡un canalla!
Al lado de «traidor», una raya vertical en verde. De igual color la corrección, aunque la tachadura es en tinta negra. *LF.* suprime este fragmento,
y todas las ediciones.
443 Ms.: Estan llamando | ¡Están llamando!

184

MARIANA

(A CLAVELA, *gritando en voz baja.)*

¡Abre pronto, por Dios; anda!

(Sale CLAVELA *corriendo.* MARIANA *queda en ac-* 450
titud expectante junto a la puerta, y FERNANDO,
de pie.)

ESCENA VII

FERNANDO

Sentiría en el alma ser molesto...
Marianita, ¿qué tienes?   455

MARIANA

(Angustiada exquisitamente.)

        Esperando
los segundos se alargan de manera
irresistible.

FERNANDO

(Inquieto.)   460

    ¿Bajo yo?

---

448 Ms.: Mar (a Cla gritando) // L.: Mariana (A Clavela, en voz baja.)
Ag. indica por error en sus «Notas...» que L. también reproduce el texto
de *LF.* (pág. 1564, col. 2.ª, líns. 23-25).
453 Ms.: Es VI | Escena VII // Ag.: Escena VI.
454 Ms.: Marcación vertical en verde al final del verso.

185

Un caballo
se aleja por la calle. ¿Tú lo sientes?

FERNANDO

Hacia la vega corre.

(Pausa.) 465

MARIANA

Ya ha cerrado
el postigo Clavela.

FERNANDO

¿Quién será?

MARIANA

*(Turbada y reprimiendo una honda angus-
tia.)* 470

¡Yo no lo sé!

(Aparte.)

¡Ni siquiera pensarlo!

---

463 Ms.: Se aleja por la calle ¿tu lo sientes? [Se ha insertado «tu» en
verde.]
465 Ms.: «(Pausa.)»
                 aparte
471-473 Ms.: Yo no lo se (ni siquiera pensarlo [Marcación final. Desde estas líneas, con exclusión de «aparte)». El texto sigue en tinta verde en
el Ms.] | ¡Yo no lo sé! (Aparte.) ¡Ni siquiera pensarlo!

CLAVELA

(Entrando.)

Una carta, señora.   475

(MARIANA *coge la carta ávidamente.*)

FERNANDO

(Aparte.)

¡Qué será!

CLAVELA

Me la entregó un jinete. Iba embozado
hasta los ojos. Tuve mucho miedo.   480
Soltó las bridas y se fue volando
hacia lo oscuro de la plazoleta.

FERNANDO

Desde aquí lo sentimos.

---

475 Ms.: ¡Una carta señora! | Una carta, señora
478 Ms.: Marcación al final del verso
479-480 Frag. 1: Me la dio un embozado
            jinete en una jaca cordobesa
            Tuve mucho miedo.
480 Ms.: *N* + hasta los ojos *No le vi la car*
            soltó las bridas   trotando
481 Frag. 1: *y se fue velozmente* y partio *volando*
482 Frag. 1: La negra capa hinchada por el aire
[483] Ms.: [Cla] *Mucha prisa llevaba*
            Mucha prisa llevaba

¿Le has hablado?

CLAVELA

Ni yo le dije nada, ni él a mí.   485
Lo mejor es callar en estos casos.

(FERNANDO *cepilla el sombrero con su manga, y*
tiene el semblante inquieto.)

MARIANA

(Con la carta.)

¡No la quisiera abrir! ¡Ay, quién pudiera   490
en esta realidad estar soñando!
¡Señor, no me quitéis lo que más quiero!

---

484 Frag. 1: *Parecía tener prisa*   ¿Le has hablado?
      Y+ Lo (?) mejor es callar en estos casos
486 Frag. 1: *No he* (?)
487-488 L. y Ag.: con su manga; tiene el semblante
488 Frag. 1: tiene un semblante | tiene el semblante
               Mar (con la carta) (Fer habla con Cla)
               Fer (a Clavela)
               Mar (con la carta) Con permiso (Fernando inclina la cabeza)
489 Ms.: *Mar (con la carta) No la*
Tres líneas anuladas globalmente con la primera también tachada. Co-
locamos en forma escalonada hasta la última redactada y sin corrección.
490 Frag. 1: No la quisiera abrir ¡Ay quien pudiera! // Ms.: No la
quisiera abrir ¡ay quien pudiera
               turbio   En esta realidad
491 Frag. 1: este instante *fuerte* estar // Ms. *En este triste*   estar
                                          un
[491-492] Frag. 1: abrir los ojos y encontrar *al* (?) mundo
                   de gente libre y corazón honrado
      Ms.: *Abrir los ojos y encontrar un mundo*
              *de gente libre y corazón honrado*Al finalizar los versos
hay una raya vertical que los abarca y al lado se lee: «quizá no».

188

(Rasga la carta y lee.)

FERNANDO

(A CLAVELA, *ansiosamente.)*

Estoy confuso. ¡Es esto tan extraño!   495
Tú sabes lo que tiene. ¿Qué le ocurre?

CLAVELA

Ya le he dicho que no lo sé.

FERNANDO

(Discreto.)

Pero...

CLAVELA

(Continuando la frase.)   500

¡Pobre doña Mariana mía!

---

492 Ag.: no me quites lo
493 Frag. 1: (rasga la carta)
495 Frag. 1: Estoy confuso es esto *es* tan extraño [El primer «es» se intercala posiblemente después de la tachadura.]
Ms.: Estoy confuso es esto tan extraño
498-499 Ms.: Fer (discreto) Me callo / Pero... // L.: Fernando (discreto). / me callo. Pero... // Ag.: FERNANDO. (Discreto.) / Me callo. / Pero...
No podemos verificar si *LF* incurre en on olvido al omitir «Me callo» o si Lorca prefirió dejar el verso eneasílabo.

Mariana

(Agitada.)

¡Acércame, Clavela, el candelabro!

> (CLAVELA *se lo acerca corriendo.* FERNANDO *cuelga lentamente la capa sobre sus hombros.)*   505

Clavela

(A Mariana.*)*

¡Dios nos guarde, señora de mi vida!

Fernando

(Azorado e inquieto.)

Con tu permiso...

---

502 Frag. 1: (Mariana presa de vivísima agitación leyendo la carta // Ms.: (Mar *pr* con viva agitación)
503 Frag. 1: Clavela acercame ese candelabro
2   1 el
    Ms.: Clavela acercame ese candelabro
504-505 Frag. 1: (Fernando coge su capa y la cuelga de los hombros) // Ms.: (Fernando [cuelga] lentamente su capa sobre *los* + sus hombros)
506 Ms.: No figura.
mi
Mala carta es esta doña Mariana
507 Frag. 1: *Malas noticias son señora mía*
509 Frag. 1: Con vuestro permiso... señora

---

503 La corrección del Ms. permite la musicalidad del endecasílabo con el acento en sexta sílaba.

MARIANA

(Queriendo reponerse.)   510

¿Ya te vas?

FERNANDO

Me marcho;
voy al café de la Estrella.

MARIANA

(Tierna y suplicante.)

Perdona   515
estas inquietudes...

FERNANDO

(Digno.)

¿Necesitas algo?

MARIANA

(Conteniéndose.)

Gracias... Son asuntos familiares hondos,   520
y tengo yo misma que solucionarlos.

---

510 Frag. 1: (reponiendose y querer sonreir) [Aunque la acotación
corresponde aquí a otro parlamento de Mariana que se ubica posteriormente en el Ms. y *LF.* (520-521). // Ms.: (queriendo reponerse) *sonríe* (?)
[Con una marcación finaliza la línea.]

518 Ms.: Marcación al final de línea.

520-521 Frag. 1: Son asuntos tristes de viudita pobre
                  Sufro por mis niños

FERNANDO

Yo quisiera verte contenta. Diré
a mis hermanillas que vengan un rato,
y ojalá pudiera prestarte mi ayuda.
Adiós, que descanses.   525

    (Le estrecha la mano.)

MARIANA

Adiós.

FERNANDO

    (A CLAVELA.*)*

Buenas noches.

CLAVELA

    Salga, que yo le acompaño.   530

    (Se van.)

522-526 L.: Por error se transcribe todo seguido como prosa.

524 Ms.: Este verso está encuadrado y en el margen derecho se ve un signo de interrogación al revés, como lo escribe siempre el poeta para abrir la pregunta. Al lado se lee: «Falta un verso». Se refiere evidentemente a que falta un vesro con rima asonante en a-o.

                                            que descanses
525 Frag. I: Fer Buenas noches // Ms.: *Mar* Adios, *buenas noches* Marianita [Al anularse «Mar» lo que se dice queda en el parlamento de Fernando.]

                  estrecha la mano
526 Ms.: *(le besa la mano)*
527 Ms.: Mar (transida) Adiós!

192

(En el momento de salir Fernando, *da rienda suelta a su sentimiento.)*

¡Pedro de mi vida! ¿Pero quién irá?
Ya cercan mi casa los días amargos.   535
Y este corazón, ¿adónde me lleva,
que hasta de mis hijos me estoy olvidando?
¡Tiene que ser pronto y no tengo a nadie!
¡Yo misma me asombro de quererle tanto!
¿Y si le dijese... y él lo comprendiera?   540
¡Señor, por la llaga de vuestro costado!

(Sollozando.)

Por las clavellinas de su dulce sangre,
enturbia la noche para los soldados.

---

533 Ms.: suelta a su angustia) // Ag.: suelta a su angustia.)
534 Frag. 1: Antes de las nueve ¿pero quien iria?
                vida   ¿Pero quien ira?
    Ms.: ¡Pedro de mi *alma! quien ira en tu busca.*   [Marcación.]
               que hasta de mis hijos me estoy olvidando
537 Frag. 1: *¿que sabor amargo me mancha los labios?* [En el margen
izquierdo, una cruz al lado de la redacción última.]
538 Frag. 1: ¡Tiene que ser pronto! ¿Pero quien iria? // Ms.: ¡Tiene que
ser pronto! ¡y no tengo a nadie!
[539-540] Frag. 1: *Y* El reloj no deja de seguir andando
               y todo se acaba como no se salve
[539] Ms.: *El reloj no deja de seguir andan*
539 Frag. 1: Yo misma me asombro *que* + de quererle tanto // Ms.: Sin
exclamaciones.
                        imposible
                    es *inutil*
[540] Frag. 1: A quien buscaria ¡Clavela! *im*
540 Ms.: (por Fer) ¿Y si le dijese? y ¿el lo comprendiera?...

(En un arranque, viendo el reloj.)   545

¡Es preciso! ¡Tengo que atreverme a todo!

(Sale corriendo hacia la puerta.)

¡Fernando!

CLAVELA

(Que entra.)

¡En la calle, señora!   550

MARIANA

(Asomándose rapidísima a la ventana.)

¡Fernando!

CLAVELA

(Con las manos cruzadas.)

¡Ay, doña Mariana, qué malita está!
Desde que usted puso sus preciosas manos   555

---

546 Frag. 1: Es preciso tengo que atreverme a todo. // Ms.: Es preciso, tengo que atreverme a todo...

547 Frag. I: (sale corriendo a la puerta.) [De primera intención está tachado.] // Ms.: a la + hacia la

548 Frag. 1: Fernando | ¡Fernando!

551 Frag. 1: (asomandose a la ventana)

552 Frag. 1: Fernando ¡Fernando!
      Ay Doña Mariana

554 Frag. 1: *Coral de mis males* que malita estas

en esa bandera de los liberales,
aquellos colores de flor de granado
desaparecieron de su cara.

MARIANA

(Reponiéndose.)

               Abre,   560
y no me recuerdes lo que estoy bordando.

CLAVELA

(Saliendo.)

Dios dirá; los tiempos cambian con el tiempo.
Dios dirá. ¡Paciencia!

(Sale.)   565

MARIANA

             Tengo, sin embargo,
que estar muy serena, muy serena; aunque
me siento vestida de temblor y llanto.

      En esa
556 Ms.: *En est*
        de
558 Ms.: desaparecieron *que su* su
561 Ms.: y respeta y ama lo que estoy bordando
566-568 L.: Transcripto como prosa.

ESCENA VIII

(Aparece en la puerta FERNANDO, *con el alto som-* 570
brero de cintas entre sus manos enguantadas. Le
precede CLAVELA.*)*

FERNANDO

(Entrando, apasionado.)

¿Qué quieres?

MARIANA

(Firme.)   575

Hablar contigo.

(A CLAVELA.*)*

Puedes irte.

CLAVELA

(Marchándose, resignada.)

¡Hasta mañana!   580

(Se va, turbada, mirando con ternura y tristeza a
su señora. Pausa.)

---

569 Ms.: Es VII | ESCENA VIII // Ag.: ESCENA VII
572 Ms.: Lo + e precede
581 Ms.: *y* +mirando con
581-582 Al parecer insertados·con letra más pequeña en el margen
derecho.

FERNANDO

Dime, pronto.

MARIANA

¿Eres mi amigo?

FERNANDO

¿Por qué preguntas, Mariana?   585

(MARIANA *se sienta en una silla, de perfil al*
público, y FERNANDO *junto a ella, un poco de*
frente, componiendo una clásica estampa de la
época.)

¡Ya sabes que siempre fui!   590

MARIANA

¿De corazón?

FERNANDO

¡Soy sincero!

MARIANA

¡Ojalá que fuese así!

FERNANDO

Hablas con un caballero.

(Poniéndose la mano sobre la blanca pechera.)   595

De corazón?
591 Ms. Mar *(segura) Pero ten*
594-595 Ms.: Agregados a la derecha de la línea con letra más chica.
595 Ms.: *al* + en la blanca

197

MARIANA

(Segura.)

¡Lo sé!

FERNANDO

¿Qué quieres de mí?

MARIANA

Quizá quiera demasiado,
y por eso no me atrevo.   600

FERNANDO

No quieras ver disgustado
este corazón tan nuevo.
Te sirvo con alegría.

MARIANA

(Temblorosa.)

Fernando, ¿y si fuera?...   605

---

598 Ms.: Intercalado. Se utiliza el mismo «Fer» de 593.
599-603 Ms.: Añadidos con letra menor hacia la derecha.
          Te sirvo con alegria
603 Ms.: *Es servirte mi alegria*
604 Ms.: Parece insertado en letra pequeña.

FERNANDO

(Ansiosamente.)

¿Qué?

MARIANA

Algo peligroso.

FERNANDO

(Decidido.)

Iría.   610
Con toda mi buena fe.
Y esto, a mi modo de ver...

---

608 Ms.: peligroso (tiembla) | peligroso

610 Ms.: Con exclamaciones.

611 Ms.: Marcación al final del verso. Se corrige el error tipográfico de
la «c» minúscula al comienzo del verso que se halla en *LF.*

610-611 L.: Un solo verso. Ag. asienta por error en sus «Notas...» que
L. trae los dos versos en forma correcta (pág. 1564, 2.ª col., líns. 29-30).

[612-613] Ms.: Tachados globalmente y uno a uno los versos siguientes: *Y quisiera amiga mía / Querer toda / Poder querer mucho mas.*

612-615 Ms.: El verso que continúa, señalado asimismo por la marcación anterior, y los tres que le suceden se hallan numerados. El primero
pertenece a la réplica de Fernando. Así lo trancribe *LF.* Los tres últimos,
al parlamento de Mariana:

        1 Y esto a mi modo de ver...
    Mar 2 No debo pedirte nada
            como dicen por la ca + Granada
        4 *¡Soy una mala mujer!*
         ¡Soy una loca mujer!
        3 *Como dicen por Granada*

612 L.: Pero esto no puede ser.

612-613 Ag.: MARIANA.

               ¡No puedo pedirte nada!
               Pero esto no puede ser.

¡No debo pedirte nada!
Como dicen por Granada,
¡soy una loca mujer!   615

FERNANDO

(Tierno.)

Marianita.

MARIANA

¡Yo no puedo!

FERNANDO

¿Por qué me llamaste? ¿Di?

MARIANA

(En un arranque.)   620

Porque tengo mucho miedo
de morirme sola aquí.

[614-617] Ms.: Los cuatro versos que siguen, sin estar tachados, se hallan
señalados en el margen izquierdo con dos rayas verticales onduladas:
    El peligro no me espanta
    Lo mas que puede pasar (ironico)
    es que adornen mi garganta
    con un precioso collar (Mariana se lleva las manos al cuello)
No se trasladan a *LF.* ni a ninguna otra edición.
[616] Ms.: *¡Ay quien tuviera*
[619] Ms.: *Eres tan joven Dios mio*
620 Ms.: (En un arranque tragico) [Las tres primeras palabras interca-
ladas en letra diminuta.] // Ag.: (En un arranque trágico.)

FERNANDO

¿De morirte?

MARIANA

Necesito,
para seguir respirando,   625
que tú me ayudes, mocito.

FERNANDO

Mis ojos te están mirando,
y no lo debes dudar.

MARIANA

Pero mi vida está fuera,
por el aire, por la mar,   630
por donde yo no quisiera.

FERNANDO

¡Dichosa la sangre mía,
si puede calmar tu pena!

---

[623] Ms.: (abrazandola)

624-625 L.: Un solo verso.

626 Ms.: Que tu me ayudes mocito (tierna y desesperada)

[627] Ms.: Fer (*pasio* lleno de pasion) // Ag.: FERNANDO. (Lleno de pasión.)

                    y no lo debes dudar [Al lado del verso anterior.]
                    te deben quemar

628 Ms.: Dentro *los debes sentir*

                    Pero mi vida
                    Porque

629 Ms.: (llena de pasion) *Mi corazon* esta fuera

631 Ms.: Al margen derecho se halla una llave de cierre (}) y abajo se lee: «Aqui otros cuatro versos.»

(Se lleva decidida las manos al pecho para sacar la carta. FERNANDO *tiene una actitud expectante y* 635
conmovida.)

¡Confío en tu corazón!

(Saca la carta. Duda.)

¡Qué silencio el de Granada!
Hay puesta en mí una mirada   640
fija, detrás del balcón.

FERNANDO

(Extrañado.)

¿Qué estás hablando?

_____

[634-637] Ms.: Tachado y anulado globalmente se halla lo siguiente:
«No tu sangre aumentaria / el grosor de mi cadena.» Sobrepuesto este
último verso a «Yo confio en tu hidalguia». Continúa el texto: *Sangre
ardiente que se haría / Rojas flores de verbena.*
L.: MARIANA. No; tu sangre aumentaría / el grosor de mi cadena. //
Ag.: MARIANA. / No; tu sangre aumentaría el grosor de mi cadena. [En
«Notas...» se dice que no están en el Ms.]
637-638 Frag. 2: Confio en usted. Lo creo / capaz de sacrificarse. Ms.:
[Tachados se hallan también:] *Mar Yo confio/ Yo confio en tu hidalguia / Yo
confio / Se levanta rapidamente y corre un poco angustiada la escena se lle
¡Confío en tu corazon! / ¡Yo confio en tu lealtad!*
640-641 Aguilar considera erróneo el orden de estos versos en *LF.* y L.
Sin embargo en el Ms. están numerados de ese modo:
Ms.: 2 Fija detrás del balcon
       1 Hay puesta en mí una mirada.
Ag.: Fija, detrás del balcón,
       hay puesta en mí una mirada.
                Que habla usted?
643 Frag. 2: *Que decis?*

_____

640-641 Versiones del romance de Mariana Pineda, como ésta de In-
fantes, que transcribe Sandra Robertson, pueden haber dado origen a las

Me mira...

(Levantándose.)   645

la garganta, que es hermosa,
y toda mi piel se estira.
¿Podrás conmigo, Pedrosa?

(Decidida.)

Toma esta carta, Fernando.   650
Lee despacio y entendiendo.
¡Sálvame! Que estoy dudando
si podré seguir viviendo.

> (Fernando *coge la carta y la desdobla.*
> *En este momento, el reloj da las ocho len-* 655
> *tamente. Las luces topacio y amatista de*
> *las velas hacen temblar líricamente la*
> *habitación.* Mariana *pasea la escena y*
> *mira angustiada al joven.* «Éste lee el co-
> *mienzo de la carta y tiene un exquisito,* 660
> *pero contenido, gesto de desaliento.»)*

---

649 Ms.: (en un arranque) // Ag.: (En un arranque.)
                                             Amigo lea esta carta
650 Frag. 2: Mar (sacando al *[sic]* pecho la carta) *Tomad esta carta y
leedla*
654 Frag. 2: carta y empieza a leerla (pausa) // Ms.: y *la lee* y la desdobla
656-657 Frag. 2: Las luces de los candelabros hacen temblar la *habitación* estancia
659 Ms.: joven. *Fer* éste
          desaliento
661 Ms.: *cansancio* (pausa) en la que se oye el reloj y se siente la angustia de Mariantias *[sic]*

---

imágenes de alucinación del duelo de miradas: «Si el traidor de Pedrosa
me ronda / mis ventanas, puertas y balcón» (art. cit., pág. 93).

FERNANDO

(Leyendo la carta, con sorpresa, y mirando, asom-
brado y triste, a MARIANA.)

«Adorada Marianita».

MARIANA

No interrumpas la lectura.   665
Un corazón necesita
lo que pide en la escritura.

FERNANDO

(Leyendo, desalentado, aunque sin afecta-
ción.)

«Adorada Marianita: Gracias al traje de ca- 670
puchino que tan diestramente hiciste llegar a mi poder, me he fugado de la torre de
Santa Catalina, confundido con otros religiosos que salían de asistir a un reo de
muerte. Esta noche, disfrazado de contra- 675

---

662 Ms.: con sorpresa *con dolor y tristeza*
665-667 Ms.: Marcación vertical ondulada al lado izquierdo de los
versos.
666-667 Ms.:   necesita *lo que pide*
                lo
          en que pide en la escritura
668-669 Ms.: afectación) *nat* (naturalidad ante todo)
          Gracias
670 Ms.: *Por fin Con el* + al traje
670-671 Ms.: capuchino *que me* tan
672 Ms.: de [la] torre
673-674 Ms. y Ag.: otros frailes | otros religiosos

bandista, tengo absoluta necesidad de salir
para Cadiar, donde espero tener noticias
de los amigos. Necesito antes de las nueve
el pasaporte que tienes en tu poder y una
persona de tu absoluta confianza que espere,   680
con un caballo, más arriba de la presa del
Genil, para, río arriba, internarme en la
sierra. Pedrosa estrechará el cerco como él
sabe, y si esta misma noche no parto, estoy
irremisiblemente perdido. Adiós, Mariana.   685
Un abrazo y el alma de tu amante.—Pedro
de Sotomayor».

675-676 L.: noche tengo absoluta | noche, disfrazado de contraban-
dista, tengo

677 Ag.: para Valor y Cadiar | para Cadiar

677-678 Ms.: para Valor y Cadiar donde *me aguardaran los amigos espera*
espero

que *tienes en* tu poder

679-680 Ms.: pasaporte *que tu has preparado* y una [añadida la «a»]
persona
hombre que me de mi + tu

que hace ya dias tendras en la cochera de tu casa

681 Ms.: caballo a *la salida del puente verde* mas

682 Ms.: rio adelante // Ag.: río adelante | río arriba

como   si   parto

683-684 Ms.: estrechara el cerco el sabe y esta misma noche no *salgo*

[685] Ms.: perdido. Me encuentro en casa del viejo Don Luis, sin que
lo sepa nadie de la + tu (?) familia [Intercalado con letra diminuta entre
líneas:] No hagas por verme pues *se que* me consta que estas vigilada.
Adios // Ag.: perdido. Me encuentro en la casa del viejo don Luis, que no
lo sepa nadie de tu familia. No hagas por verme, pues me consta que estás
vigilada. Adiós

[685-686] Ms.: Mariana: TodoseapornuestradivinamadrelaLibertad.
Dios *me gui ampar* me salvara. Un // Ag.: Mariana. Todo sea por nuestra
divina madre, la libertad. Dios me salvará. Adiós, Mariana. Un [Ag. atribuye equivocadamente a *LF* y a. una parte del texto no trasladado del
Ms.: «Todo sea por nuestra divina madre, la Libertad.» («Notas...»,
pág. 1565, 1.ª columna, líns. 8-11) Tampoco se transcribe en esas ediciones lo que sigue: «Dios me salvará. Adiós, Mariana.» (Así, en Ag.)]

FERNANDO

(Enamoradísimo.)

¡Mariana!

MARIANA

(Rápida, llevándose una mano a los ojos.)   690

¡Me lo imagino!
Pero silencio, Fernando.

---

[688] Frag. 2: Fernando presa de vivísima agitacion se levanta de la
silla y estruja la carta nerviosamente [En esta versión no se lee la carta en
voz alta. Su contenido se expone en verso, con vocabulario afín, en el
reproche que Mariana le hace a Fernando. Refiriéndose a su amante explica que:]

> Logra escaparse vestido
> de capuchino, me escribe
>   con quien pueda
> que le mande *una persona*
> *con una* su pasaporte que tengo
>   un caballo
> y *una capa* porque *tiene* debe
> mudar esta noche mismo
> de *casa* domicilio y al alba
> internarse por la sierra
> *partir rapido dirigir*
> Antes que Pedrosa logre
>   le
> estrechar el cerco *¡os* pido

[688-691] Ms.: [Englobado] Fer (levantandose) ¡Pedro de Sotomayor! /
                                                              como
capitan y caballero / Mar No me produce rubor / *El* decirte *que* lo quiero
[Se intercala «te». Los dos últimos versos se retoman luego en 717-718.
Abajo de lo transcripto se lee tachado: *No.]*

690 Ms.: la mano | una mano [Se inserta y agrega en letra pequeña
desde «llevandose».]

692 Frag. 2: Mar *(fuerte)* Esta bien pero ¡silencio!

¡Cómo has cortado el camino
de lo que estaba soñando!

(MARIANA *protesta mímicamente.*)   695

No es tuya la culpa, no;
ahora tengo que ayudar
a un hombre que empiezo a odiar;
¡¡y el que te quiere soy yo!!
El que de niño te amara,   700
lleno de amarga pasión,
mucho antes de que robara
don Pedro tu corazón.
¡Pero quién te deja en esta
triste angustia del momento!   705
Y torcer mi sentimiento,
¡qué gran trabajo me cuesta!

---

[693] Ms.: (dramatico // Ag.: (Dramático.)
      es tuya
    No *tienes* la culpa nó
696 Ms.: *Ahora tengo que ayudar*
       Yo no puedo ir a salvar
       Yo no puedo a un hombre
697-698 Frag. 2: *a ese caballero* que...
699 Ms.: (con arranque) y el que te quiere soy yo // Ag.: y el que te
quiere soy yo.
[704-707] Ms.: Estos versos se encuentran al costado izquierdo de los
cuatro anteriores, 700-703. Pero en el margen derecho y separado por
una línea ondulada, se puede leer la siguiente versión, luego tachada
y cruzada: «*Pero quien te deja en este / desamparado momento? / ¡Que
triste mision me has dado! / ¡con lo que te estoy queriendo!*» Abajo: «*Que triste
mision es esta / La haré con prudencia y tacto!*» Los dos versos últimos se
relacionan con 771-772.
707 Ms.: ¡Ay que trabajo // Ag.: ¡ay qué trabajo | ¡qué gran trabajo

(*Orgullosa.*)

¡Pues iré sola!

(*Humilde.*)   710

          ¡Dios mío,
tiene que ser al instante!

FERNANDO

Yo iré en busca de tu amante,
por la ribera del río.

MARIANA

(*Orgullosa y corrigiendo la ironía y tristeza de* 715
FERNANDO *al decir amante.*)

Decirte cómo le quiero
no me produce rubor.
Me escuece dentro su amor
y relumbra todo entero.   720

---

710 Ms.: (aterrada)

711-712 Ms.: Pues ve volando ¡Dios mío! / Tiene que ser al instante.

713 Frag. 2: Iré Mariana ¡perdon! // Ms.: Ire en busca... de tu amante

714 Ms.: en + por la

713-714 Ms.: Con marcación al lado izquierdo de los versos.

715 Ms. y Ag.: la timidez y tristeza | la ironía y tristeza [Ag. asienta por error que *LF.* y L. transcriben «la ironía de Fernando» (pág. 1565, 1.ª columna, líneas 14-16).]

716: Ms.: tu amante

717-718 Ms.: *No me produce rubor / Decirte como le quiero* [Luego corregido con el orden de *LF.*]

719-720 Frag. 2: ¡Oh que escozor y relumbre
                  me envuelve!

Él ama la Libertad,
y yo la quiero más que él.
Lo que dice es mi verdad
agria, que me sabe a miel.
Y no me importa que el día   725
con la noche se enturbiara,
que con la luz que emanara
su espíritu viviría.
Por este amor verdadero,

Ms.: *Que relumbre y escozor*
      envuelve mí cuerpo entero
En el margen derecho la versión de *LF.* con letra pequeña.
[721-722] Frag. 2: Y no me quema en el dedo
      mi anillo de desposada
      Ms.: *Y en el dedo no me quema*
      mi anillo de desposada [En el Frag 2 se añade en el
      margen derecho con letra diminuta.]
Eutimio Martín considera que estos versos (y los cuatro anteriores
que figuran en el Fragmento 2, pág. 19: «Soy toda suya y lo digo / para que
no piense más / en mí. Quisiera gritarlo / apoyada en la veleta.») dan pie
a considerar que «Lorca pensó, en un momento dado, cambiar el estado
civil de su heroína», es decir, en configurar una «Mariana adúltera», «casada y locamente enamorada de don Pedro de Sotomayor hasta el punto
de abdicar en él su voluntad» (*Federico García Lorca, heterodoxo y mártir.
Análisis y proyección de la obra juvenil inédita*, Madrid, Siglo veintiuno de
España, pág. 331). No creemos, sin embargo, que los versos citados por
Martín autoricen a presuponer una innovación semejante. Mariana
transgrede las normas sociales de su época al mantener, siendo viuda, una
relación extramatrimonial. Y las transgrede fuertemente. Lorca, además,
vuelve a utilizar los versos en cuestión, aunque luego los tacha, en el Ms.,
sin cambiar la viudez de la protagonista.
            ama
721 Ms.: El *quiere* la libertad
            que me
724 Ms.: agria *pero* sabe
[725-726] Ms.: Fer *(fuerte)* [Repetido y tachado tres veces. A continuación:] *Mariana yo merezco / El corazón tengo herido*
          su espíritu *yo*
728 Ms.: *de* su cuerpo viviría
729-732 Agregados en el margen derecho del Ms.

que muerde mi alma sencilla,   730
me estoy poniendo amarilla
como la flor del romero.

FERNANDO

(Fuerte.)

Mariana, dejo que vuelen
tus quejas. Mas, ¿no has oído   735
que el corazón tengo herido
y las heridas me duelen?

---

732 Francisco García Lorca lo califica de «ripio manifiesto, doblado de
inexactitud floral [...] El error fue advertido, si mal no recuerdo en la re-
seña del excelente poeta Enrique de Mesa, que hacía la crítica de teatro
de uno de los diarios de Madrid. No se necesitaba, para sustanciar este error,
la autoridad de un poeta tan aficionado al campo, y especialmente a la
sierra, porque la flor del romero es tradicional en la poesía española [...]
La planta le era familiar al poeta; en más de un sentido: Romero es el
segundo apellido de mi madre. Por otro lado, Federico glosaría la letrilla
citada [de Góngora] en su "Cancioncilla sevillana" de *Canciones,* con
expresa mención en este caso del verdadero color azul de la flor» (*op. cit.,*
págs. 298 y 299). Creemos, no obstante, que lo que ha prevalecido en
Lorca es el recuerdo de una copla popular con la misma afirmación, ya
que lo folklórico suele ser en él determinante, al igual que el valor fónico
de la palabra: «Ponte colorada, ponte, / que amariya no te quiero; / que
amariya te pareses / a la flo' que echa'r romero». Rodríguez Marín, quien
ha recogido esta copla, encuentra una cierta explicación a la cromatiza-
ción del coplero popular: «El romero es para el pueblo símbolo del olvido, ahora bien, con decirle a su amada que estando amarilla se parece a la
flor del romero, ¿no habrá querido significar el amante su sospecha de
que tal amarillez provenga de que ella anda desvelada pensando en otro,
y en su temor de que por ese otro lo olvide?» (*Cantos populares españoles,*
Madrid, Atlas, s/a., págs. 250 y 357-358). Si esta justificación que halla
Rodríguez Marín es la correcta, posiblemente subyazga en el ánimo popular y en Lorca, tan amante de la expresión folklórica.

(Popular.)

Pues si mi pecho tuviera
vidrieritas de cristal,   740
te asomaras y lo vieras
gotas de sangre llorar.

¡Basta! ¡Dame el documento!

(MARIANA va a una cómoda rápidamente.)

¿Y el caballo?   745

(Sacando los papeles.)

En el jardín.
Si vas a marchar, al fin,
no hay que perder un momento.

741-742 Ms.: Marcación al final
743 Ms.: ¡Basta *ya!*
        en el jardin
747 Ms.: *En la cochera* (Marcación final.]
[748] Ms.: *Sal por la puerta trasera* [Otra marcación al terminar el verso.]
748-749 Ms.: *Fer* [Lo que sigue queda dentro del parlamento de Mariana. Numerados los dos versos siguientes:] 3 No hay que perder un momento / 4 si vas a marchar al fin [Se inserta con letra pequeñísima el último verso. *LF.* no respeta este orden.]

739-742 Según Daniel Devoto procede directamente del folklore tradicional: «Si mi corazón tuviera / ventanitas de cristal / te asomarías, y lo

211

(Pálido y nervioso.)   750

Ahora mismo.

(Mariana le da los papeles.)

¿Y aquí va...?

MARIANA

(Desazonada.)

Todo.   755

FERNANDO

(Guardándose el documento en la levita.)

¡Bien!

MARIANA

¡Perdón, amigo!
Que el Señor vaya contigo.

_____

                                               nervioso
750 Ms.: Fer palido y *lleno de desaliento*
                                   2
                ¿Y aquí va...
753 Ms.: *¿Aqui me has dado?* [También numerado.]
756 Ms.: los papeles | el documento
759 Ms.: Con exclamaciones.

_____

vieras / lo dolorido que está» («Notas sobre el elemento tradicional en la obra de García Lorca», en *Federico García Lorca,* ed. de Ildefonso-Manuel Gil, *op. cit.,* pág. 55). En la conferencia sobre el cante jondo de 1922, el poeta da otra versión que estima gitana y andulucísima: «Si mi corazón tuviera / birieritas e cristar / te asomaras y lo vieras / gota de sangre llorar». Tenía esta copla, pues, bien presente.

(Natural, digno y suave, poniéndose lentamente la 760
capa.)

Yo espero que así será.
Está la noche cerrada.
No hay luna, y aunque la hubiera,
los chopos de la ribera   765
dan una sombra apretada.
Adiós. Y seca ese llanto.
Pero quédate sabiendo
que nadie te querrá tanto
como yo te estoy queriendo.   770
Que voy con esta misión,
para no verte sufrir,
torciendo el hondo sentir
de mi propio corazón.

MARIANA

Evita guarda o soldado...   775

---

[760] Ag.: Yo espero que así sea. [Lo repite con la variante «así será» donde corresponde. En el Ms. no se halla esta reiteración.]

760 Ms.: *y* poniendose

760-761 Ms.: Se intercala la acotación en letra pequeña al lado de Fer.
        Yo espero que asi sera

762 Ms.: *y tengas mucho cuidado!* [El verso que en el Ms. correspondía a Mariana se incluye en *LF.* dentro de lo dicho por Fernando y después de la acotación.]

763 Ms.: cerrada *(se pone la*
        Dan

766 Ms.: *Tien* una

[767] Ms.: (le besa la mano). [Esta acotación estaba más acorde con una recreación convencional de la época romántica.]

771-774 Ms.: Se añaden en el margen derecho con letra muy pequeña.

[775] Ms.: inicia el mutis

775 Ms.: Mar (rapida y sonriente) Evita

FERNANDO

(Mirándola con ternura.)

Por aquel sitio no hay gente.
Puedo marchar descuidado.

(Amargamente irónico.)

¿Qué quieres más?   780

MARIANA

(Turbada y balbuciente.)

Sé prudente.

FERNANDO

(En la puerta, poniéndose el sombrero.)

Ya tengo el alma cautiva;
desecha todo temor.   785
Prisionero soy de amor,
y lo seré mientras viva.

MARIANA

Adiós.

---

la mira
776 Ms.: *(miran con ternura)*
779 Ms.: (en respuesta ironica)
781 Ms.: y balbuciendo)
[784-7851 Ms.: [Englobado y tachado en la izquierda del folio:] *Mar
Adios (coje un candelabro) No salgas Mariana*
784-787 Ms.: Agregado en el lado derecho.
[787-788] Ms.: *Mar (coje un candelabro y va acompañando) (salen* Mariana *len* anhelante y Fer frio. (salen) [Al parecer la escena terminaba aquí.]
788-790 Ms.: Añadido en el margen, debajo de los versos anteriores
(784-787), con letra diminuta.

214

(Coge el candelabro.)

FERNANDO

No salgas, Mariana.   790
El tiempo corre, y yo quiero
pasar el puente primero
que don Pedro. Hasta mañana.

(Salen.)

ESCENA IX   795

*(La escena queda solitaria medio segundo. Apenas
ha salido* MARIANA *con* FERNANDO *por una puerta, cuando aparece* DOÑA ANGUSTIAS *por la de
enfrente con un candelabro. El fino y otoñal perfume de los membrillos invade el ambiente.)*   800

ANGUSTIAS

Niña, ¿dónde estás? Niña.

---

vendras

[791-794] Ms.: Fer El tiempo corre y yo quiero / Mar *Tu volveras* +
llegar (?) / *Fer Lo que me diga / Don Pedro por la mañana / lo sabras...
¡Adios amiga, salen* Tachado debajo de los versos 784-785 y englobado
con ellos en el lado izquierdo.

791-794 Ms.: Agregado en el costado derecho en letra pequeña.

792 Ms.: *Llegar a* Pasar el

795 Ms.: Es VIII | ESCENA IX 1 // Ag.: ESCENA VIII

796-797 Frag. 2: La escena queda solitaria. En su ambiente hay un
profundo olor de flores viejas.

799 Ms.: la otra de enfrente | la de enfrente

800 Ms.: invade *la* el

[801] Frog. 2: Doña Angustias (sale) // Ms.: doña Ang (sale)

801 Frag. 2: Niña ¿donde estas? niña

Pero, Señor, ¿qué es esto?
¿Dónde estabas?

MARIANA

(Entrando con un candelabro.)

Salía   805
con Fernando.

ANGUSTIAS

¡Qué juego
inventaron los niños!
Regáñales.

_____

Niña ¿donde estas? ¡niña!
Ms.: *Pero Señor que es esto?*
L. y Ag.: Niña, ¿dónde estás? Niña!
802 Frag. 2: ¿Pero Señor ¿que es esto?
¡Pero Señor! ¡que es esto!
Ms.: *Niña ¿donde estas? ¡niña!*
L.: Pero, señor, ¿qué es esto?
Ag.: Pero señor, ¿qué es esto?
[803] Ms.: *(aparece Mariana con el candelabro)*
803 Frag. 2: ¡Mariana!
¿Donde estabas?
Ms.: *¡Mariana!*
804 Frag. 2: (aparece Mariana con el candelabro) // Ms.: (aparece Mar
con un candelabro
Acompañe   Salia
805 Frag. 2: *Fui a alumbrar* // Ms.: *Acompañe*
806 Frag. 2: a Fernando // Ms.: *A* + Con Fernando
805-806 L.: Un solo verso.
807-808 Ms,: Sin exclamaciones. // L.: Un solo verso.
808 Frag. 2: los hijos! | los niños!
[809] Frag 2: Vengo por ti hija mia

216

(Dejando el candelabro.)   810

¿Qué hicieron?

ANGUSTIAS

Mariana, la bandera
que bordas en secreto...

MARIANA

(Interrumpiendo, dramáticamente.)

¿Qué dices?   815

ANGUSTIAS

              ... han hallado
en el armario viejo
y se han tendido en ella

---

                                          dejando
810 Frag. 2: (soltando el // Ms.: *soltan* el
812-813 Frag. 2: La bandera que bordas
                         con tanto secreto
                         Mariana la bandera
                         que bordas en secreto
                         pues mira (?) *la bande*
                         Mariana la bande
              Ms.: *La bandera que bordas*
816-817 Frag. 2: *alcanzaron del sitio*
                         donde la habias tu pu
                                          encontrado
                         Han *alcanzado* y luego
                         Han hallado
Ms.: *Encontraron*
818 Frag. 2: Se han tendido sobre ella

fingiéndose los muertos.
Tilín, talán; abuela,   820
dile al curita nuestro
que traiga banderolas
y flores de romero;
que traigan encarnadas
clavellinas del huerto.   825
Ya vienen los obispos,
decían *uri memento,*
y cerraban los ojos,
poniéndose muy serios.
Serán cosas de niños;   830
está bien. Mas yo vengo
muy mal impresionada,
y me da mucho miedo
la dichosa bandera.

MARIANA

(Aterrada.)   835

---

819 Frag. 2: Haciendose los muertos | fingiéndose los muertos
¡[822-823] Frag. 2: y al sacristan que doblen
            por dos niños pequeños
824-825 Ms.: Añadidos en el margen derecho. Más abajo, a la altura
de líns. 830-831 se repiten tachados los dos versos con variantes: *«como
dos encarnadas / clavellinas del huerto»*
827 Frag. 2: decian, uri mimento | decían *uri memento,*
828 Frag. 2: cerraremos los ojos | y cerraban los ojos,
[829-830] Frag. 2: y que nos lleven. Vengo / muy mal impresionada
            Ms.: *Seran cosas de niños / Estoy conforme, pero* [Se retoman
            en 830-831.]
                    Mas yo vengo
831 Ms.: esta bien. *Pero ven*
                    Y me da mucho miedo
833 Frag. 2: *Quitales la*
            la dichosa
834 Frag. 2: *verles con* la bandera.

218

¿Pero cómo la vieron?
¡Estaba bien oculta!

ANGUSTIAS

Mariana, ¡triste tiempo
para esta antigua casa,
que derrumbarse veo,   840
sin un hombre, sin nadie,
en medio del silencio!
Y luego, tú...

MARIANA

(Desorientada y con aire trágico.)

¡Por Dios!   845

ANGUSTIAS

Mariana, ¿tú qué has hecho?
Cercar estas paredes
de guardianes secretos.

MARIANA

Tengo el corazón loco
y no sé lo que quiero.   850

_____

836 Frag. 2: Pero donde // Ms.: Pero como | Pero cómo
838 Frag. 2: Sin exclamación.
841 Ms.: hombre. Sin | hombre, sin
847-848 Ms.: paredes *de guardianes* / guardianes [En 848 termina el
último folio conservado de la Estampa Primera.]
849-850 Frag. 2: Mar (abrazandola) Que corazon tan loco / An ¡Que
corazon tan nuevo!

219

¡Olvídalo, Mariana!

MARIANA

(Con pasión.)

¡Olvidarlo no puedo!

(Se oyen risas de niños.)

ANGUSTIAS

(Haciendo señas para que MARIANA *calle.)*　　855

Los niños.

MARIANA

　　　Vamos pronto.
¿Cómo alcanzaron eso?

ANGUSTIAS

Así pasan las cosas.
¡Mariana, piensa en ellos!　　　　　　　　860

(Coge un candelabro.)

856-857 Frag. 2: ¡Vamos! que niños! vamos [Aunque por olvido no cambia el personaje, por el contexto y porque se suceden dos «An» deducimos que pertenece a Mariana. Así, con alguna variante lo transcribe *LF.]*

[859] Frag. 2: Tendre que disgustarme

861 Frag. 2: (se va llevando un candelabro)

Sí, sí; tienes razón.
Tienes razón. ¡No pienso!

(*Salen.*)

TELÓN

---

862 Frag. 2: Mar (cogiendo otro) Si si tiene razon
         Tiene razon
863 Frag. 2: *¡Mala madre!*... no pienso...
[866] Frag. 2: Fin del acto primero.

Estampa segunda

Sala principal en la casa de MARIANA. Entonación en grises, blancos y marfiles, como una antigua litografía. Estrado, blanco. Al fondo, una puerta con una cortina gris, y puertas laterales. Hay una consola con urna y grandes ramos de flores de seda morada y verde. En el centro de la 5
habitación, un fortepiano y candelabros de cristal. Es de noche.

ESCENA PRIMERA

(*En escena* LA CLAVELA *y los* NIÑOS *de* MARIANA. *Visten la deliciosa moda infantil de la época.* 10
LA CLAVELA *está sentada, y a los lados, en taburetes, los* NIÑOS. *La estancia es limpia y modesta,*

2-3 Ms.: grises y *am* marfiles como

3 Ms.: *gran* estrado blanco estilo imperio // Ag.: estrado blanco, a estilo Imperio

puerta con cortina gris y puertas laterales

4 Ms.: *gran cortina gris que se levantara siempre con ceremonia*

5 Ms.: de seda. | seda morada y verde.

forte-piano

6 Ms.: un *piano pianoforte*

7 Ms.: Continúa la acotación que figura en *LF.* después de ESCENA PRIMERA. Esta división aparece más adelante en el Ms., enseguida de «heredados por Mariana». Igualmente en Ag.

9-10 Ms.: Estan en escena la Clavela y los niños de Mariana Pineda // Ag.: Están en escena la CLAVELA y los NIÑOS DE MARIANA.

aunque conservando ciertos muebles de lujo here-
dados por MARIANA.)

CLAVELA

No cuento más.   15

(Se levanta.)

NIÑO

(Tirándole del vestido.)

Cuéntanos otra cosa.

CLAVELA

¡Me romperás el vestido!

NIÑA

(Tirando.)   20

Es muy malo.

CLAVELA

(Echándoselo en cara.)

Tu madre lo compró.

---

15 Ms.: Con exclamaciones.
17 Se corrige el laísmo de *LF:* «Tirándola».
18 Ms.: Con exclamaciones.
21 Ms.: Con exclamaciones.
22 Ms.: (echando en | (Echándoselo en

NIÑO

(Riendo y tirando del vestido para que se siente.)

¡Clavela!   25

CLAVELA

(Sentándose a la fuerza y riendo también.)

¡Niños!

NIÑA

El cuento aquél del príncipe gitano.

CLAVELA

Los gitanos no fueron nunca príncipes.

NIÑA

¿Y por qué?   30

NIÑO

No los quiero a mi lado.
Sus madres son las brujas.

---

24 Ms.: (riendo y tirando del vestido) | (Riendo y tirando del vestido
para que se siente.)
28 Ms.: Con exclamaciones.
        ¿Y porque?
30 Ms.: *Alguna vez serian*
        no los quiero a mi lado
31 Ms.: *Son muy malos*

NIÑA

(Enérgica.)

¡Embustero!

CLAVELA

(Reprendiéndola.)   35

¡Pero niña!

NIÑA

Si ayer vi yo rezando
al Cristo de la Puerta Real dos de ellos.
Tenían unas tijeras así..., y cuatro
borriquitos peludos que miraban...   40
con unos ojos..., y movían los rabos
dale que le das. ¡Quién tuviera alguno!

NIÑO

(Doctoral.)

Seguramente los habrían robado.

CLAVELA

Ni tanto ni tan poco. ¿Qué se sabe?   45

---

35 Ms.: (reprendiendo) | (Reprendiéndola.)
    ¡Pero niña!
36 Ms.: *¿Se dice eso?*
39 Ms.: y *var* cuatro [Aquí termina una marcación ondulada y tachada
que viene de la línea 36.]
    ¡Quien tuviera alguno!
42 Ms.: das *me quedé pen*
45 Ms.: tampoco ¡que se sabe! | tan poco. ¿Qué se sabe?

226

(Los niños se hacen burla sacando la lengua.)

¡Chitón!

NIÑO

¿Y el romancillo del bordado?

NIÑA

¡Ay, duque de Lucena! ¿Cómo dice?

NIÑO

Olivarito, olivo..., está bordando.   50

(Como recordando.)

CLAVELA

Os lo diré; pero cuando se acabe,
enseguida a dormir.

NIÑO

Bueno.

NIÑA

¡Enterados!   55

50-51 Ms.: Intercalado en letra pequeña.
51 Ms.: (como si recordara) | (Como recordando.)

(Se persigna lentamente, y los niños la imitan, mi-
rándola.)

Bendita sea por siempre
la Santísima Trinidad,
y guarde al hombre en la sierra   60
y al marinero en el mar
A la verde, verde orilla
del olivarito está...

NIÑA

(Tapando con una mano la boca a CLAVELA *y*
continuando ella.)   65

Una niña bordando.
¡Madre! ¿Qué bordará?

CLAVELA

(Encantada de que la niña lo sepa.)

Las agujas de plata,
bastidor de cristal,   70

56-57 Ms.: (se persigna y los niños la imitan)
[60-6 1] Ms.: *y guie a los peregrinos*
            por la tierra y por la mar
60-61 Ms.: Agregados en el margen derecho con letra pequeña.
61 Ms.: al marinero en la mar // L: al marino en el mar | al marinero en
el mar. [Ag, equivocadamente afirma en sus «Notas...» que *LF* y L. transcriben: «y el marino en el mar» (pág. 1565, 1.ª columna, líns. 27-29).]
[62-63] Ms.: A la orillita orillita
              de los olivos esta
62-63 Ms.: En el costado derecho se añaden con letra diminuta.
63. Ms.: esta | está...
67 Ms.: ¡que bordará! | ¿Qué bordará?

bordaba una bandera,
cantar que te cantar.
Por el olivo, olivo,
¡madre, quién lo dirá!

NIÑO

(Continuando.)   75

Venía un andaluz.
mocito y galán.

> *(Aparece por la puerta del fondo* MARIANA,
> *vestida de amarillo claro: un amarillo de li-*
> *bro viejo, y oye el romance, glosando con ges-* 80
> *tos lo que en ella evoca la idea de bandera y*
> *muerte.)*

CLAVELA

Niña, la bordadora,
mi vida, ¡no bordad!
que el duque de Lucena   85
duerme y dormirá.
La niña le responde:

---

75 Ms.: Falta
77 Ms. y Ag.: bien plantado y | mocito y
78-82 Ms.: Añadidos en el margen derecho.
81 Ms.: evocan las ideas | evoca la idea
83 Ag.: «Niña, la | Niña, la
84 Ag. y L.: ¡no bordar! | ¡no bordad!
86 Ag.: dormira.» | dormirá.
87-92 L. y Ag. incluyen estos versos en un parlamento de la Niña.
    dices

---

84 Insólito uso del imperativo negado. Puede responder a un afán arcaizante y también a razones de rima.

«No dices la verdad:
el duque de Lucena
me ha mandado bordar
esta roja bandera,
porque a la guerra va».

NIÑO

Por las calles de Córdoba
lo llevan a enterrar
muy vestido de fraile
en caja de coral.

NIÑA

(Como soñando.)

La albahaca y los claveles
sobre la caja van,
y un verderol antiguo
cantando el pío pa.

CLAVELA

¡Ay, duque de Lucena,
ya no te veré más!
La bandera que bordo
de nada servirá.

90

95

100

105

---

88 Ms.: No *decis* la | «No dices la
92 Ms.: guerra va | guerra va.»
[102] Ms.: Cla (con sentimiento)
102 Ms.: Ay duque | ¡Ay, duque
103 Ms.: veré mas | veré más!

En el olivarito me quedaré a mirar
cómo el aire menea
las hojas al pasar.

NIÑO

Adiós, niña bonita,   110
espigada y juncal,
me voy para Sevilla.
donde soy capitán.

CLAVELA

Y a la verde, verde orilla
del olivarito está   115
una niña morena
llorar que te llorar.

(Los niños hacen un gesto de satisfacción. Han se-
guido el romance con alto interés.)

---

109 Ms.: *del* al pasar // Ag.: al pasar.» | al pasar.
110 Ag.: «Adiós, niña | Adiós, niña
113 Ag.: capitán.» | capitán.
                       verde verde orilla
114 Ms.: Y a *la orilli*

106-109 Lorca siempre recrea sobre fuentes folklóricas. En este caso el
mismo poeta en su conferencia «Cómo canta una ciudad de noviembre a
diciembre» cita dos canciones que son antecedentes de estos versos. Así
«un cantarcillo del siglo XV: "A los olivaritos / voy por las tardes / a ver
cómo menea / la hoja el aire, / la hoja el aire, / a ver cómo menea / la hoja
el aire", que equivale a aquella maravillosa de 1560, con melodía de Juan
Vázquez que dice: "De los álamos vengo, madre, / de ver cómo los menea
el aire..."» (Francisco García Lorca, *op. cit.*, págs. 478-479).

DICHOS Y MARIANA

MARIANA

(Avanzando.)

Es hora de acostarse.

CLAVELA

(Levantándose y a los niños.)

¿Habéis oído?   125

NIÑA

(Besando a MARIANA.)

Mamá, acuéstanos tú.

MARIANA

Hija, no puedo;
yo tengo que coserte una capita.

¿Habeis oido?
125 Ms.: *Ya lo ois*

---

121 Respetamos esta insólita especificación de los personajes con que
se marca en *LF* esta única escena, ya que Lorca desea tal vez insistir en
que el cambio escénico se produce no por la presencia de Mariana, que
está desde la escena anterior, sino por su diálogo con los otros personajes.
En la escena precedente hay como dos representaciones simultáneas, una
hablada y otra gestual, la de Mariana que sigue mímicamente el romance.
Pero los niños y Clavela ignoran su presencia. Aquí el cambio escénico
coincide con el descubrimiento de Mariana por parte de los otros.

¿Y para mí?   130

Clavela

(Riendo.)

¡Pues claro está!

Mariana

Un sombrero
con una cinta verde y dos de plata.

(Lo besa.)   135

Clavela

¡A la costa mis niños!

Niño

(Volviendo.)

Yo lo quiero
como los hombres: alto y grande, ¿sabes?

Mariana

¡Lo tendrás, primor mío!   140

---

134 Ms. y Ag.: con una cinta verde y dos naranja. | con una cinta
verde y dos de plata.

NIÑA

                    Y entra luego;
me gustará sentirte, que esta noche
no se ve nada y hace mucho viento.

MARIANA

(Bajo a CLAVELA.*)*

Cuando acabes te bajas a la puerta.   145

CLAVELA

Pronto será, los niños tienen sueño.

MARIANA

¡Que recéis sin reírse!

CLAVELA

                    ¡Sí, señora!

MARIANA

(En la puerta.)

Una salve a la Virgen, y dos credos   150
al Santo Cristo del Mayor Dolor,
para que nos protejan.

---

143 Ms.: y corre mucho | y hace mucho
147 L. y Ag.: sin reiros | sin reírse
[149] Ms.: *(los niños y Cla entran)*
151 Ms.: cris + Cristo del mayor dolor

Rezaremos
la oración de San Juan y la que ruega
por caminantes y por marineros   155

(Entran. Pausa.)

ESCENA III

Mariana

(En la puerta.)

Dormir tranquilamente, niños míos,
mientras que yo, perdida y loca, siento   160
quemarse con su propia lumbre viva
esta rosa de sangre de mi pecho.
Soñar en la verbena y el jardín
de Cartagena, luminoso y fresco,
y en la pájara pinta que se mece   165

---

[157] Ms.: Mar en la puerta)

158 Ms.: Mar *(en la* a la puerta)

[161] Ms.: (lentamente) // Ag.: (Lentamente.)

162 Ms.: La gran rosa | esta rosa

[163-166] Ms.: *Soñar en Pulgarcito y Blancaflor / por el claro paisaje de los sueños / y en la pajara pinta que volaba / en los gajos (?) del verde limonero* [Añadidos al costado izquierdo del folio en letra pequeña. Tachados y englobados. Una marca ondulada comprende los dos primeros versos. Casi sobrepuesto al último se lee debajo: *(pensativa a la puerta)*.]

163 Se corrige errata de *LF*: «en el jardín». Uniformamos con Ms., L. y Ag.

163-166 Ms.: Agregados con letra diminuta en el costado izquierdo, debajo de los anteriores.

---

159 Uso coloquial del infinitivo con valor de imperativo.

en las ramas del agrio limonero.
Que yo también estoy dormida, niños,
y voy volando por mi propio sueño,
como van, sin saber adónde van,
los tenues vilanicos por el viento.   170

ESCENA IV

(*Aparece* Doña Angustias *en la puerta y en un
aparte.*)

ANGUSTIAS

Vieja y honrada casa, ¡qué locura!

(*A* Mariana.)   175

Tienes una visita.

MARIANA

(*Inquieta.*)

¿Quién?

ANGUSTIAS

¡Don Pedro!

---

166 Ms. y Ag.: del verde limonero | del agrio limonero.
        Que yo tambien estoy dormida niños
167 Ms.: *Ya no me importa lo que diga nadie*
                   propio sueño
                   mi *sentimiento*
168 Ms.: Y Voy volando por *tu pensamiento* [Se intercala «Ya».]
171 Ms.: Falta: ESCENA IV
172 Ms.: *Aparece* Doña Ang (en la puerta) (aparte)
176 Ms.: *Marianita* Tienes

¡Serénate, hija mía! ¡No es tu esposo!

MARIANA

(Asintiendo rotundamente.)

Siempre tienes razón.
¡Pero no puedo!

ESCENA V   185

(Mariana *llega corriendo a la puerta en el momento en que* Don Pedro *entra por ella.* Don
Pedro *tiene treinta y seis años. Es un hombre sim-
pático, sereno y fuerte. Viste correctamente, y habla
de una manera dulce.* Mariana *le tiende los bra-* 190
zos y le estrecha las manos. Doña Angustias
adopta una triste y reservada actitud. Pausa.)

PEDRO

(Efusivo.)

Gracias, Mariana, gracias.

---

182 Ms.: Falta «(Asintiendo rotundamente.)»
183-184 L: Un solo verso. Ms.: Tienes razón ¡pero no puedo! // Ag.:
Tienes razón. ¡Pero no puedo!
185 Ms.: Es IV
[186] Ms.: *Al entrar Al salir Mariana por*
186 Ms.: a la puerta *y se tropieza* en el momento
186-187 Ms. y Ag.: momento en que [Se corrige error de *LF.* y L.:
«momento que».]
                le estrecha
190-191 Ms.: y el *le besa* las manos
[194] Ms.: *Pe (besando las manos a Ma) Ante todo las gracias por tu
ayuda. Señora (por Ang)*

(Casi sin hablar.)   195

Cumplí con mi deber.

(Durante esta escena dará MARIANA *muestras de una vehementísima y profunda pasión.)*

PEDRO

(Dirigiéndose a DOÑA ANGUSTIAS.*)*

Muchas gracias, señora.   200

ANGUSTIAS

(Triste.)

¿Y por qué? Buenas noches.

(A MARIANA.*)*

Yo me voy con los niños.

(Aparte.)   205

¡Ay, pobre Marianita!

---

195 Ms.: (casi sin poder hablar) | (Casi sin hablar.)
202 Ms.: porque? *pausa* Buenas
205 Ms.: Falta.

(Sale. Al salir ANGUSTIAS, PEDRO, *efusivo, enlaza*
a MARIANA *por el talle.)*

PEDRO

(Apasionado.)

¡Quién pudiera pagarte lo que has hecho por mí!   210
Toda mi sangre es nueva, porque tú me la has dado,
exponiendo tu débil corazón al peligro.
¡Ay, qué miedo tan grande tuve por él, Mariana!

MARIANA

(Cerca y abandonada.)

¿De qué sirve mi sangre, Pedro, si tú murieras?   215
Un pájaro sin aire ¿puede volar? ¡Entonces!...

(Bajo.)

Yo no podré decirte cómo te quiero nunca;
a tu lado me olvido de todas las palabras.

PEDRO

(Con voz suave.)   220

Exponiendo tu debil corazon al peligro
212 Ms.: *Al exponer tu debil corazon al*
216 Ms.: volar? ¿entonces?... | volar? ¡Entonces!...
          A tu lado me olvido de todas las palabras
          ni explicarme jamas
219 Ms.: *ni yo misma me explico porque te quiero tanto*

239

¡Cuánto peligro corres sin el menor desmayo!
¡Qué sola estás, cercada de maliciosa gente!
¡Quién pudiera librarte de aquellos que te acechan
con mi propio dolor y mi vida, Mariana!

MARIANA

(Echando la cabeza en el hombro y como 225
soñando.)

¡Así! Deja tu aliento sobre mi frente. Limpia
esta angustia que tengo y este sabor amargo;
esta angustia de andar sin saber dónde voy,
y este sabor de amor que me quema la boca.   230

(Pausa. Se separa rápidamente del caballero y le
coge los codos.)

¡Pedro! ¿No te persiguen? ¿Te vieron entrar?

PEDRO

¡Nadie!

------

el menor desmayo
221 Ms.: Cuanto peligro corres sin *la menor protesta* // L.: ¡Cuántos
peligros corres sin el menor desmayo! / ¡Cuánto peligro [Ag. omite en
sus «Notas...» a qué edición corresponde lo que transcribe: «Cuantos
peligros corres sin el menor desmayo / ¡Qué sola estás, cercada de maliciosa gente!» (pág. 1565, 1.ª columna, líns. 41.44).]
cercada de maliciosa
222 Ms.: ¡que sola estas! *¡que lejos de la tranquila* gente!
y mi vida Mariana
con mi propio dolor *y mi*
224 Ms.: *¡Quien pudiera quererte preciosa Marianita*
[225] Ms.: Dia y noche que largos sin ti por esa sierra [Englobado.] //
Ag.: ¡Día y noche, qué largos sin ti por esa sierra!
sin saber donde voy
229 Ms.: andar *con la vida en*
233 Ms.: Pedro | ¡Pedro!

240

(Se sienta.)

Vives en una calle silenciosa, y la noche
se presenta endiablada.

MARIANA

Yo tengo mucho miedo

PEDRO

(Cogiéndole una mano.)

¡Ven aquí!   240

MARIANA

(Se sienta.)

Mucho miedo de que esto se adivine,
de que pueda matarte la canalla realista.

PEDRO

(Con pasión.)

Marianita, ¡no temas! ¡Mujer mía! ¡Vida mía!   245
En el mayor sigilo conspiramos. ¡No temas!
La bandera que bordas temblará por las calles
entre los corazones y los gritos del pueblo.

---

[244] Ms.: Mar Y si tu ... (con pasion) yo me muero lo sabes? yo
me muero // Ag.: Y si tú... (Con pasión.) Yo me muero, lo sabes, yo me
muero.

247 Ms.: *Coreada* (?) La bandera que

248 Ms. y Ag.: Entre el calor del pueblo entero de Granada.

Por ti la Libertad suspirada por todos
pisará tierra dura con anchos pies de plata.   250
Pero si así no fuese; si Pedrosa...

MARIANA

(Aterrada.)

¡No sigas!

PEDRO

... sorprende nuestro grupo y hemos de morir...

MARIANA

¡Calla! 255

PEDRO

Mariana, ¿qué es el hombre sin libertad? ¿Sin esa
luz armoniosa y fija que se siente por dentro?
¿Cómo podría quererte no siendo libre, dime?
¿Cómo darte este firme corazón si no es mío?
No temas; ya he burlado a Pedrosa en el campo,   260

249-250 Ms.: Faltan estos dos versos que figuran también en L. y Ag.
que por error niega su inclusión en *LF.* (pág. 1565).

251 Ms.: no fuese, si | no fuese; si

254 Ms.: sorprende nuestro // L: ... sorprende // Ag.:... sorprende |
sorprende [Consideramos un error tipográfico la mayúscula inicial de
LF, ya que completa el verbo la proposición iniciada en 251 e interrum-
pida por Mariana. Restauramos, en consecuencia, la minúscula.]

256 Ms.: Libertad? sin esa | libertad? Sin esa

259 Ms.: *No tem* como darte

en el campo

260 Ms.: ¡No temas! ya he burlado / a Pedrosa *contigo* [Son dos versos
en el Ms.]

y así pienso seguir hasta vencer contigo,
que me ofreces tu amor y tu casa y tus dedos.

(Se los besa.)

MARIANA

¡Y algo que yo no sé decir, pero que existe!
¡Qué bien estoy contigo! Pero aunque alegre, noto   265
un gran desasosiego que me turba y enoja;
me parece que hay hombres detrás de las cortinas,
que mis palabras suenan claramente en la calle.

PEDRO

(Amargo.)

¡Eso sí! ¡Qué mortal inquietud, qué amargura!   270
¡Qué constante pregunta al minuto lejano!

---

        y así pienso seguir hasta vencer contigo
261 Ms.: *Lo seguiré burlando con tu ayuda preciosa*
                              tu amor y tu casa y tus dedos
262 Ms.: Que me ofreces *tu casa con tu*
[263] Ms.: Mar (interrumpiendo pasional)

                                        y vibra
                        decir   *y anda*
264 Ms.: Y algo que yo no se pero que existe *¡y canta!*
Al no conformarle a Lorca el final del verso, inserta «decir» y queda un
alejandrino cuyo primer hemistiquio termina en aguda.
[265-270] Ms.: Pe Pedr
¡Cerca de ti me siento fuerte, tu me das vida! / Cuando me acerco a ti /
Para mirar tus + tu *ojos* casa / Digo porque te + lo quiero si apenas lo
conozco? / Un hombre ¿que es un hombre para torcer mi vida? / Pero
cuando traspones la esquina de mi calle [Desde «¡Cerca» los versos están
englobados, además de tachado el primero.]
                que
268 Ms.: *y* mis palabras
270 Ms.: ¡Eso sí! que mortal inquietud ¡que amargura!
                lejano
271 Ms.: minuto *que viene*

¡Qué otoño interminable sufrí por esa sierra!
¡Tú no lo sabes!

MARIANA

Dime: ¿corriste gran peligro?

PEDRO

Estuve casi en manos de la justicia; pero   275
me salvó el pasaporte y el caballo que enviaste
con un extraño joven, que no me dijo nada.

MARIANA

(Inquieta y sin querer recordar.)

Y dime.

(Pausa.)   280

PEDRO

¿Por qué tiemblas?

MARIANA

(Nerviosa.)

                    Sigue. ¿Después?

────────────
otoño interminable
272 Ms.: ¡Que *noches y que dias pas* sufri por
        ¡Tú no lo sabes!
273 Ms.: ¡*Que sobresalto!*
274 Ms.: peligro? (Mar hace un gesto de horror) [Añadido con letra
pequeña en el margen derecho. Ag. incorpora esta acotación en el verso
siguiente, después de la palabra «justicia».]
275 Ag.: en manos de la justicia, (Mariana hace un gesto de horror.) pero

Después   285

vagué por la Alpujarra.
Supe que en Gibraltar
había fiebre amarilla;
la entrada era imposible,
y esperé bien oculto
la ocasión. ¡Ya ha llegado!   290
Venceré con tu ayuda, ¡Mariana de mi vida!
¡Libertad, aunque con sangre llame a todas las puertas!

MARIANA

(Radiante.)

¡Mi victoria consiste en tenerte a mi vera!
En mirarte los ojos mientras tú no me miras.   295
Cuando estás a mi lado olvido lo que siento
y quiero a todo el mundo,
hasta al rey y a Pedrosa.
Al bueno como al malo. ¡Pedro!, cuando se quiere,

285-286 Ag.: Un solo verso.
287-288 Ag.: Un solo verso.
288-289 Ms.: Un solo verso.
289-290 Ag.: Un solo verso.
       la ocasión. ¡Ya ha llegado!
       Y esperé bi
       ¡Ya ha llegado!
290 Ms.: *Y esperé bien oculto la ocasion*
           que estes
         en *tenerte*
294 Ms.: consiste *retenerte* a mi vera
           no
295 Ms.: mientras *que* tu me miras
       Cuanto estás a mi lado olvido lo que siento
296 Ms.: *Cuando te siento al lado olvido lo que soy* (?)

se está fuera del tiempo,   300
y ya no hay día ni noche, ¡sino tú y yo!

PEDRO

(Abrazándola.)

                                                    ¡Mariana!
Como dos blancos ríos de rubor y silencio,
así enlazan tus brazos mi cuerpo combatido.   305

MARIANA

(Cogiéndole la cabeza.)

Ahora puedo perderte, puedo perder tu vida.
Como la enamorada de un marinero loco
que navegara siempre sobre una barca vieja,
acecho un mar oscuro, sin fondo ni oleaje,   310
en espera de gentes que te traigan ahogado.

PEDRO

No es hora de pensar en quimeras, que es hora
de abrir el pecho a bellas realidades cercanas
de una España cubierta de espigas y rebaños,

---

301 Ms.: sino tu y yo | ¡sino tú y yo!
303 Ms.: ¡Mariana! [Marcación ondulada al lado derecho.]
304-305 Ms.: Faltan.
307 Ms.: Son dos versos: Ahora puedo perderte / puedo perder tu vida
308-311 Ms.: Marcación ondulada al costado derecho que los abarca.
309 Ms. y Ag.: navegara eterno | navegara siempre
            En espera de gentes
311 Ms.: *Esperando los hombres*
                rebaños
314 Ms.: espigas y *regatos*

246

donde la gente coma su pan con alegría,   315
en medio de estas anchas eternidades nuestras
y esta aguda pasión de horizonte y silencio,
España entierra y pisa su corazón antiguo,
su herido corazón de península andante,
y hay que salvarla pronto con manos y con dientes.   320

MARIANA

(Pasional.)

Y yo soy la primera que lo pide con ansia.
Quiero tener abiertos mis balcones al sol,
para que llene el suelo de flores amarillas
y quererte, segura de tu amor, sin que nadie   325
me aceche, como en este decisivo momento.

(En un arranque.)

¡Pero ya estoy dispuesta!

(Se levanta.)

---

[316] Ms.: *Desde este corazón eterno de la tierra*
316-317 Ms.: Marcación ondulada al margen izquierdo.
318 Ms. Desde [Sobrepuesto a algo ilegible lo que sigue:]
                                                             antiguo
            España entierra y pisa su corazón de tierra
[319] Ms.: *Una España que cuesta dolor resucitarla*
                                                    Me entiendes
[320] Ms.: *Coronada de espinas como vive Mariana*
319 Ms.: un corazón herido | su herido corazón
              pide
322 Ms.: lo *quiere* con
326 Ms.: *me mire* me aceche

(Entusiasmado, se levanta.)　　　　　330

　　　　　　　　　¡Así me gusta verte,
hermosa Marianita! Ya no tardarán mucho
los amigos, y alienta
ese rostro bravío y esos ojos ardientes,

(Amoroso.)　　　　　335

sobre tu cuello blanco, que tiene luz de luna.

(Fuera comienza a llover y se levanta el viento.
Mariana *hace señas a* Pedro *de que calle.)*

ESCENA VI

Clavela

(Entrando.)　　　　　340

Señora... Me parece que han llamado.

---

331 Ms.: ¡Así me gusta verte!

332 Ms.: ¡Hermosa Marianita! ya no
　　　　　blanco cuello

336 Ms.: *cuello blanco* [En *LF* se restituye lo primero.]

[337] Ms.: Mar Es tu luz que me llega [Englobado y con tres marcaciones a la derecha.]

　　　　　　　　Lo que importa es
[338-340] Ms.: Mar (segura) *Lo importante es* que nunca te separes de mi / Cuando te vas *muy lejos* anhelo tu presencia / Porque cuando necesito mirarte [Englobado.]

339 Ms.: Es V | Escena VI

(PEDRO y MARIANA adoptan actitudes indiferen-
tes. Dirigiéndose a DON PEDRO.)

¡Don Pedro!

PEDRO

¡Dios te guarde!   345

MARIANA

¿Tú sabes quién vendrá?

CLAVELA

Sí, señora; lo sé.

MARIANA

¿La seña?

CLAVELA

No la olvido.

MARIANA

Antes de abrir, que mires por la mirilla grande.   350

CLAVELA

Así lo haré, señora.

---

[345] Ms.: Pe (sereno) // Ag.: PEDRO (Sereno.)

MARIANA

No enciendas luz ninguna;
pero ten en el patio
un velón prevenido
y cierra la ventana del jardín.   355

CLAVELA

(Marchándose.)

Enseguida.

MARIANA

¿Cuántos vendrán?

PEDRO

Muy pocos.
Pero los que interesan.   360

MARIANA

¿Noticias?

PEDRO

Las habrá
dentro de unos instantes.

---

353 Ms.: Pero ten | pero ten
357 Ms.: Con exclamaciones y una acotación: (se va)
359-360 Ms.: Con exclamaciones.
361 Ms.: *¿Hay* noticias? | ¿Noticias?
        Las habrá
362 Ms.: *Tendremos*
        Dentro de unos instantes
363 Ms.: *Esta noche sin falta*

Si, al fin, hemos de alzarnos
decidiremos.   365

MARIANA

¡Calla!

(Hace ademán a DON PEDRO *de que se calle, y quedan escuchando. Fuera, se oye la lluvia y el viento.)*

¡Ya están aquí!   370

PEDRO

(Mirando el reloj.)

Puntuales,
como buenos patriotas.
¡Son gente decidida!

MARIANA

¡Dios nos ayude a todos!   375

PEDRO

¡Ayudará!

MARIANA

¡Debiera, si mirase a este mundo!

_____

365 Ms.: *aquí* decidiremos
366 Ms.: Sin exclamaciones.
372-373 Ms.: Un verso solo.
376 Ms.: Sin exclamaciones.

(Cruza hasta la puerta y levanta la gran cortina del fondo.)

¡Adelante, señores!   380

ESCENA VII

(Entran tres caballeros con amplias capas grises; uno de ellos lleva patillas. MARIANA y DON PE-DRO los reciben amablemente. Los caballeros dan la mano a MARIANA y a DON PEDRO.)   385

MARIANA

(Dando la mano al CONSPIRADOR 1.°)

¡Ay, qué manos tan frías!

CONSPIRADOR 1.°

(Franco.)

                                  ¡Hace un frío,
que corta! Y me he olvidado de los guantes;   390
pero aquí se está bien.

---

378 Ms.: Mariana corriendo avanza hasta // Ag.: (MARIANA corriendo, avanza
381 Ms.: Es VI | ESCENA VII
          Franco
388 Ms.: *(alegre)*
                un
389 Ms.: ¡Hace frío
390 Ms.: que corta y me he
391 Ms.: ¡Pero aquí se esta bien!

¡Llueve de veras!

Conspirador 3.º

(Decidido.)

El Zacatín estaba intransitable.

(Se quitan las capas, que sacuden de lluvia.)   395

Conspirador 2.º

(Melancólico.)

La lluvia, como un sauce de cristal,
sobre las casas de Granada cae.

Conspirador 3.º

Y el Darro viene lleno de agua turbia.

Mariana

¿Les vieron?   400

---

392 Ms.: *con fur* (?)
396 Ms.: Falta: (Melancólico.)
397-398 Ms.: Insertados con letra diminuta. Ag. sostiene erróneamente que no figuran en el Ms. («Notas...», pág. 1565, 2.ª columna,
líns. 18-21).
        viene   turbia
399 Ms.: Ya el Darro *viene* lleno de agua *roja*

CONSPIRADOR 2.º

¡No! Vinimos separados
hasta la entrada de esta oscura calle.

CONSPIRADOR 1.º

¿Habrá noticias para decidir?

PEDRO

Llegarán esta noche, Dios mediante.

MARIANA

Hablen bajo.   405

CONSPIRADOR 1.º

(Sonriendo.)

¿Por qué, doña Mariana?
Toda la gente duerme en este instante.

PEDRO

Creo que estamos seguros.

---

401 Ms.: Cons 2.º (melancolico habla poco y pausadamente) ¡No! //
Ag.: CONSPIRADOR 2.º (Melancólico. Habla poco y pausadamente.)
            ¿Habrá noticias para decidir?
403 Ms.: Cons 1.º *La noche no se presta a pasear...*
404-407 Ms.: Insertados con letra muy pequeña.
            la gente
408 Ms.: Pe Toda *Granada* [*LF.* cambia Pedro por Conspirador 1.º]

254

No lo afirmes;   410
Pedrosa no ha cesado de espiarme,
y, aunque yo lo despisto sagazmente,
continúa en acecho y algo sabe.

(Unos se sientan y otros quedan de pie, compo-
niendo una bella estampa.)   415

MARIANA

Ayer estuvo aquí.

(Los caballeros hacen un gesto de extrañeza.)

Como es mi amigo...
no quise, porque no debía, negarme.
Hizo un elogio de nuestra ciudad;   420
pero mientras hablaba tan amable,
me miraba... no sé... ¡como sabiendo!,

(Subrayado.)

de una manera penetrante.
En una sorda lucha con mis ojos,   425
estuvo aquí toda la tarde,
y Pedrosa es capaz... ¡de lo que sea!

414-415 Ms.: Esta acotación se encuentra ubicada antes de «Pedrosa
no ha cesado de espiarme», lín. 411, en *LF.*
416 Ms.: Con exclamaciones.
418 Ms.: ¡como es mi amigo!
419 Ms.: no quise (porque no debia) negarme
425 Ms.: *en* + E una sorda
426-427 Ms.: Marcación ondulada en el margen izquierdo.

No es posible que pueda figurarse...

MARIANA

Yo no estoy muy tranquila, y os lo digo
para que andemos con cautela grande.   430
De noche, cuando cierro las ventanas,
me parece que empuja los cristales

PEDRO

(Mirando el reloj.)

Ya son las once y diez. El emisario
debe estar ya muy cerca de esta calle.   435

CONSPIRADOR 3.°

(Mirando al reloj.)

Poco debe tardar.

CONSPIRADOR 1.°

¡Dios lo permita!
¡Que me parece un siglo cada instante!

---

[431] Ms.: (tierna)
        imagino

432 Ms.: *me parece* que empuja en los cristales // Ag.: imagino que
empuja los cristales. | me parece que empuja los cristales.

433 Ms.: (mira el reloj) | (Mirando el reloj.)
        ya muy cerca

435 Ms.: estar *al comienzo*
        Poco debe tardar

437 Ms.: *Muy pronto llegara*

438 Ms.: *Pe* Cons 1.° Dios lo permita

(Entra CLAVELA *con una bandeja de altas* 440
*copas de cristal tallado y un frasco lleno
de vino rojo, que deja sobre un velador.*
MARIANA *habla con ella.)*

PEDRO

Estarán sobre aviso los amigos.

CONSPIRADOR 1.º

Enterados están. No falta nadie.   445
Todo depende de lo que nos digan
esta noche.

PEDRO

            La situación es grave;
pero excelente, si la aprovechamos.

(Sale CLAVELA, *y* MARIANA *corre la cortina.)*   450

Hay que estudiar hasta el menor detalle,
porque el pueblo responde, sin dudar.

---

440 Ms.: Entra la Clavela | Entra CLAVELA
442 Ag.: el velador | un velador
443-444 Ms.: habla con ella *en voz* / con ella.
            *¡pero no debe en vano correr sangre!
            por el pueblo que siempre da su sangre
            Temo que el pueblo dé en vano su sangre*
[444-446] Ms.: *Temo*
Englobado con esto y tachado se repite la última acotación con variantes:
Entra Isabel la Clavela con una bandeja de altas copas talladas y *vino rojo* un
frasco de vino rojo que deja sobre la mesa. Mariana habla con ella [Anulado
desde [444], se separa de lo que continúa con una raya horizontal.
446 Ms.: lo [que] nos digan
            emocionado
452 Ms.: sin dudar

Andalucía tiene todo el aire
lleno de Libertad. Esta palabra
perfuma el corazón de sus ciudades,   455
desde las viejas torres amarillas
hasta los troncos de los olivares.
Esa costa de Málaga está llena
de gente decidida a levantarse:
pescadores del Palo, marineros   460
y caballeros principales.
Nos siguen pueblos como Nerja, Vélez,
que aguardan las noticias, anhelantes.
Hombres de acantilado y mar abierto,
y, por lo tanto, libres como nadie.   465
Algeciras acecha la ocasión,
y en Granada, señores de linaje

[455-456] Ms.: *como perfuma el corazón del campo*
          El blanco aliento de los naranjales
Marcación ondulada que los comprende al lado derecho.
456-457 Ms.: Se intercalan con letra pequeñísima como un solo verso,
separados al parecer por un punto y coma.
          Pescadores del Palo, marineros
460 Ms.: *marinos, un sin fin de pescadores*
[462-464] Ms.: *un paso nada mas y todo brota* (?)

          gentes del mar tostadas y bravias
          gente abierta y bravia como ninguna

          que esperan la persona que les mande
          que solo aguarda ya nuestras señales.
462-463 Ms.: En letra diminuta al costado izquierdo del folio.
[464-465] Ms.: También en el lado izquierdo y con letra pequeña.
Entre los dos versos se hallan dos variantes de 467-468: *Y en España +
Granada señores de linaje / como vosotros, exponen la vida.* Sobrepuesto a
[464] puede leerse: *Vélez y en Granada.* Abajo de [465] entre paréntesis
puede leerse con dificultad por el tamaño de la letra: *Que el pastor de
corderos es mi amigo / Pero el que queden peces indomables* (?)
466 Ms.: al costado izquierdo, con marcación ondulada que abarca el
verso siguiente, en letra muy pequeña.

como vosotros exponen su vida
de una manera emocionante.
¡Ay, qué impaciencia tengo!   470

CONSPIRADOR 3.º

Como todos
los verdaderamente liberales.

MARIANA

(Tímida.)

Pero ¿habrá quien os siga?

PEDRO

(Convencido.)   475

Todo el mundo.

MARIANA

¿A pesar de este miedo?

---

470 L.: ¡¡Ay, qué impaciencia tengo!!
[473-474] Ms.: *Mar* Pe *Aguardo las noticias de esta noche*
                        y parece un siglo cada instante
[475-478] Ms.: Cons 2.º Ya nos llega la sombra hasta la frente
                        y hay que lanzarse pase lo que pase
                        a quitar el terror que nos rodea
                        con gente de Granada o de otra parte.
Marcación ondulada al margen derecho que comprende los cuatro
versos que no se trasladan a *LF* ni a las ediciones que le suceden.
474 Ms.: ¿Pero habra | Pero ¿habrá
                        ¿A pesar de este miedo?
477 Ms.: Mar *Hay tanto miedo ¡tanto! Ya no hay*

(Seco.)

Sí.

MARIANA

          No hay nadie   480
que vaya a la Alameda del Salón
tranquilamente a pasearse,
y el café de la Estrella está desierto.

PEDRO

(Entusiasta.)

¡Mariana, la bandera que bordaste   485
será acatada por el rey Fernando,
mal que le pese a Calomarde!

CONSPIRADOR 3.º

Cuando ya no le quede otro recurso,
se rendirá a las huestes liberales,
que aunque se finja desvalido y solo,   490

---

la alameda
481 Ms.: que vaya a *los paseos* del Salon
485 Ms.: Sin exclamaciones.
486 Ms.: Con exclamaciones.

487 Francisco Tadeo Calomarde (1773-1842): Fue ministro de Justicia desde 1824 hasta 1834. Ha dejado siniestra fama por la represión que desató contra los liberales y los límites extremos de crueldad y terror a que llevó ésta.

no cabe duda que él hace y deshace.
¿No tarda mucho?

PEDRO

(Inquieto.)

Yo no sé decirte.

CONSPIRADOR 3.º

¿Si lo habrán detenido?   495

CONSPIRADOR 1.º

No es probable.
Oscuridad y lluvia le protegen,
y él está siempre vigilante.

---

                    duda alguna
491 Ms.: No *cabe duda* | no cabe duda
[492] Ms. y Ag.: ¿No es Fernando un juguete de los suyos?
                                                     manolos
[493-501] Ms.: Cons 3.º (ilegible) Amigo de *majos* y truanes *[sic]*
                              los manolos (?) dirigen nuestra España
                              la navaja de muelles en el talle.
              (Mariana sale por la puerta del foro.)
                              baja
Cons 2.º Dicen que *sale* por Madrid de noche
              y que ronda los barrios populares
              embozado en la capa de los majos

                  se curará de sus errores
Cons 1.º El rey *acatará nuestra bandera*
Cons 2.º Pero su plebeyismo es incurable.
Todo el texto transcripto desde [493] no está anulado, pero no pasa a
LF ni a ninguna edición. Hay un señalamiento ondulado al lado dere-
cho, desde «majos» [499] hasta «incurable» [501].

492 Ms.: *Cons* 1.º | CONSPIR. 3.º
[495] Ms.: pero no debe retrasarse
[496] Ms.: Pues sabe la impaciencia que tenemos

Ahora llega.

PEDRO

Y al fin, sabremos algo.   500

(Se levantan y se dirigen a la puerta.)

CONSPIRADOR 3.°

Bien venido, si buenas cartas trae.

MARIANA

(Apasionada, a PEDRO.*)*

Pedro, mira por mí. Sé muy prudente,
que me falta muy poco para ahogarme.   505

Señalados al costado derecho con raya horizontal y al lado el autor ha escrito; «Quiza no». No han pasado a *LF.* ni a las otras ediciones posteriores.

[499-507] Ms.: Cons 2.° ¿Y el conde de Montijo?
Pe   No podemos
          contar con el. Sigue enfermo y cobarde
          (entra Mariana)
          Cons 3.° ¡Mas limpio saldra todo!
Pe   Asi lo creo
[Marcación derecha desde [499].]
          El conde siempre ha sido un intrigante
          con dos caras. Un hombre peligroso
          A quien jamas podria confiarme

Las líneas desde [499] no se trasladan a *LF.* ni a ninguna otra edición. Una raya vertical señala en el margen derecho los dos últimos versos. Al lado se lee: «no».

499 Ms.: ¡Ahora llega!

500 Ms.: ¡Y al fin sabremos algo! // Ag. y L.: Y al fin sabremos algo | Y al fin, sabremos algo.

502 Ms.: Con exclamaciones.

504-505 Ms.: ¡Pedro! ¡mira por mi! ¡Se muy prudente!
          ¡que me falta muy poco para ahogarme!

(Aparece por la puerta el CONSPIRADOR 4.º. *Es un hombre fuerte: campesino rico. Viste sombrero puntiagudo, de alas de terciopelo, adornado con borlas de seda; chaqueta con bordados y aplicacio-* 510 *nes de paño de todos los colores en los codos en la bocamanga y en el cuello. El pantalón, de vueltas, sujeto por botones de filigrana, y las polainas, de cuero, abiertas por un costado, dejando ver la pier-na. Trae una dulce tristeza varonil. Todos los per-* 515 *sonajes están de pie cerca de la puerta de entrada.* MARIANA *no oculta su angustia, y mira, ya al re-cién llegado, ya a* DON PEDRO, *con un aire do-liente y escrutador.)*

[506-507] Ms.: ¡Y yo quiero vivir! ¡Piensa en que pronto
seran los hombres libres como el aire!

[Señal a la derecha que abarca desde 504 con «no» al costado. Los dos últimos versos se omiten en *LF* y en las otras ediciones.]

506 Ms.: Es VII | ESCENA VIII

507-508 Ms.: CONSPIRADOR 4.º. Viste *como los demás elegantísima-mente la moda de la epoca. Viene triste.* Trae el traje popular de la época. Es un hombre fuerte Campesino rico

                                     terciopelo

507-510 Frag. 3: Cons 4.º Sombrero puntiagudo de alas de *seda* ador-nado

                                seda

            con borlas de *terciopelo* [El Frag. 3, en tinta verde.]

508 Ag.: fuerte; campesino | fuerte: campesino

508 Ag.: rico. Viste el traje popular de la época: sombrero

510 Frag. 3: seda *y la* chaqueta // Ag.: seda: chaqueta | seda; chaqueta

511 Ag. y L.: paño de todos los colores [Se añade «los» omitido en el Frag. 3 y *LF*.]

511-512 Frag. 3: *y* en la bocamanga

513 Frag. 3: filigrana, las polainas | filigrana y las polaimas

514-515 Ms.: rico Trae | pierna. Trae

515 Ms.: varonil y habla nerviosamente. Todos | varonil. Todos. [Ag. omite del texto del Ms. por error: «y habla nerviosamente» al transcribir-lo en «Notas...» (pág. 1565, 2.ª columna, líns. 33-34).]

CONSPIRADOR 4.º

¡Caballeros! ¡Doña Mariana!   520

> (*Estrecha la mano de* MARIANA.)

PEDRO

> (*Impaciente.*)

¿Hay noticias?

CONSPIRADOR 4.º

¡Tan malas como el tiempo!

PEDRO

¿Qué ha pasado?   525

CONSPIRADOR 1.º

> (*Irritado.*)

Casi lo adivinaba.

MARIANA

> (*A* PEDRO.)

¿Te entristeces?

520-521 Ms.: Doña Mariana (estrecha la mano) [«Doña» se ha añadido después al texto en letra pequeñísima.]

521 L.: Falta.

523-524 L.: Faltan. Quizá pueda deberse a un salto en la copia del ms. o libreto.

526 Ag. transcribe erróneamente esta acotación como «(Casi irritado)» en sus «Notas...» (pág. 1565, 2.ª columna, línea 42).

527 Ms.: Con exclamaciones.

PEDRO

¿Y las gentes de Cádiz?   530

CONSPIRADOR 4.º

Todo en vano.
Hay que estar prevenidos. El Gobierno
por todas partes nos está acechando.
Tendremos que aplazar el alzamiento,
o luchar o morir, de lo contrario.   535

PEDRO

(Desesperado.)

Yo no sé qué pensar; que tengo abierta
una herida que sangra en mi costado,
y no puedo esperar, señores míos.

CONSPIRADOR 3.º

(Fuerte.)   540

Don Pedro, triunfaremos esperando.

CONSPIRADOR 4.º

Nadie quiere una muerte sin provecho.

------

prevenidos El gobierno
532 Ms.: *sobreaviso, nos persiguen*
[535-536] Ms.: *En la isla de Leon encarcelaron*
                    Diez patriotas
              mi
538 Ms.: en *el* costado
541 Ms.: Con exclamaciones.
542 Ag. atribuye en sus «Notas...» la acotación (Fuerte.) después de
CONSPIRADOR 4.º a *LF.* y L. que no la traen (pág. 1565-1566, columna
2.ª y 1.ª líns. última y primera, respectivamente).
[542] Ms.: ¡La situacion no puede durar mucho! // Ag.: La situación
no puede durar mucho.

PEDRO

(Fuerte también.)

Mucho valor me cuesta.

MARIANA

(Asustada.)   545

¡Hablen más bajo!

(Se pasea.)

CONSPIRADOR 4.º

España entera calla, ¡pero vive!
Guarden bien la bandera.

MARIANA

                              La he mandado   550
a casa de una vieja amiga mía,
allá en el Albaicín, y estoy temblando.
Quizá estuviera aquí mejor guardada.

PEDRO

¿Y en Málaga?

---

[543] Ms.: Cons 4.º fuerte Ahora mismo tenemos que callarnos //
Ag.: CONSPIRADOR 4.º (Fuerte.) Ahora mismo tenemos que callarnos.
545 Ms.: (angustiada) | (Asustada.)
                     El rey lo sabe y lo sabe muy bien
[549] Ms.: *Cons 1.º ¡Si lo supiera el rey Fernando!*
552 Ms., L. y Ag.: en el Albaicín [Se uniforma en *LF*]

En Málaga, un espanto.   555
Una infamia de González Moreno...
No se puede contar lo que ha pasado.

(Expectación vivísima, MARIANA, *sentada en el
sofá, junto a* DON PEDRO, *después de todo el juego
escénico que ha realizado, oye anhelante lo que* 560
cuenta el CONSPIRADOR 4.°.)

Torrijos, el general
noble, de la frente limpia,

---

556 Ms. y Ag.: El canalla de González Moreno... // L. Una infamia de
González Moreno. | Una infamia de González Moreno...
      No se puede contar lo [que] ha pasado.
557 Ms.: *Yo no quisiera contarlo...*
561 Ms.: conspirador 4.° Pausa
[562-566] Ms.: Cons 4.° *Fusilaron* en la playa / hace cuatro o cinco
dias *(con la mayor villania)* / Al gran general Torrijos / Y toda su compañía (expectacion)
                    Romance de Torrijos
Todo se engloba y tacha, salvo la acotación y Romance de Torrijos que
no pasan tampoco a *LF* ni a otra edición.

            noble de la frente limpia
                  brav
563 Ms.: mas *noble* de Andalucia

---

556 Vicente González Moreno (1778-1839): Militar partidario del
absolutismo de Fernando VII, traicionó a Torrijos, siendo gobernador de
Málaga, haciéndole creer a su antiguo amigo que podía contar con su
complicidad y ayuda, y lo instó a desembarcar cerca de la ciudad con
cincuenta y dos compañeros el 4 de diciembre de 1831. Estos hombres,
jefes y oficiales, fueron fusilados junto al general Torrijos el 11 de diciembre. Se cree que González Moreno se prestó a un plan urdido por Calomarde. La posteridad y la opinión pública de su tiempo lo llamó el «verdugo de Málaga».
562 José María Torrijos (1791-1831): General liberal que debió emigrar a Francia por la persecución de Femando VII. Se trasladó a Gibraltar

donde se estaban mirando
las gentes de Andalucía,   565
caballero entre los duques,
corazón de plata fina,
ha sido muerto en las playas
de Málaga la bravía.
Le atrajeron con engaños   570
que él creyó, por su desdicha,
y se acercó, satisfecho
con sus buques, a la orilla.
¡Malhaya el corazón noble
que de los malos se fía!,   575
que al poner el pie en la arena
lo prendieron los realistas.
El vizconde de La Barthe,
que mandaba las milicias,

---

565 Por motivos sintácticos, reemplazamos el punto por coma y uniformamos con Ag.
566-567 Ms.: Se añaden en el margen derecho.
                    el
571 Ms.: Y + Que creyo
[572-573] Ms.: *Sin imaginar siquiera*
                    Que le costara
572-575 Ms.: Se han añadido en el margen derecho. Los dos últimos versos llevan marcación al costado.
578-581 Ms.: Añadidos en el margen derecho.

---

para dirigir un levantamiento en España. En uno de sus intentos llegó a desembarcar en Algeciras, pero encontró resistencia y hubo de regresar con sus doscientos hombres en enero de 1831. Fue luego engañado y se le preparó una emboscada que le costó la vida, y también a su oficialidad (véase nota anterior, 556). Ha quedado su figura como arquetipo del militar romántico y sin tacha.

566-567 Recuerdan estos versos la canción popular de *El caballero de Olmedo,* no sólo por el inicio, «Que de noche lo mataron», sino también por el panegírico que se halla de inmediato. Canción muy admirada por Lorca, que también ha incidido en uno de sus romances, «Burla de don Pedro a caballo».

debió cortarse la mano,   580
antes de tal villanía,
como es quitar a Torrijos
bella espada que ceñía,
con el puño de cristal,
adornado con dos cintas.   585
Muy de noche lo mataron
con toda su compañía.
Caballero entre los duques,
corazón de plata fina.
Grandes nubes se levantan   590
sobre la sierra de Mijas.
El viento mueve la mar
y los barcos se retiran,
con los remos presurosos
y las velas extendidas.   595
Entre el ruido de las olas
sonó la fusilería,
y muerto quedó en la arena,

_____

                    como es quitar a Torrijos / bella espada que ceñía /
        582-584 Ms.: *y la espada de Torrijos / con puño de pedrería*

                        con el puño de cristal
                en cuyo puño brillaban / cuatro grandes amatistas
                    adornado con dos cintas
        Todo se halla adicionado en el margen derecho y englobado. Los ver-
sos no tachados se retoman abajo y se ordenan. Así 582, 583 y 584.
        585 Ms.: *vestido de rojas cintas* [Pese a la tachadura, lo que creemos la
segunda versión pasa a *LF.*]
        588-589 Ms.: Insertado entre líneas en letra diminuta
                        con los remos presurosos
                        con los remos ágiles
        594 Ms.: *batiendo el*
        596-597 Ms.: Adicionados en el margen derecho.
        [596-597] Ms.: *Como lloraba la gente*
                        Por el limonar arriba
        598 Ms.: y Muerto *se* quedó en la arena [La «y» inicial al parecer se ha
añadido después.]

sangrando por tres heridas,
el valiente caballero,   600
con toda su compañía.
La muerte, con ser la muerte,
no deshojó su sonrisa.
Sobre los barcos lloraba
toda la marinería,   605
y las más bellas mujeres,
enlutadas y afligidas,
lo van llorando también
por el limonar arriba.

PEDRO

(Levantándose, después de oír el romance.)   610

Cada dificultad me da más bríos.
Señores, a seguir nuestro trabajo.
La muerte de Torrijos me enardece
para seguir luchando.

---

600 Ms.: el caballero valiente [Con una señal para adelantar el adjetivo
que prosperó en la versión de *LF*]
600-601 Ms.: Intercalados con letra pequeña.
[601-602] Ms.: cuya sonrisa alumbrada
           una España fuerte y viva
No se trasladan a *LF* ni a las otras ediciones.
602 Ms.: Pero la La muerte
[604-605] Ms.: Entre las nubes del cielo
           una estrella se corría [Encuadrados.]
604-609 Ms.: Se han agregado en el costado izquierdo del folio.
           a seguir nuestro trabajo.
612 Ms.: ¡Señores! ¡al trabajo!
                     enardece
613 Ms.: La muerte de Torrijos me *da alientos*

613-614 «También convenía a mi obra algún anacronismo, y no vaci-
lé en situar el fusilamiento de Torrijos antes que la ejecución de Mariana

CONSPIRADOR 1.º

Yo pienso así.   615

CONSPIRADOR 4.º

            Pero hay que estarse quietos;
otro tiempo vendrá.

CONSPIRADOR 2.º

(Conmovido.)

¡Tiempo lejano!

PEDRO

Pero mis fuerzas no se agotarán.   620

---

615 Ms.: Cons 2.º ¡Yo pienso así! | CONSPIR. 1.º Yo pienso así.
[616] Ms.: *Mar ¡Ay que angustia!*
616 Ms.: hay [que] estarse
[620-623] Ms.: Cons 4.º Mañana lo mas tarde partiré
                    Pe y es (?) el gran dolor verse arrancado
                    del sitio donde el alma se recrea
                    violentamente y sin piedad, de cuajo!
Estas líneas y las que siguen en el Ms. 620, 621 y 622 están unidas por
una raya en el margen derecho. Al lado Lorca ha escrito: «quizá no». Se
trasladan a *LF.* las tres últimas. Curiosamente Ag. en sus «Notas...» aclara
que no sigue el Ms., contra su costumbre, pero sólo transcribe el verso
[620] y ninguno de los que se refieren al destierro [621, 622, 623], que
tampoco están anulados (pág. 1566, columna 1.ª, líns. 5-9).

Pineda. Creo que el anacronismo es uno de los efectos más bellos del
teatro, sobre todo cuando no se quiere hacer una obra histórica, sino
poética. El anacronismo bien elegido es condensación de una época. A mi
drama quizá le falte ambiente por no tener demasiados anacronismos...»
(Obras Completas, II, pág. 966).

MARIANA

(Bajo, a PEDRO.)

Pedro, mientras yo viva...

CONSPIRADOR 1.º

¿Nos marchamos?

CONSPIRADOR 3.º

No hay nada que tratar. Tienes razón.

CONSPIRADOR 4.º

Esto es lo que tenía que contaros,   625
y nada más.

CONSPIRADOR 1.º

Hay que ser optimistas.

MARIANA

¿Gustarán de una copa?

CONSPIRADOR 4.º

La aceptamos,
porque nos hace falta.   630

Esto es lo que tenía que contaros
625-626 Ms.: Todo lo que tenía que contaros
y nada mas
(a Mariana) os conte
627 Ms.: Con exclamaciones.

272

CONSPIRADOR 1.°

¡Buen acuerdo!

(Se ponen de pie y cogen sus copas.)

MARIANA

(Llenando los vasos.)

¡Cómo llueve!

(Fuera, se oye la lluvia.)   635

CONSPIRADOR 3.°

¡Don Pedro está apenado!

CONSPIRADOR 4.°

¡Como todos nosotros!

PEDRO

                          ¡Es verdad!
Y tenemos razones para estarlo.

MARIANA

(Levantando su copa.)   640

«Luna tendida, marinero en pie»,
dicen allá, por el Mediterráneo,

636-637 Ms.: Sin exclamaciones.
639 Ms.: Con exclamaciones
[640] Ms.: (Pero a pesar de esta opresion aguda)
      L. y Ag.: Pero a pesar de esta opresión aguda
[641] L. y Ag.: y de tener razones para estarlo...
640 L. y Ag.: la copa.)

las gentes de veleros y fragatas.
¡Como ellos, hay que estar siempre acechando!

(Como en sueños.)   645

«Luna tendida, marinero en pie».

PEDRO

(Con la copa.)

Que sean nuestras casas como barcos.

(Beben.—Pausa.—Fuera, se oyen aldabonazos le-
janos. Todos quedan con las copas en la mano, en 650
medio de un gran silencio.)

MARIANA

Es el viento, que cierra una ventana.

(Otro aldabonazo.)

PEDRO

¿Oyes, Mariana?

CONSPIRADOR 4.°

¿Quién será?   655

MARIANA

(Llena de angustia.)

¡Dios santo!

PEDRO

(Acariciador.)

¡No temas! Ya verás como no es nada.

(Todos están con las capas puestas, llenos de in- 660
quietud.)

CLAVELA

(Entrando, casi ahogada.)

¡Ay, señora! ¡Dos hombres embozados,
y Pedrosa con ellos!

MARIANA

(Gritando, llena de pasión.) 665

¡Pedro, vete!
¡Y todos, Virgen santa! ¡Pronto!

PEDRO

(Confuso.)

¡Vamos!

---

658 Frag. 4: (enlazandola) | (Acariciador.)

659 Frag. 4: Sin exclamaciones

    Ms.: ¡No temas ya veras como no es nada!

663 Frag. 4.: ¡Ay Señora! dos // Ms.: ¡Ay Señora dos | ¡Ay, Señora! ¡Dos

664 Frag. 4: con ellos... | con ellos!

665 Frag. 4: gritando | (Gritando, llena de pasión.)

667 Frag. 4: Y todos *ay* Virgen santa ¡pronto! // Ms.: Y todos Virgen
santa ¡pronto!

275

(Clavela *quita las copas y apaga los candela-* 670
bros.)

CONSPIRADOR 4.º

Es indigno dejarla.

MARIANA

(A Pedro.)

¡Date prisa!

PEDRO

¿Por dónde?   675

MARIANA

(Loca.)

¡Ay! ¿Por dónde?

CLAVELA

¡Están llamando!

MARIANA

(Iluminada.)

¡Por aquella ventana del pasillo   680
saltarás fácilmente! Ese tejado
está cerca del suelo.

675 Frag. 4: ¿Pero por donde? | ¿Por dónde?
676 Frag. 4: Sin acotación.
                       aquella ventana
680 Frag. 4: Por *esa ventanita*
681 Frag. 4: Saltareis

Conspirador 2.°

¡No debemos

dejarla abandonada!

Pedro

(Enérgico.)   685

¡Es necesario!
¿Cómo justificar nuestra presencia?

Mariana

Sí, sí; vete enseguida. ¡Ponte a salvo!

Pedro

(Apasionado.)

¡Adiós, Mariana!   690

Mariana

¡Dios os guarde, amigos!

---

[683] Frag. 4: *(va saliendo)*
683 Frag. 4: No debemos
684 Frag. 4: ¡dejarla abandonada!
685 Frag. 4: Sin acotación.
687 Frag. 4: Falta. // Ms.: Con exclamaciones.
688 Frag. 4: Si si Vete enseguida. // Ms.: Si si vete enseguida ¡ponte a salvo!
[689] Ms.: Mar ¡Dios os guarde amigos!
689 Frag. 4: (abrazando) | (Apasionado.)
690 Frag. 4: Adios Mariana (sale rapidamente)
691 Frag. 4: Falta. Se anticipó en [689].

(Van saliendo rápidamente por la puerta de la derecha. CLAVELA *está asomada a una rendija del balcón, que da a la calle.)*

MARIANA

(En la puerta.)   695

¡Pedro..., y todos, que tengáis cuidado!

(Cierra la puertecilla de la izquierda, por donde han salido los CONSPIRADORES, *y corre la cortina. Luego, dramática.)*

¡Abre, Clavela! Soy una mujer   700
que va atada a la cola de un caballo.

(Sale CLAVELA. *Se dirige rápidamente al fortepiano.)*

692-693 Frag. 4: Van saliendo los conspiradores) (Clavela esta //
                        Van saliendo
              Ms.: *(salen* rapidamente
      693 Ms.: *Mar* (Clavela esta
      695 Frag. 4: Falta acotación.
      696 Frag. 4: Pedro... y todos // Ms.: Pedro y todos | ¡Pedro..., y todos,
      697-699 Frag. 4: izquierda que es por donde han salido // Ms.: izquierda por donde han salido los conspiradores, y corre la cortina) | izquierda, por donde han salido los Conspiradores, y corre la cortina. Luego, dramática.) Consideramos un error tipográfico, y por lo tanto, suprimimos la línea que estaba a continuación en *LF:* MARIANA. (Dramática.) Reitera lo dicho más arriba. El Ms. trae «(dramatica)» y falta en el Frag. 4.
      700 Frag. 4: mujer Sale Clavela con un candelabro
      701 Ms.: caballo (sale Clavela)
      [702-703] Frag. 4: El no debio de... ¡loca! por ahi
                        ya se perderan muy pronto por el campo
      Añadido en el margen derecho con letra muy pequeña.

---

701 El caballo como símbolo del destino inexorable que lleva a la muerte aparece a menudo en la obra lírica y dramática del poeta.

¡Dios mío, acuérdate de tu pasión
y de las llagas de tus manos!   705

> *(Se sienta y empieza a cantar la canción de «El*
> *Contrabandista», original de Manuel Gar-*
> *cía; 1808.)*

MARIANA

(Cantando.)

Yo que soy contrabandista   710
y campo por mis respetos

Ms.: El no debio de... ¡loca! por ahi
se interna enseguida por el campo
También se adiciona en el margen derecho con igual letra.

704-705 Frag. 4: Sin exclamaciones. // Ms.: (fuerte) *(El lo debio decir)*
(ilegible) *Acuerdate / ¡Dios mio de las llagas de tus manos!* [Al margen derecho se añade: «(abriendo el piano)» y a continuación en letra diminuta la
versión de *LF*]

706-708 Frag. 4: Se dirige rapidamente al piano se sienta *par* entonces
comienza a preludiar la bellísima canción *del contra* de Manuel Garcia,
«El contrabandista» // Ms.: Se dirige rapidamente al piano *y* se sienta y
empieza a cantar la cancion *el* El contrabandista original de Manuel Gar-
cia | (Se sienta y empieza a cantar la canción de «El contrabandista»,
original de Manuel García; 1808). En el margen derecho del Frag. 4 se
lee, al parecer, en letra muy pequeña: «(Esto no)» (?) y abajo: «No hay
persona en Granada que no este comprometida).» Todo se ha englobado.
En el centro de este folio, correspondiente a [709] se ha escrito: Es VIII

710-714 Frag. 4: Se halla solo la primera estrofa y en [715] se añade: etc.

710 L.: Yo soy el | Yo que soy [Ag. en «Notas...» equivoca el verso de L.
y transcribe «Yo soy contrabandista» (pág. 1566, 1.ª, lín. 21).]

711 L.: mi respeto | mis respetos

---

707 Manuel García (1775-1882): Famoso compositor sevillano que
muere en París. Era padre de María Felicias, llamada la Malibrán, célebre
cantante que triunfa en Francia. Acerca del aprecio en que García Lorca
tenía a este músico recuerda su hermano Francisco cómo para el poeta «la

y a todos los desafío
porque a nadie tengo miedo.

  ¡Ay! ¡Ay!

¡Ay, muchachos! ¡Ay, muchachas!   715
¿Quién me compra hilo negro?
Mi caballo está rendido
¡y yo me muero de sueño!

  ¡Ay!

¡Ay! Que la ronda ya viene   720
y se empezó el tiroteo.

¡Ay! ¡Ay! Caballito mío,
caballo mío, careto.

  ¡Ay!

¡Ay! Caballo, ve ligero.   725
¡Ay! Caballo, que me muero.

  ¡Ay!

---

712 L.: a todos | y a todos

715-719 Ms.: Falta esta estrofa

715 L.: ¡Ay! ¡Ay! ¡Ay! Paleo muchachas, [Ag. en «Notas...» transcribe este verso dividido en dos; el segundo con variante: Jaleo, muchachas. (pág. 1566, col. 1.ª, líns. 24-25). L. en su ed. 1947 de Contemporánea cambia por «Jaleo».]

716 L.: me merca algún | me compra

717 L.: está cansado | está rendido

718 L.: me marcho corriendo. | me muero de sueño.

720 L.: ¡Ay! ¡Ay! Que viene la ronda | ¡Ay! Que la ronda ya viene

721 L.: y se movió / y se empezó

724 Ms.: ¡ay! ¡ay! | ¡Ay!

[725] Ms.: etc etc...

725-727 Ms. y L.: Faltan.

influencia de Manuel García condicionaba la música de Bizet, en la que encontraba los ritmos y temas andaluces del maestro español». También asevera su «gusto por la música de la Andalucía romántica, representada por el ya aludido Manuel García, algunas de cuyas composiciones Federico tocaba con deleite, como el "Polo" y el "Marabú", y cuya "Canción del contrabandista" pasa a *Mariana Pineda*» (*op. cit.*, págs. 420 y 429).

*(Ha de cantar con un admirable y desesperado sen-
timiento, escuchando los pasos de* PEDROSA *por la
escalera.)*   730

ESCENA IX

(Las cortinas del fondo se levantan, y aparece CLA-
VELA, *aterrada, con el candelabro de tres bujías en
la mano, y la otra puesta sobre el pecho.* PEDROSA
vestido de negro, con capa, llega detrás. PEDRO-   735
SA *es un tipo seco, de una palidez intensa y de una
admirable serenidad. Dirá las frases con ironía
muy velada, y mirará minuciosamente a todos
lados, pero con corrección. Es antipático. Hay que
huir de la caricatura. Al entrar* PEDROSA, MA-   740
RIANA *deja de tocar y se levanta del fortepiano.
Silencio.)*

MARIANA

Adelante.

728-730 Frag. 4: Faltan. // Ms.: Intercalados con letra diminuta.
731 Ms.: Es VIII | ESCENA IX
                              aterrada
733-735 Frag. 4: Clavela con el candelabro y Pedrosa vestido de negro
detras. silencio
733 Ms.: aterrada *con los ojos muy abiertos* con el
734 Ms.: en una mano | en la mano
736-737 Frag. 4: tipo alto y seco dira todas las frases
737-738 Frag. 4: con gran ironía y mirara // Ms.: con *gran* ironia muy
velada y mirara | con ironía muy velada y mirará
738-739 Frag. 4: todos lados) | todos lados pero
741-742 Ms.: del piano-forte. | del fortepiano.
[743] Frag. 4: Mar- levantandose
743 Ms.: Con exclamaciones.

(Adelantándose.)

Señora, no interrumpa   745
por mí la cancioncilla que ahora mismo
entonaba.

(Pausa.)

MARIANA

(Queriendo sonreír.)

La noche estaba triste   750
y me puse a cantar.

(Pausa.)

PEDROSA

He visto luz
en su balcón y quise visitarla.
Perdone si interrumpo sus quehaceres.   755

---

745 Frag. 4 y Ms.: ¡Señora! no | Señora, no
746 Frag. 4: por mi; la cancioncilla que ahora mismo // Ms.: por mi la
cancioncilla que ahora mismo *empezo.*

entonaba

747 Frag. 4: *empezasteis* // Ms.: *empezó*
752 Frag. 4 y Ms.: Falta acotación

He visto luz *en*

753 Ms.: *Por eso mismo*

en su balcon y quise visitarla

754 Ms.: *entre yo a visitarla*
755 Ms.: Insertado con letra pequeñísima entre la 1.ª y 2.ª versión del
verso anterior.

Se lo agradezco mucho.

Pedrosa

¡Qué manera
de llover!

(*Pausa. En esta escena habrá pausas impercepti-*
bles y rotundos silencios instantáneos, en los cuales   760
luchan desesperadamente las almas de los dos per-
sonajes. Escena delicadísima de matizar, procu-
rando no caer en exageraciones que perjudiquen
su emoción. En esta escena se ha de notar mucho
más lo que no se dice que lo que se está hablan-   765
do. La lluvia, discretamente imitada sin ruido
excesivo, llegará de cuando en cuando a llenar
silencios.)

Mariana

(*Con intención.*)

¿Es muy tarde?   770

(*Pausa.*)

Se lo agradezco mucho.
756 Ms.: *¡Mucho se lo agradezco!*
759-768 En el Ms. esta extensa acotación se halla encuadrada contra
el margen derecho a la altura de 815 de *LF*.
760 Ms.: y silencios *mu* instantaneos | y rotundos silencios instantá-
neos
763 Ms.: perjudican | perjudiquen
765 Ms.: se di + no se dice [«No» sobrepuesto a «di»]
           llegara de cuando
767 Ms.: *irrumpira de cuan*

(Mirándola fijamente, y con intención también.)

Sí, muy tarde.
El reloj de la Audiencia ya hace rato
que dio las once.   775

MARIANA

(Serena e indicando asiento a PEDROSA.*)*

No las he sentido.

PEDROSA

(Sentándose.)

Yo las sentí lejanas. Ahora vengo
de recorrer las calles silenciosas,   780
calado hasta los huesos por la lluvia,
resistiendo ese gris fino y glacial
que viene de la Alhambra.

---

773 Ms.: ¡Si! muy tarde! (pausa) | Sí, muy tarde.
[776] Ms.: (pausa cortisima)
776 Ms.: a Pedrosa asiento) | asiento a Pedrosa.)
777 Ms.: Con exclamaciones.
778 Ms.: se quita la capa y se sienta
      recorrer las   silenciosas
    de *vigilar por* calles *encharcadas*
780 Ms.: *De vigilar nuestra ciudad se dice*
[781-783] Ms.: *que hay muchos liberales y es preciso*
                mantenerlos a raya. Su balcon
                estaba iluminado

           glacial
782 Ms.: fino y *helado*
783 Ms.: Alhambra. *Mientras tanto*

(Con intención y rehaciéndose.)

El aire helado   785
que clava agujas sobre los pulmones
y para el corazón.

PEDROSA

(Devolviéndole la ironía.)

Pues ése mismo.
Cumplo deberes de mi duro cargo.   790
Mientras que usted, espléndida Mariana,
en su casa, al abrigo de los vientos,
hace encajes... o borda...

(Como recordando.)

¿Quién me ha dicho   795
que bordaba muy bien?

---

aire helado
785 Ms.: El *airecillo*
para el corazon
787 Ms.: y *mata en siete dias*
788 Ms.: (devolviendole la
789 Ms.: Pues ese + ¡Ese mismo! [Se sobreponen coincidiendo «ese»
con «Ese».]
duro
790 Ms.: de mi cargo. *Mientras*
vientos
792 Ms.: al abrigo de los *aires*
793-795 Frag. 4: Para bordar o hacer encaje... Dicen // Ms.: hace encajes o... borda ¿Quien me ha dicho
796 Frag. 4: que borda usted muy bien // Ms.: Que bordaba muy bien?

MARIANA

(Aterrada, pero con cierta serenidad.)

¿Es un pecado?

PEDROSA

(Haciendo una seña negativa.)

El Rey nuestro Señor, que Dios proteja,   800

(Se inclina.)

se entretuvo bordando en Valençay
con su tío el infante don Antonio.
Ocupación bellísima.

---

                                        aterrada pero
                                        fría
797 Frag. 4: (aterrada) // Ms.: *(aterrada)*
                Lo hice de niña   ¿Es un pecado?
798 Frag. 4: *Me gusta mucho* // Ms.: *¡Lo hice de niña!*
799 Ms.: (haciendo seña | (Haciendo una seña
                                        En Valençay
802 Frag. 4: Es un gran bordador *tambien*
                borda esplendidamente
        Ms.: *Es un gran bordador En Valençay*
802-803 Frag. 4: bordaba con su augusto tio el infante

                se entretuvo bordando en Valençay
        Ms.: *bordaba con su augusto tio el infante*

                                                        haya
803 Frag. 4: Mar (angustiada) Don Antonio que en gloria *este* ¡Dios
mio! [Adelanta la exclamativa de la línea 806] // Ms.: con su tio el infante don Antonio
        ¡Ocupacion bellisima!
804 Ms.: *Un rico paño para altar*

---

802 Valençay: Ciudad francesa y palacio renacentista donde Napoleón
firmó con Fernando VII en 1813 el tratado por el que le devolvía la corona española que había abdicado en su progenitor Carlos IV.

(Entre dientes.)   805

¡Dios mío!

PEDROSA

¿Le extraña mi visita?

MARIANA

(Tratando de sonreír.)

¡No!

PEDROSA

(Serio.)   810

¡Mariana!

(Pausa.)

Una mujer tan bella como usted,
¿no siente miedo de vivir tan sola?

MARIANA

¿Miedo? Ninguno.   815

---

806 Ms.: Marcación ondulada al final.
807 Frag. 4: No transcribimos por su extensión las líneas que no han
pasado a *LF.* Puede leerse en el Apéndice, Frag. 4, págs. 21 y ss.
809 Ms.: No | ¡No!
811 Ms.: Sin exclamación
               ... ninguno
815 Ms.: ¿Miedo? *¿de que?*

PEDROSA

(Con intención.)

Hay tantos liberales
y tantos anarquistas por Granada,
que la gente no vive muy segura

(Firme.) 820

¡Usted ya lo sabrá!

MARIANA

(Digna.)

¡Señor Pedrosa!
¡Soy mujer de mi casa y nada más!

PEDROSA

(Sonriendo.) 825

Y yo soy juez. Por eso me preocupo
de estas cuestiones. Perdonad, Mariana.
Pero hace ya tres meses que ando loco
sin poder capturar a un cabecilla...

(Pausa. MARIANA trata de escuchar y juega con 830
su sortija, conteniendo su angustia y su indig-
nación.)

---

que la gente no vive muy segura
819 Ms.: *que no hay seguridad para la gente*
820 Ms.: (Seguro) | (Firme).
Soy mujer de mi casa y nada mas
824 Ms.: *No se que esta diciendo es injusto* (?)
de estas cuestiones ¡perdonad Mariana!
827 Ms.: *de lo que debo que hace ya tres meses*
capturar
829 Ms.: sin poder *encontrar*

PEDROSA

(Como recordando, con frialdad.)

Un tal don Pedro de Sotomayor.

MARIANA

Es probable que esté fuera de España.   835

PEDROSA

No; yo espero que pronto será mío.

(Al oír esto MARIANA, *tiene un ligero devaneci-*
miento nervioso; lo suficiente para que se le escape
la sortija de la mano, o más bien, la arroja ella
para evitar la conversación.)   840

MARIANA

(Levantándose.)

¡Mi sortija!

830-831 Ms.: con una sortija | con su sortija
832 Ms.: (con frialdad) | (Como recordando, con frialdad.)
834 Ms.: Con exclamaciones.
          [Mar] Es probable que este fuera de España
835 Ms.: *Aunque espero que pronto sera mio*
836 Ms.: No. Yo | No; yo
[837] Ms.: *Mariana sin poderse contener arroja al suelo la sortija*
837-838 Ms.: un ligerisimo desvanecimiento | un ligero desvaneci-
miento
839-840 Ms.: mano. Lanza una pequeña exclamacion. O, Mariana
para evitar la conversacion arroja la sortija al suelo.

PEDROSA

¿Cayó?

(Con intención.)

Tenga cuidado.   845

MARIANA

(Nerviosa.)

Es mi anillo de bodas; no se mueva,
vaya a pisarlo.

(Busca.)

PEDROSA

Está muy bien.   850

MARIANA

Parece
que una mano invisible lo arrancó.

PEDROSA

Tenga más calma. *(Frío.)* Mire

*(Señala al sitio donde ve el anillo, al mismo
tiempo que avanzan.)*   855

¡Ya está aquí!

---

848 L.: y vaya // Ag.: y vaya | vaya
        Mire
853 Ms.: (frio) *Calma.* [Desde 850 insertados en letra diminuta.]
854 Ms.: y señalando el [Intercaladas con letra muy pequeña.]
        inclina para recogerlo

(MARIANA *se inclina para recogerlo antes que*
PEDROSA; *éste queda a su lado, y en el momento
de levantarse* MARIANA, *la enlaza rápidamente y
la besa.*)   860

MARIANA

(Dando un grito y retirándose.)

¡Pedrosa!

(Pausa. MARIANA *rompe a llorar indignada.)*

PEDROSA

¡Mi señora Mariana, esté serena!

MARIANA

(Arrancándose desesperada y cogiendo a PEDROSA 865
por la solapa.)

¿Qué piensa de mí? ¡Diga!

---

857 Ms.: se *agacha* antes
859 Ms.: levantarse la enlaza | levantarse Martiana la enlaza
863 Ms.: llena de furor) // Ag.: llena de furor.) | indignada.)
[864] Ms.: Psa (suave) ¡Grite menos! // Ag.: PEDROSA. (Suave.) Grite menos.
864 Frag. 4: Pe (ironico) Mi señora Mariana (se acerca) Esté serena.
[Ubicada en el Frag. 4 a la altura de la línea 875 de *LF.* Ver Apéndice,
Frag. 4, pág. 22, líns. 111-114.]
       Mi señora mariana esté serena
            ese
Ms.: *Me parece que este llanto esta de mas*
Ag.: Me parece que este llanto está de más.
       Mi señora mariana, esté serena.
En «Notas...» de Ag. se ha deslizado una errata: cita pág. 201 en vez de
pág. 193 (pág. 1566, col. 1.ª, líns. 31-32).
           Santa
[865] Ms.: (Mar) ¡Virgen mia! // Ag.: MARIANA. ¡Virgen Santa!
        piensa de mi ¡diga!
867 Frag. 4: Que *pensais de mi casa?*

291

PEDROSA

(Impasible.)

¡Muchas cosas!

MARIANA

Pues yo sabré vencerlas. ¿Qué pretende?   870
Sepa que yo no tengo miedo a nadie.
Como el agua que nace soy de limpia,
y me puedo manchar si usted me toca;
pero sé defenderme. ¡Salga pronto!

(impasible)
868 Ms.: Psa (sentandose) *(agrio)*
temblando
868-869 Frag. 4: Pe *(con ira)* Muchas cosas // Ms.: Psa (serio) ¡Muchas cosas!
870 Frag. 4: ¿Piensa que yo estoy sola? ¿Que pretende?
¿Que pretende?
Ms.: Pues yo sabre vencerlas. *¡Diga pronto!*
871 Frag. 4: No tengo miedo a nadie y a usted menos
Que vino de Madrid para asustarnos
872 Frag. 4: Mi casa es limpia ¿que pretende usted?
nace
brota
Ms.: agua que *nace*

y me puedo manchar si usted me toca
873 Ms.: *y no quiero enturbiarme ¡Salga pronto!*
874 Frag. 4: Pero se defenderme ¡Salga pronto! // Ms.: Pero se defenderme Salga pronto

---

872 Entre las frases y comparaciones populares la incluye Daniel Devoto junto a «tenía el corazón en la garganta» y «corazón de plata fina» insertadas en el texto dramático (art. cit., pág. 55).

292

(Fuerte y lleno de ira.) 875

¡Silencio!

(Pausa. Frío.)

Quiero ser amigo suyo.
Me debe agradecer esta visita.

MARIANA

(Fiera.) 880

¿Puedo yo permitir que usted me insulte?
¿Que penetre de noche en mi vivienda
para que yo..., ¡canalla!... No sé cómo...

(Se contiene.)

¡Usted quiere perderme! 885

---

[879] Ms.: (cogiendo un brazo a Mar)
879 Ms.: Con exclamaciones.
vale

[880] Ms.: Mar (irritada) Que *puede* una mujer?
vale

[881] Ms.: Psa ¡Lo *puede* todo!

[882-884] Ms.: *Mar Usted quiere perderme! / Psa Lo contrario / Mar Porque vino esta noche a torturarme* [Todo englobado y anulado. Se retoman después las dos líneas primeras en 885 y 887.]
irritado *Morado y rojo dos colores*

[885] Ms.: Psa *(frio) El rojo y el morado Me parece*

PEDROSA

(Cálido.)

¡Lo contrario!

Vengo a salvarla.

MARIANA

(Bravía.)

¡No lo necesito!   890

(Pausa.)

PEDROSA

(Fuerte y dominador, acercándose con una agria sonrisa.)

¡Mariana! ¿Y la bandera?

MARIANA

(Turbada.)   895

¿Qué bandera?

---

calido
886 Ms.: *(frío)*
892 Ms.: acercandose bravamente con | acercándose con
894 Ms.: Mariana ¿y | ¡Mariana! ¿Y

¡La que bordó con estas manos blancas

(Las coge.)

en contra de las leyes y del Rey!

MARIANA

¿Qué infame le mintió?   900

PEDROSA

(Indiferente.)

¡Muy bien bordada!
De tafetán morado y verdes letras.
Allá, en el Albaicín, la recogimos,

897-898 Frag. 4: pero con estas manos (las coge)
se que ha bordado usted una bandera
Ms.: La que bordo con estas blancas manos (las coje)
L. y Ag.: con esas manos blancas | con estas manos blancas
899 Frag. 4: en contra de las leyes y del rey // Ms.: En contra de las
leyes y del rey. | del Rey!
900 Frag. 4: Mar (como loca) ¡Es mentira! ¡Lo niego!
Ms.: le mintio? *de tal manera?*
901 Ms.: (frio) | (Indiferente.)
902 Ms.: Insertado en letra pequeña.
Alla del Albaicin la recogimos
la encontramos alla en el Albaicin
Alla en el Albaicin estaba oculta.
904 Ms.: *Al Albaicin*

---

903 Las letras eran en realidad rojas, y verde el triángulo masónico a
cuyos lados se bordaban, como morado el tafetán de la bandera. Así figura en la acusación judicial que el poeta debía conocer, ya que habla al
principio de la obra del hilo rojo entre los dedos de Mariana.

y ya está en mi poder como tu vida.   905
Pero no temas; soy amigo tuyo.

(MARIANA *queda ahogada.*)

MARIANA

(Cae desmayada.)

Es mentira, mentira.

PEDROSA

(Bajando la voz y apasionándose.)   910

---

905 Frag. 4: esta ya en mi poder y vuestra vida
                    como tu vida
    Ms.: Y Esta ya en mi poder *y vuestra vida.*
[906-907] Ms.: Mar ¡Ay Dios mio...! ¡Pedrosa!
                    Psa Todo es cierto [Insertadas en letra diminuta. No es-
                    tán anulados pero no pasan a *LF.*]
                    tuyo
906 Ms.: Pero no temas *nada* Soy *tu* amigo (pasional) [Se ha subrayado «temas».]
909 Frag. 4: Mar (sin darse cuenta) ¡Es mentira, mentira!
[911-914] Frag. 4: Pe   Se tambien
                    que hay gente complicada. Y yo exijo
                    que usted diga sus nombres. Le prometo
                    salvarla si las dice.
    Ms.: Psa   Se tambien
                    ¡Que hay mucha gente complicada. Espero
                    que tu diras sus nombres... ¿verdad? Nadie
                    sabrá lo que ha pasado
    Ag.: PEDROSA.   Sé también
                    que hay mucha gente complicada.
                    Espero que dirás sus nombres. ¿Verdad?
910 Ms.: apasionandose de una manera terrible) [Insertada con letra
muy pequeña.]
                    Ag.: (Bajando la voz y apasionadamente.)

             Yo te quiero
mía, ¿lo estás oyendo? Mía o muerta.
Me has despreciado siempre; pero ahora
puedo apretar tu cuello con mis manos,
este cuello de nardo transparente,   915
y me querrás porque te doy la vida.

MARIANA

*(Tierna suplicante en medio de su desesperación,
abrazándose a PEDROSA.)*

¡Tenga piedad de mí! ¡Si usted supiera!
Y déjeme escapar. Yo guardaré   920
su recuerdo en las niñas de mis ojos.
¡Pedrosa, por mis hijos!

---

911 Ms.: Yo te quiero (pasional)
      Ag.: Nadie sabrá lo que ha pasado. Yo te quiero
                        lo estas oyendo mía o muerta
912 Ms.: mia *muy mia o muerta*
[913-915] Ms.: *Y ahora puedo decirtelo Mariana*
                Yo te puse la red y tu has caido
                Puedo
                                transparente
              este cuello de nardo *delirante* (?)
915 Ms.: *y beberme los mares de tus ojos*
916 Ms.: la vida! | la vida.
918 Frag. 4: Mar (abrazando a Psa)
919 Frag. 4 y Ms.: Tenga piedad de mi ¡Si usted supiera!
920 Frag. 4: Dejeme que me vaya Guardaré
                Y dejeme escapar
      Ms.: *Dejeme que me* Yo guardaré
921 Frag. 4: su nombre en las dos niñas de mis ojos
                Su recuerdo en las niñas de mis ojos
                Y su nombre en las niñas de mis ojos
                su recuerdo entre el nombre de mis hijos
      Ms.: *Su nombre en las*
922 Ms.: Sin exclamaciones.

[911-914] En el manuscrito, Pedrosa comienza exigiéndole la delación, con
lo cual su figura queda más de acuerdo con su oficio de alcalde del crimen.

(Abrazándola sensual.)

La bandera
no la has bordado tú, linda Mariana,   925
y ya eres libre porque así lo quiero...

(MARIANA, *al ver cerca de sus labios los de* PE-
DROSA, *lo rechaza, reaccionando de una manera
salvaje.*)

MARIANA

¡Eso nunca! ¡Primero doy mi sangre!   930
Que me cuesta dolor, pero con honra.
¡Salga de aquí!

PEDROSA

(Reconviniéndola.)

¡Mariana!

MARIANA

¡Salga pronto!   935

---

923 Frag. 4: Pe (sensual y terrible) abrazando a Mar
924-925 Frag. 4: su cuello hace olvidar. Todo ha pasado
        No existe la bandera ¡Si Mariana!
927-928 Frag. 4: (al ver cerca de sus labios los de Pedrosa da un grito
y lo rechaza) // Ms.: da un + lo rechaza y reacciona de una
930-931 Frag. 4: ¡Nunca! ¡nunca! Primero doy mi sangre
        con mi honra y con mis hijos ¡todo! ¡Salga!
        mis hijos y mi casa

        que me cuesta dolor
931 Ms.: *que estoy* // L. y Ag.: me cueste
932 Ms.: Salga de aqui

(Frío y reservado.)

¡Está muy bien? Yo seguiré el asunto
y usted misma se pierde.

MARIANA

                    Qué me importa!
Yo bordé la bandera con mis manos;   940
con estas manos, ¡mírelas, Pedrosa!,
y conozco muy grandes caballeros
que izarla pretendían en Granada.
¡Mas no diré sus nombres!

PEDROSA

                    ¡Por la fuerza   945
delatará! ¡Los hierros duelen mucho,
y una mujer es siempre una mujer!
¡Cuando usted quiera me avisa!

---

938 Frag. 4: Pe ¡Usted misma se pierde!
940 Frag. 4: manos | manos;
                    ¡mirelas!
941 Ms.: manos *que ve ust* (?) Pedrosa
942 Frag. 4: los grandes | muy grandes
944 Frag. 4: Mas no dire sus nombres. Y han estado
                                        en
[945]   aqui esta misma noche ¡y este sitio!
945-946 Frag. 4:   Por la fuerza
          delatara
          dira quien son Los hierros hacen daño
          Ms.:   Por la fuerza
          delatara los hierros duelen mucho
          Y una mujer es siempre una mujer
947 Ms.: *y al fin y al cabo una mujer...*

¡Cobarde!
¡Aunque en mi corazón clavaran vidrios   950
no hablaría!

(En un arranque.)

¡Pedrosa, aquí me tiene!

PEDROSA

¡Ya veremos!

MARIANA

¡Clavela, el candelabro!   955

(Entra CLAVELA *aterrada, con las manos cruzadas
sobre el pecho.)*

PEDROSA

No hace falta, señora. Queda usted
detenida en el nombre de la Ley.

949-951 Frag 4: Mar ¿Por la fuerza? ¡Cobarde! Usted *no y* sabe
        lo que una granadina hace cuando ama.
    Ms.: Mar   Cobarde
                Aunque en mi corazon clavaran vidrios
                ¡No hablaria!
        ¡el candelabro!
955 Ms.: *¡Vé con el!*
956-957 Frag. 4: (Aparece la Clavela por la puerta del fondo aterrada
con las manos cruzadas) [Se anticipa en el Frag. a la altura de la línea 953
de *LF,* antes de «¡Pedrosa aqui me tiene!».]
    Ms.: La Clavela aterrada! | (Entra Clavela aterrada
958 Ms.: ¡Queda usted
959 Frag. 4: de la ley. | de la Ley.

300

¿En nombre de qué ley?   960

PEDROSA

(Frío y ceremonioso.)

¡Buenas noches!

(Sale.)

CLAVELA

(Dramática)

¡Ay, señora; mi niña, clavelito,   965
prenda de mis entrañas!

MARIANA

(Llena de angustia y terror.)

Isabel,
yo me voy. Dame el chal.

CLAVELA

¡Sálvese pronto!   970

---

962 Ag.: ¡Muy buenas noches!
[964] Ms.: (expresiva) ¡Que veles con ternura por mis niños [Arriba de
la acotación se ha añadido con letra muy pequeña; «(aqui un verso)». El
verso está englobado y la autoadvertencia parece tachada.]
966 Frag. 4: Prenda de mis entrañas
970 Frag. 4 y Ms.: Sin exclamaciones.

(Se asoma a la ventana. Fuera se oye otra vez la fuerte lluvia.)

Mariana

¡Me iré casa don Luis! ¡Cuida los niños!

Clavela

¡Se han quedado en la puerta! ¡No se puede!

Mariana

Claro está.   975

(Señalando al sitio por donde han salido los Conspiradores.*)*

¡Por aquí!

Clavela

¡Es imposible!

(Al cruzar Mariana, *por la puerta aparece* Doña 980 Angustias.)*

971-972 Frag. 4: (lluvia otra vez) (Se asoma a la ventana)
973 Frag. 4: me ire casa Don Luis ¿Sigue lloviendo? //
                              ¡Cuida los niños!
   Ms.: me ire casa don Luis *¿Sigue llo*
   L. y Ag.: ¡Me iré a casa de don Luis! ¡Cuida a los niños! [No se cambia el texto de *LF*, pues la preposición, aunque necesaria sintácticamente, altera el número de sílabas del endecasílabo.]
974 Ms.: Se han quedado en la puerta. ¡No se
976-977 Frag 4: el sitio por donde se han ido los otros)

302

ANGUSTIAS

¡Mariana! ¿Dónde vas? Tu niña llora.
Tiene miedo del aire y de la lluvia.

MARIANA

(Volviéndose.)

¡Estoy presa! ¡Estoy presa, Clavela!   985

ANGUSTIAS

(Abrazándola.)

¡Marianita!

MARIANA

(Arrojándose en el sofá.)

¡Ahora empiezo a morir!

(Las dos mujeres la abrazan.)   990

Mírame y llora. ¡Ahora empiezo a morir!

TELÓN RÁPIDO

---

982 Ms.: Sin exclamaciones. Al final del verso Lorca ha escrito: (otro verso) [Al parecer, éste se agrega en letra diminuta y constituye la línea 983.]

983 Ms.: ¡Tiene miedo del aire y de la lluvia!

983 Frag. 4: Estoy presa, presa y deshonrada // Ms.: Estoy presa, presa y deshonrada!

[986] Frag. 4: *¡Ahora empiezo a morir ama ¡ahora!*
                                en el
988 Ms.: (arrojandose *sobre el* sofa)

991 No figura en el Frag. 4 ni en el Ms.

Estampa tercera

Convento de Santa María Egipciaca, de Granada, Rasgos
árabes. Arcos, cipreses, fuentecillas y arrayanes. Hay unos
bancos y unas viejas sillas de cuero.
Al levantarse el telón está la escena solitaria. Suenan el
órgano y las lejanas voces de las monjas. Por el fondo vie-   5
nen corriendo de puntillas y mirando a todos lados para
que no las vean dos novicias. Se acercan con mucho sigilo a una puerta de la izquierda, y miran por el ojo de la
cerradura.

ESCENA PRIMERA   10

NOVICIA 1.ª

¿Qué hace?

---

3 Ms.: *y* fuentecillas
[4-9] Ms.: Al levantarse el telon estan en escena dos recogidas Ines y
el
Maria Luisa que miran por *un* ojo de la llave de una puerta. Es media
tarde y el sol inunda la escena. Las novicias visten de azul con toquitas
blancas. [Anulado y englobado.]
7-8 Ms.: novicias Ines y Maria Luisa Visten toquitas blancas y trajes
azules Se acercan // Ag.: NOVICIAS. Visten toquitas blancas y trajes azules.
Se acercan

NOVICIA 2.ª

(En la cerradura.)

¡Habla más bajito!
Está rezando.

NOVICIA 1.ª

¡Deja!   15

(Se pone a mirar.)

¡Qué blanca está, qué blanca!
Reluce su cabeza
en la sombra del cuarto.

NOVICIA 2.ª

¿Reluce su cabeza?   20
Yo no comprendo nada.
Es una mujer buena,
y la quieren matar.
¿Tú qué dices?

NOVICIA 1.ª

Quisiera   25
mirar su corazón
largo rato y muy cerca.

[20-23] Ms.: *No 2.ª (espiando) Ma (?) Ay Mariana Pineda*
                    Ya estan abriendo flores
                    que iran contigo muerta
   Todo tachado. Entre paréntesis *Ma* y los versos. A la izquierda del
texto, después de otro *No 2.ª*, el interrogante: «¿reluce su cabeza?».

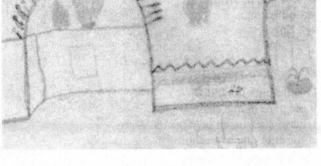

Convento de Santa María Egipciaca. Dibujo de Lorca.

NOVICIA 2.ª

¡Qué mujer tan valiente! Cuando ayer
vinieron a leerle la sentencia
de muerte, no ocultó   30
su sonrisa.

NOVICIA 1.ª

En la iglesia
la vi después llorando
y me pareció que ella
tenía el corazón en la garganta.   35
¿Qué es lo que ha hecho?

NOVICIA 2.ª

Bordó una bandera.

NOVICIA 1.ª

¿Bordar es malo?

NOVICIA 2.ª

Dicen que es masona.

NOVICIA 1.ª

¿Qué es eso?   40

NOVICIA 2.ª

Pues... ¡no sé!

---

[28] Ms.: *No 2.ª (con ansia) ¡Y de cerca!*
39 Ms.: Con exclamaciones.

NOVICIA 1.ª

¿Por qué está presa?

NOVICIA 2.ª

Porque no quiere al Rey.

NOVICIA 1.ª

¿Qué más da? ¿Se habrá visto?

NOVICIA 2.ª

¡Ni a la Reina!   45

NOVICIA 1.ª

Yo tampoco los quiero.

(Mirando.)

¡Ay, Mariana Pineda!
Ya están abriendo flores
que irán contigo muerta.   50

---

43 Ms.: Con exclamaciones.

44 Ms.: ¿Que mas da?; Se habra visto!

45 Ms.: la Reyna!

[47] Ms.: *¡pero ojalá que nadie los quisiera!*

[48] Ms.: *No 2.ª ¡Nosotras no entendemos!* [A la izquierda de éstos raya vertical ondulada que los abarca.]

47 Ms.: *No 1.ª* (mirando) *¡Que silenciosa esta!* [Tachadura a lápiz.]

48-50 Ms.: Con exclamaciones. Al margen derecho, a la altura de la lín. 48 se lee: «*¡Quieren perderla!*» Estas líneas que pertenecían a No 2.ª se relacionan con una raya con el personaje del verso anulado: No 1.ª Se ha tachado No 2.ª que le hubiera correspondido.

(Aparece por la puerta del foro la Madre CARMEN
DE BORJA.)

CARMEN

Pero niñas, ¿qué miráis?

NOVICIA 1.ª

(Asustada.)

Hermana...   55

CARMEN

¿No os da vergüenza?
Ahora mismo al obrador.
¿Quién os enseñó esa fea
costumbre? ¡Ya nos veremos!

NOVICIA 1.ª

¡Con licencia!   60

NOVICIA 2.ª

¡Con licencia!

51-52 Ms.: foro Sor Carmen | foro la Madre Carmen
54 Ms.: No 2.ª (asustada) | NOVICIA 1.ª (Asustada.)
[58] Ms.: *¡No podeis estaros quietas!*
58-59 Ms.: Añadidas en el margen derecho con letra diminuta.
[60-61] Ms.: *No 1.ª ¿Qué hacemos? Pon agreman*
de oro a la casilla nueva

(Se van. Cuando la Madre CARMEN *se ha conven-*
cido de que las otras se han marchado, se acerca
también con sigilo y mira por el ojo de la cerra-
dura.)   65

CARMEN

¡Es inocente! ¡No hay duda!
¡Calla con una firmeza!
¿Por qué? Yo no me lo explico.

(Sobresaltada.)

¡Viene!   70

(Sale corriendo.)

ESCENA II

*(*MARIANA *aparece con un espléndido traje blanco.*
Está palidísima.)

MARIANA

¡Hermana!   75

CARMEN

(Volviéndose.)

¿Qué desea?

62-63 Ms.: Car cuando se ha convencido
64-63 Ms.: el ojo de la llave | el ojo de la cerradura.)
66 Ms.: Es inocente. ¡No hay duda!

Mariana

¡Nada!...

Carmen

¡Decidlo, señora!

Mariana

Pensaba...   80

Carmen

¿Qué?

Mariana

Si pudiera
quedarme aquí en el Beaterio
para siempre.

Carmen

¡Qué contentas   85
nos pondríamos!

Mariana

¡No puedo!

Carmen

¿Por qué?

_____

79 Ms.: Sin exclamaciones.
87 Ms.: Sin exclamaciones.

MARIANA

(Sonriendo.)

Porque ya estoy muerta.   90

CARMEN

(Asustada.)

¡Doña Mariana, por Dios!

MARIANA

Pero el mundo se me acerca,
las piedras, el agua, el aire.
¡comprendo que estaba ciega!   95

CARMEN

¡La indultarán!

MARIANA

(Con sangre fría.)

               ¡Ya veremos!
Este silencio me pesa

_____

90 Ms.: Con exclamaciones.
93-95 Ms.: Faltan.

                                        En mi
                                        En
[93-95] Ms.: Mar (ríe) No se asuste! *Mi* conciencia
_____

90 En esta afirmación que después Mariana repetirá a Fernando: «¡Ya estoy muerta, amiguito!» se cumple el plan primigenio que el poeta comunicó a Fernández Almagro en carta de setiembre de 1923: «Cuando ella decide morir, está ya muerta, y la muerte no la asusta en lo más mínimo» (Gallego Morell, *op. cit.*, pág. 56).

mágicamente. Se agranda   100
como un techo de violetas,

   (Apasionada.)

y otras veces, finge en mí
una larga cabellera.
¡Ay, qué buen soñar!   105

CARMEN

   (Cogiéndole la mano.)

¡Mariana!

MARIANA

¿Cómo soy yo?

CARMEN

Eres muy buena.

---

limpia y en reposo pueden
reflejarse las estrellas

   Las dos primeras líneas tienen al costado derecho la habitual señal ondulada que las comprende. Ninguna de las tres pasa a *LF.* ni a las otras ediciones.

   Se agranda
100 Ms.: *Se a* Silencio
    como un techo
     con perfume de violetas
101 *Ms.: perfum*
A pesar de no estar tachada la primera variante, pasa a *LF.* la segunda.
103-105 Ms.: No figuran.
[103] Ms.: ¡Hermana Carmen!
106-107 Ms.: (cojiendole la mano) ¡Hijita!
109 Ms.: Con exclamaciones.

314

Soy una gran pecadora;   110
pero amé de una manera
que Dios me perdonará,
como a Santa Magdalena.

CARMEN

Fuera del mundo y en él
perdona.   115

MARIANA

    ¡Si usted supiera!
¡Estoy muy herida, hermana,
por las cosas de la tierra!

       ¡Pero amé de una manera!
111 Ms.: *Que amo con todas sus fuerzas*
112 Ms.: *Que* Y + Que Dios
       Santa
113 Ms.: *Maria* Magdalena
[114-115] Ms.: Car *¡Dios esta lleno de heridas*
           de amor que nunca se cierran!
Tachados y englobados. Al margen derecho se lee *«(para el final)»*.
Lorca lo retomará en las líneas 119-120.
114-116 Ms.: Agregados al margen derecho con letra pequeña.
[117-130] Ms.: También han sido cruzadas y anuladas. Se las separa del
texto anterior por una recta horizontal que atraviesa la cuartilla y en la página siguiente del Ms. se las encuadra contra el margen izquierdo. Con variantes se volverá a retomar en líneas 243-251 parte del fragmento, el referente a la canción, así como la última parte se insertará de nuevo, no en el
Ms., pero sí en *LF,* líns. 93-95, también variada: *Del jardín viene una voz
que canta con acompañamiento de guitarra. / A la vera del agua / sin que nadie
lo viera / Se murio mi esperanza / Mar «A la vera del agua / sin que nadie la
viera / Se murio mi esperanza». /Car (rie) Alegrito el jardinero / Mar ¡Canta
con una voz nueva! / Car ¡Pues ya es viejo! / Mar Me parece / que todo es nuevo,
las piedras / el agua el aire, yo misma. / comprendo que estaba ciega.*
117-122 Ms.: Añadidas en el costado derecho.
       Estoy muy herida hermana
117 Ms.: *las heridas que*
118 Ms.: de la tierra | de la tierra!

Dios está lleno de heridas
de amor, que nunca se cierran.   120

MARIANA

Nace el que muere sufriendo,
¡comprendo que estaba ciega!

CARMEN

(Apenada de ver el estado de MARIANA.*)*

¡Hasta luego! ¿Asistirá
esta tarde a la novena?   125

MARIANA

Como siempre. ¡Adiós, hermana!

(Se va CARMEN.*)*

119-120 Ms.: Con exclamaciones.

122 Ms.: Sin exclamaciones.

123 Ms.: (apenada de ver el estado de exaltación delica[do] de Mar) //
L. y Ag: (Apenada al ver el estado de

126 Ms.: ¡Como siempre! ¡Adios Hermana!

127 Ms.: (se va) I (Se va Carmen.)

---

121 Reminiscencia calderoniana del monólogo de Segismundo.

ESCENA III

(MARIANA *se dirige al fondo rápidamente, con*
todo género de precauciones, y allí aparece ALE- 130
GRITO, *jardinero del convento. Ríe constantemen-*
te, con una sonrisa suave y mansa. Viste traje de
cazador de la época.)

MARIANA

¡Alegrito! ¿Qué?

ALEGRITO

      ¡Paciencia;   135
para lo que vais a oír!

MARIANA

¡Habla pronto, no nos vean!
¿Fuiste a casa de don Luis?

ALEGRITO

Y me han dicho que les era
imposible pretender   140
salvarla. Que ni lo intentan,
porque todos morirían;
pero que harán lo que puedan.

---

129 Ms.: Se dirige | (Mariana se dirige
129-130 Ms.: *y* con todo | con todo
                  constantemente
131-132 Ms.: rie *en todos iss instantes*
133 Ms.: cazador [Subrayado.]
134 Ms.: Alegrito ¿que?
142 Ms.: moririan | morirían;
143 Ms.: Pero que | pero que

(Valiente.)

¡Lo harán todo! ¡Estoy segura!   145
Son gentes de la nobleza,
y yo soy noble, Alegrito.
¿No ves como estoy serena?

ALEGRITO

Hay un miedo que da miedo.
Las calles están desiertas.   150
Sólo el viento viene y va;
pero la gente se encierra.
No encontré más que una niña
llorando sobre la puerta
de la antigua Alcaicería.   155

MARIANA

¿Crees van a dejar que muera
la que tiene menos culpa?

ALEGRITO

Yo no sé lo que ellos piensan.

---

145 Ms.: todo! Estoy segura | todo! ¡Estoy segura!
146-147 Ms.: *Y yo soy noble. Alegrito*
                    no ves como estoy serena
Englobados. Los dos versos se transcriben en *LF*, L. y Ag.
149 Ms.: miedo... ¡que da miedo!
[156] Ms.: *y un saldado en Plaza nueva*
158 Ms.: Insertado entre líneas con letra pequeñísima.

¿Y de lo demás?

ALEGRITO

(Turbado.)   160

¡Señora!...

MARIANA

Sigue hablando.

ALEGRITO

No quisiera...

(MARIANA *hace un gesto de impaciencia.*)

El caballero don Pedro   165
de Sotomayor se aleja
de España, según me han dicho.
Dicen que marcha a Inglaterra.
Don Luis lo sabe de cierto.

MARIANA

*(Sonríe incrédula y dramática, porque en el fondo 170
sabe que es verdad.)*

---

161 Ms.: Señora... | ¡Señora!...
162 Ms.: Exclamativa.
163 L. y Ag.: quisiera | quisiera...
         Dicen que marcha a Inglaterra
168 Ms.: *con rumbo hacia la Inglaterra*

Quien te lo dijo desea
aumentar mi sufrimiento.
¡Alegrito, no lo creas!
¿Verdad que tú no lo crees?   175

(*Angustiada.*)

ALEGRITO

(*Turbado.*)

Señora, lo que usted quiera.

MARIANA

Don Pedro vendrá a caballo
como loco cuando sepa   180
que yo estoy encarcelada
por bordarle su bandera.
Y si me matan vendrá
para morir a mi vera,
que me lo dijo una noche   185
besándome la cabeza.
Él vendrá como un San Jorge
de diamantes y agua negra,
al viento la deslumbrante
flor de su capa bermeja.   190
Y porque es noble y modesto,
para que nadie lo vea,
vendrá por la madrugada,

_____

187-198 Ms.: No figuran.
187-188 Ms.: Ag. asienta por error en sus «Notas...» que sólo estos dos
versos faltan en el Ms. Creemos que hay una errata: en vez de líns. 22-23
debiera decir: 22-33 (pág. 1566, col. 2.ª, lín. 1.ª).
189 L. y Ag.: al aire la | al viento la

por la madrugada fresca.
Cuando sobre el aire oscuro   195
brilla el limonar apenas
y el alba finge en las olas
fragatas de sombra y seda.
¿Tú qué sabes? ¡Qué alegría!
No tengo miedo, ¿te enteras?   200

ALEGRITO

¡Señora!

MARIANA

¿Quién te lo ha dicho?

ALEGRITO

Don Luis.

MARIANA

¿Sabe la sentencia?

ALEGRITO

Dijo que no la creía.   205

MARIANA

(Angustiada.)

Pues es muy verdad.

---

194 L. y Ag.: fresca, | fresca.
195 L. y Ag.: cuando | Cuando
        No tengo miedo ¿Te enteras?
200 Ms.: *¡No tengo miedo! ¡Estoy cierta
        de su am*
[201] Ms.: *Quien te la ha*
207 Ms.: Con exclamaciones.

ALEGRITO

Me apena

darle tan malas noticias.

MARIANA

¡Volverás!   210

ALEGRITO

Lo que usted quiera.

MARIANA

Volverás para decirles
que yo estoy muy satisfecha,
porque sé que vendrán todos,
¡y son muchos!, cuando deban.   215
¡Dios te lo pague!

ALEGRITO

Hasta luego.

(Sale.)

---

apena
208 Ms.: Me *pesa*
211 Ms.: Con exclamaciones.
217 Ms.: Exclamativa.

ESCENA IV

Mariana

Y me quedo sola mientras   220
que bajo la acacia en flor
del jardín mi muerte acecha.

(En voz alta y dirigiéndose al huerto.)

Pero mi vida está aquí.
Mi sangre se agita y tiembla,   225
como un árbol de coral,
con la marejada tierna.
Y aunque tu caballo pone
cuatro lunas en las piedras
y fuego en la verde brisa   230
débil de la Primavera,
¡corre más! ¡Ven a buscarme!
Mira que siento muy cerca

---

220 L.: Yo me | Y me

                 en flor
           que bajo la acacia *del huerto* (en voz baja)
           En las sombras del jar
           en un ban
                   altas
           bajo las verdes cipreses / y las flores de la adelfa
221 Ms.: *en un banca del jardin*
    L. y Ag.: que, bajo | que bajo
           Del jardin mi Muerte *espera* acecha
222 Ms.: *mi Muerte calla y espera* // L. y Ag.: jardín, mi | jardín mi [La última variante del Ms. se ha insertado en letra diminuta.]
223 Ag.: (En voz baja y | (En voz alta y
225 Ms.: Mi sangre caliente y nueva
226 Ms.: Rayos de coral fundido
227 Ms.: hace de de *[sic]* todas mis venas
228-235 Ms.: Faltan.

dedos de hueso y de musgo
acariciar mi cabeza.   235

> *(Se dirige al jardín como si hablara con al-
> guien.)*

No puedes entrar. ¡No puedes!
¡Ay, Pedro! Por ti no entra;
pero sentada en la fuente   240
toca una blanca vihuela.

> *(Se sienta en un banco y apoya la cabeza so-
> bre sus manos. En el jardín se oye una gui-
> tarra.)*

Voz

A la vera del agua,   245
sin que nadie la viera,
se murió mi esperanza.

Mariana

> *(Repitiendo exquisitamente la canción.)*

---

239 Ms.: ¡Ay Pedro por ti no entra!

240 Ms.: Pero | pero

241 Ms.: Con exclamaciones.

242 Ag. anota con respecto a la «pág. 211, líns. 23-28 y pág. 210, líns.
1-3» de su edición, que hay una «errónea colocación de este trozo en la
ed. Losada» (pág. 1566, col. 2.ª, líns. 7-9). No hemos hallado tal equivo-
cación, pese al cotejo con la ed. 1.ª de Losada.. El hecho de citar primero
la pág. 211 nos induce a pensar en una errata.

> En el
> *Del* jardin se siente una guitarra. Los cipreses se mueven con
> el viento)

243-244 Ms.: *La voz del jardinero acompañada de guitarra*)

[245-250] Ms.: *Voz Y la enterraran / en el panteoncito / del desengaño. /
Mar Y la enterraron / en el panteoncito / del desengaño.*

245-251 Ms.: Al costado derecho de los versos anteriores.

324

A la vera del agua,
sin que nadie la viera,   250
se murió mi esperanza.

>   *(Por el foro aparecen dos* MONJAS, *seguidas de* PE-
>   DROSA. MARIANA *no los ve.)*

MARIANA

Esta copla está diciendo
lo que saber no quisiera.   255
Corazón sin esperanza
¡que se lo trague la tierra!

CARMEN

Aquí está, señor Pedrosa.

>   *(Asustada, levantándose y como volviendo de un*
>   *sueño.)*   260

MARIANA

¿Quién es?

PEDROSA

   ¡Señora!

---

254 Ms.: Esa copla | Esta copla
        Car
258 Ms.: *Monja 1.ª*
259 Ms. y Ag: saliendo | volviendo

249-251 Fernando Lázaro Carreter sostiene que «El poeta granadino
aprendió de Lope de Vega el uso estratégico de la canción popular o po-
pularizante» («Apuntes sobre el teatro de Federico García Lorca», en *Fe-*
derico García Lorca, ed. de Ildefonso-Manuel Gil, *op. cit.,* pág. 334.

(MARIANA *queda sorprendida y deja esca-*
par una exclamación. Las monjas inician el
mutis.) 265

MARIANA

(A las monjas.)

¿Nos dejan?

CARMEN

Tenemos que trabajar...

(Se van. Hay en estos momentos una gran
inquietud en la escena. PEDROSA, *frío y co-* 270
rrecto, mira intensamente a MARIANA, *y*
ésta, melancólica, pero valiente, recoge sus
miradas.)

ESCENA V

(PEDROSA viste de negro, con capa. Debe hacerse 275
notar su aire frío.)

MARIANA

Me lo dio el corazón: ¡Pedrosa!

_____

263 Ms.: queda sorprendida | (Mariana queda

      pequeña
264 Ms.: una exclamación | una exclamación
270 Ag.: en escena | en la escena

                       como saliendo de un sueño
271-272 Ms.: y ésta un poco aturdida pero valentísima *le* (ilegible)
recoge
275-276 Ms.: su aire frio debe hacerse notar // L.: Falta esta acotación.
// Ag.: Su aire frío debe hacerse notar. [Corregimos errata de *LF.*: Debe
de hacerse]

El mismo,
que aguarda, como siempre, sus noticias.
Ya es hora. ¿No os parece?   280

MARIANA

Siempre es hora
de callar y vivir con alegría.

(Se sienta en un banco. En este momento, y duran-
te todo el acto, Mariana tendrá un delirio delica-
dísimo, que estallará al final.)   285

PEDROSA

¿Conoce la sentencia?

MARIANA

La conozco.

PEDROSA

¿Y bien?

MARIANA

(Radiante.)

Pero yo pienso que es mentira.   290
Tengo el cuello muy corto para ser

291-292 Lorca incluye en estos versos la frase que pronunció Mariana en
la realidad, cuando el escribano del rey le notificó la petición de muerte:
«Tengo el cuello muy corto para ser ajusticiada» (Antonina Rodrigo, *Ma-*
riana de Pineda, op. cit., pág. 146).

ajusticiada. Ya ve. No podrían.
Además, es hermoso y blanco: nadie
querrá tocarlo.

PEDROSA

(Completando.) 295

¡Mariana!

MARIANA

(Enérgica.)

Se olvida
que para que yo muera tiene toda
Granada que morir. Y que saldrían 300
muy grandes caballeros a salvarme,
porque soy noble. Porque yo soy hija
de un capitán de navío, Caballero
de Calatrava. ¡Déjeme tranquila!

PEDROSA

No habrá nadie en Granada que se asome 305
cuando usted pase con su comitiva.
Los andaluces hablan; pero luego...

---

293 Ms.: Ademas es hermoso y blanco nadie // F.: Además, es hermoso y blanco; nadie // Ag.: Además, es hermoso y blanco; nadie [Por razones métricas corregimos errata de *LF:* Además, es hermoso y blanco:]
        querrá
294 Ms.: *se atrevera a* tocarlo. // Ag.: querrá tocarlo.
295 Ms.: Falta
297 Ms.: (fiera) // Ag.: (Fiera.) | (Enérgica.)
303 Ms.: navio caballero // L.: navío, caballero | navío, Caballero
304 Ms.: Calatrava! | Calatrava.

MARIANA

Me dejan sola; ¿y qué? Uno vendría
para morir conmigo, y esto basta.
¡Pero vendrá para salvar mi vida!   310

(Sonríe y respira fuertemente, llevándose las manos
al pecho.)

PEDROSA

(En un arranque.)

Yo no quiero que mueras tú, ¡no quiero!
Ni morirás, porque darás noticias   315
de la conjuración. Estoy seguro.

MARIANA

(Enérgica.)

No diré nada, como usted querría,
a pesar de tener un corazón
en el que ya no caben más heridas.   320

311-312 Ms.: Añadidos en letra más pequeña en el margen derecho.
314 Ms.: ¡Yo no quiero que mueras tu! No quiero
          llena de ira
[315] Ms.: *Mar (extrañada y llena de asco) ¡Pedrosa!*
315 Ms.: Psa exaltado) Ni
[317] Ms.: *El rey te salva y tu quieres vivir!*
317 Ms.: (fiera) // Ag.: (Fiera) | (Enérgica.)
          A pesar de tener un corazon
                    frío
319 Ms.: Y *tengo el corazon de acero vivo* (?)
          En el que ya no caben más heridas
          Pero Pedrosa ¡que gran cobardia!
320 *Ms.: Conozco a todos*

Fuerte y sorda seré a vuestros halagos.
Antes me daban miedo sus pupilas.
Ahora le estoy mirando cara a cara,

(Se acerca.)

y puedo con sus ojos que vigilan   325
el sitio donde guardo este secreto,
que por nada del mundo contaría.
¡Soy valiente, Pedrosa, soy valiente!

PEDROSA

Está muy bien.

(Pausa.)   330

                Ya sabe, con mi firma
puedo borrar la lumbre de sus ojos.
Con una pluma y un poco de tinta
puedo hacerla dormir un largo sueño.

MARIANA

(Elevada.)   335

¡Ojalá fuese pronto por mi dicha!

_____

                fuerte
321 Ms.: *Y firme* y sorda seré a vuestros halagos
                me daban miedo
321-322 Ms.: Antes *no resistia sus* pupilas [Añadidas en el margen
derecho con letra pequeña hasta la lín. 328, inclusive.]
[324] Ms.: (una monja cruza en el fondo Huye en silencio)
                reaccionando friamente
[329-334j Ms.: Psa *(reaccionando fuertemente)* Esta bien Si usted sigue
pensando / de esta manera se le hara justicia / Mar ¡Que justicia! Queremos Libertad / para mover los brazos y [Encuadrado y anulado.]
                Con mi firma
331 Ms.: *de mi firma*
[332] Ms.: Mariana en silencio (?)

(Frío.)

Esta tarde vendrán.

MARIANA

(Aterrada y dándose cuenta.)

¿Cómo?   340

PEDROSA

                    Esta tarde;
ya se ha ordenado que entres en capilla.

MARIANA

(Exaltada y protestando fieramente.)

¡No puede ser! ¡Cobardes! ¿Quién manda
dentro de España tales villanías?   345
¿Qué crimen cometí? ¿Por qué me matan?
¿Dónde está la razón de la Justicia?
En la bandera de la Libertad
bordé el amor más grande de mi vida.
¿Y he de permanecer aquí encerrada?   350

---

338 Ms.: Con exclamaciones.
          fieramente
343 Ms.: protestando *tiernamente* (?) de su muerte) // Ag.: protestan-
do fieramente de su muerte.) | protestando fieramente.)
          manda
344 Ms.: ¿Quien *ordena*
[346-347] Ms.: Si la sangre me corre por las venas

¡Quién tuviera unas alas cristalinas
para salir volando en busca tuya!

(PEDROSA *ha visto con satisfacción esta súbita deses-*
peración de Mariana y se dirige a ella. La luz em-
pieza a tomar el tono del crepúsculo.)   355

PEDROSA

(*Muy cerca de* MARIANA)

Hable pronto, que el Rey la indultaría.
Mariana, ¿quiénes son los conjurados?
Yo sé que usted de todos es amiga.
Cada segundo aumenta su peligro.   360
Antes que se haya disipado el día
ya vendrán por la calle a recogerla.
¿Quiénes son? Y sus nombres. ¡Vamos, pronto!
Que no se juega así con la justicia,
y luego será tarde.   365

MARIANA

(*Firme.*)

¡No hablaré!

---

llenando
y llena de rubor mi carne limpia!
Marcación ondulada que abarca los dos versos. No pasan a *LF.* ni a
otra edición.
　　　Para salir volando en busca tuya.
　352 Ms.: *Para volar de estrella a estrella sala*
　356 Ms.: esta muy cerca de | (Muy cerca de
　364 Ms.: Con exclamaciones
　366 Ms.: fiera) // Ag.: (Fiera.) | (Firme.)

PEDROSA

(Cogiéndole las manos.)

¿Quiénes son?

MARIANA

Ahora menos lo diría.   370

(Con desprecio.)

Suelta, Pedrosa; vete. ¡Madre Carmen!

PEDROSA

¡Quieres morir!

(Aparece, llena de miedo, la MADRE CARMEN,
y dos monjas cruzan al fondo.)   375

CARMEN

¿Qué pasa, Marianita?

MARIANA

Nada.

---

368 Ms.: fiero y cogiendo las manos) // Ag.: (Fiero, cogiéndole las manos.) | (Cogiéndole las manos.)

372 Ms.: Suelta ¡Pedrosa! Vete! ¡Madre! | Suelta, Pedrosa; vete. ¡Madre

373 Ms.: Psa (terrible) // Ag.: PEDROSA. (Terrible.)
        Dos monjas cruzan el fondo como dos fantasmas.

374-375 Ms.: carmen *y dos monjas mas*
        Ag.: CARMEN; dos MONJAS cruzan al fondo como dos fantasmas.)

377 Ms.: Nada... | Nada.

333

Señor, no es justo...

PEDROSA

(Frío y autoritario dirige una severa mirada a la
monja, e iniciando el mutis.)   380

Buenas tardes.

(A MARIANA.)

Tendré un placer muy grande si me avisa.

CARMEN

¡Es muy buena, señor!

PEDROSA

(Altivo.)   385

No os pregunté.

(Sale, seguido de SOR CARMEN.*)*

---

379 Ms.: (frio *y* sereno y autoritario dirigiendo una terrible mirada
[381] Frag. 5: Fe (a la monja Carmen que se le acerca) ¡Vigilen a Mariana es Pelig...
383 Frag. 5: avisa. (va saliendo)
384 Frag. 5: ¡Es muy buena señor y es inocente!
385 Ms.: (altanero) | (Altivo.)
387 Frag. 5: (salen) // Ms.: (salen con Pedrosa

ESCENA VI

MARIANA

*(En el banco con dramática y tierna entonación
andaluza.)*   390

Recuerdo aquella copla que decía
cruzando los olivos de Granada:
«¡Ay, qué fragatita,
real corsaria! ¿Dónde está
tu valentía?   395
Que un velero bergantín
te ha puesto la puntería».

(Soñadora.)

Entre el mar y la estrellas
con qué gusto pasearía   400
apoyada sobre una
larga baranda de brisa.

---

[388] Ms.: *Mar (en el banco y como en extasis)*
388 Frag. 5: Es VIII // Ms.: Es VI [A lápiz]
389 Frag. 5: (en extasis)
393 Frag. 5: fragatita... | fragatita,
                             esta
394 Frag. 5: donde *fué*
395 Frag. 5 y Ms.: tu lozania | tu valentía?
397 Frag. 5 y Ms.: puntería» // L.: puntería. // Ag.: puntería.» [Considera-
mos que L. reproduce la versión de *LF.* que corregimos porque evidentemente se debe a un error. De no colocarse comillas, se confundiría el
texto de la canción con el monólogo de Mariana.]
398 Ms.: (como soñando y nebulosamente) // Ag.: (Como soñando y
nebulosamente.) [La acotación se ha agregado al parecer con letra pequeña en el margen izquierdo del Ms.]
400 Frag. 5: ¡con que gusto pasearia! // Ms.: con que gusto pascaria! //
L. y Ag.: ¡ con qué gusto pasearía
402 L. y Ag.: brisa!

(Con angustia.)

Pedro, coge tu caballo
o ven montado en el día.   405
¡Pero pronto! Que ya vienen
para quitarme la vida.
Clava las duras espuelas.

(Llorando.)

«¡Ay, qué fragatita,   410
real corsaria! ¿Dónde está
tu valentía?
Que un famoso bergantín
te ha puesto la puntería».

(Vienen dos MONJAS.)   415

MONJA 1.ª

Sé fuerte, que Dios te ayuda.

CARMEN

Marianita, hija, descansa.

(Se llevan a MARIANA.)

---

403 Ms.: (con pasion y llena de angustia) // Ag.: (Con pasión y llena
de angustia.)
406 Frag. 5: Pero pronto // Ms.: ¡pero pronto!
410 Frag. 5 y Ms.: «Ay que // Ag.: «¡Ay qué [Uniformamos *LF.* con
Frag. 5, Ms. y Ag. por motivos expuestos en 397.]
411 Frag. 5: donde *fue* está
413 Crag. 5: Que un velero bergantín
415 Ms.: Con una marcación ondulada sobre la acotación.
418 Ms.: Se repite la acotación con letras enormes a lápiz: «Se llevan a
Mar».

ESCENA VII

(Suena el esquilín de la monjas. Por el fondo 420
aparecen varias de ellas, que cruzan la escena
y se santiguan al pasar ante una Virgen de los
Dolores que, con el corazón atravesado de pu-
ñales, llora en el muro, cobijada por un inmen-
so arco de rosas amarillas y plateadas de pa- 425
pel. Entre ellas se destacan las NOVICIAS 1.ª
y 2.ª. *Los cipreses comienzan a teñirse de luz*
dorada.)

NOVICIA 1.ª

¡Qué gritos! ¿Tú los sentiste?

NOVICIA 2.ª

Desde el jardín; y sonaban   430
como si estuvieran lejos.
¡Inés, yo estoy asustada!

NOVICIA 1.ª

¿Dónde estará Marianita,
rosa y jazmín de Granada?

NOVICIA 2.ª

Está esperando a su novio.   435

421-422 Ms.: la escena y *al pa* y se santiguan al
429-431 Ms.: Señal ondulada al final de las líneas.
432 Ms.: Sin exclamaciones.
435 Ms.: *Ma* esta esperando

NOVICIA 1.ª

Pero su novio ya tarda.

NOVICIA 2.ª

¡Si la vieras cómo mira
por una y otra ventana!
Dice: «Si no hubiera sierras
lo vería en la distancia».   440

NOVICIA 1.ª

Ella lo espera segura.

NOVICIA 2.ª

¡No vendrá por su desgracia!

NOVICIA 1.ª

¡Marianita va a morir!
¡Hay otra luz en la casa!

NOVICIA 2.ª

¡Y cuánto pájaro! ¿Has visto?   445
Ya no caben en las ramas

Pero su novio ya tarda
436 Ma.: *En la mas alt*
439-441 Ms.: Añadidas con letra pequeña al costado derecho.
lo espera segura
441 Ms.: Ella dice que vendra
442 Ms.: Insertado con letra diminuta y sin exclamaciones.
443 Ms.: Sin signos de exclamación.
445 Ms.: Y cuanto pajaro ¿Has

338

del jardín ni en los aleros;
nunca vi tantos, y al alba,
cuando se siente la Vela,
canta y cantan y cantan...   450

NOVICIA 1.ª

... y al alba,
despiertan brisas y nubes
desde el frescor de las ramas.

NOVICIA 2.ª

... y al alba,
por cada estrella que muere   455
nace diminuta flauta.

NOVICIA 1.ª

Y ella... ¿Tú la has visto? Ella
me parece amortajada

448-450 Ms.: Marcación ondulada al final de las líneas.
[449-450] Ms.: hacen del viento dormido
                una larguísima flauta
Se adicionan a la derecha de la marcación.
451-456 Ms.: No figuran.

---

449 Se trata de la campana de la torre de la Alhambra llamada «de la Vela».
Se encontraba en la Alcazaba o muralla defensiva por ser aquélla desde
donde con centinelas se vigilaba la ciudad. En caso de peligro repicaba la
campana. Allí izaron el estandarte de Castilla los Reyes Católicos cuando
conquistaron la ciudad el 2 de enero de 1492. En el siglo pasado vivió en
ella el escritor romántico Washington Irving y escribió sus famosos *Cuentos de la Alhambra*. Sobre la puerta de entrada están grabados en placa de
mármol los célebres versos de Francisco de Icaza: «Dale limosna, mujer,
/ pues no hay en la vida nada / más triste que ser / ciego en Granada».
También Lorca tiene en cuenta a la campana de la Vela en su primer libro
Impresiones y paisajes.

cuando cruza el coro bajo
con esa ropa tan blanca.   460

NOVICIA 2.ª

¡Qué injusticia! Esta mujer
de seguro fue engañada.

NOVICIA 1.ª

¡Su cuello es maravilloso!

NOVICIA 2.ª

*(Llevándose instintivamente las manos al
cuello.)*   465

Sí; pero...

NOVICIA 1.ª

Cuando lloraba
me pareció que se le iba
a deshojar en la falda.

(Se acercan dos MONJAS.)   470

MONJA 1.ª

¿Vamos a ensayar la Salve?

NOVICIA 1.ª

¡Muy bien!

---

463 Ms.: Sin signos de exclamación.
[464] Ms.: *¡tan blanco!*
464-465 Ms.: Parecen insertadas con letra pequeña.

NOVICIA 2.ª

Yo no tengo gana.

MONJA 1.ª

Es muy bonita.

NOVICIA 1.ª

*(Hace una seña a las demás se dirigen rápidamen- 475
te al foro.)*

¡Y difícil!

*(Aparece MARIANA por la puerta de la
izquierda, y al verla se retiran todas con
disimulo.)* 480

MARIANA

(Sonriendo.)

¿Huyen a mí?

NOVICIA 1.ª

(Temblorosa.)

¡Vamos a la...!

---

474 Ms.: Mon 2.ª Es muy bonita
476 Ms.: al foro // L.: al coro). // Ag.: al foro.) Creemos que L. ha
copiado una errata de *LF*. La corregimos en esta edición.
479-480 Ms.: todas. *pero* (?) con disimulo
483-484 Ms.: No 1.ª (temblando) Vamos a la ... // Ag.: NOVICIA 1.ª
(Temblando.) Vamos a la...!

NOVICIA 2.ª

(Turbada.)   485

Nos íbamos... Yo decía...
Es muy tarde.

MARIANA

(Con bondad irónica.)

¿Soy tan mala?

NOVICIA 1.ª

(Exaltada.)   490

¡No, señora! ¿Quién lo dice?

MARIANA

¿Qué sabes tú, niña?

NOVICIA 2.ª

(Señalando a la primera)

¡Nada!

NOVICIA 1.ª

¡Pero la queremos todas!   495

---

491 Ms.: No señora ¡quien lo dice!
494 Ms.: Nada | ¡Nada!
495 Ms.: Sin exclamaciones.

(Nerviosa.)

¿No lo está usted viendo?

MARIANA

(Con amargura.)

¡Gracias!

(MARIANA *se sienta en el banco, con las manos cruzadas* 500
y la cabeza caída, en una divina actitud de tránsito.)

NOVICIA 1.ª

¡Vámonos!

NOVICIA 2.ª

¡Ay, Marianita,
rosa y jazmín de Granada,
que está esperando a su novio,   505
pero su novio se tarda!...

(Se van.)

MARIANA

¡Quién me hubiera dicho a mí!...
Pero... ¡paciencia!

---

500 Ms. y Ag.: (Se sienta | (Mariana se sienta

506 Ms.: tarda.., tarda!...

508 Ms.: ¿Quien me hubiera dicho a mi... / ¡Quién me hubiera dicho
a mí!...

509 Ms.: pero paciencia. | Pero... ¡paciencia!

(Que entra.)   510

¡Mariana!
Un señor, que trae permiso
del juez, viene a visitarla.

Mariana

(Levantándose, radiante.)

¡Que pase! ¡Por fin, Dios mío!   515

> *(Sale la monja. Mariana se dirige a una
> cornucopia que hay en la pared y, llena de
> su delicado delirio, se arregla los bucles y el
> escote.)*

Pronto... ¡qué segura estaba!   520
Tendré que cambiarme el traje:
me hace demasiado pálida.

---

510 Ms.: Falta acotación.
512 Ms.: permiso *del juez*
516 Ms.: (sale la monja) Se dirige | monja. Mariana se dirige
521 Ms.: el traje | el traje:
522 Ms.: Me hace | me hace

ESCENA VIII

(Se sienta en el banco, en actitud amorosa, vuelta
al sitio donde tienen que entrar. Aparece la MA- 525
DRE CARMEN, y MARIANA, no pudiendo resistir,
se vuelve. En el silencio de la escena, entra FER-
NANDO. MARIANA queda estupefacta.)

MARIANA

(Desesperada, como no queriéndolo creer.)

¡No!   530

FERNANDO

(Triste.)

¡Mariana! ¿No quieres que hable contigo? ¡Dime!

MARIANA

¡Pedro! ¿Dónde está Pedro?
¡Dejadlo entrar, por Dios!
¡Está abajo, en la puerta!   535
¡Tiene que estar! ¡Que suba!

---

524 Ms.: en una actitud | en actitud
                    entra
527-528 Ms.: *apar* Fernando palido // Ag.: entra Fernando, pálido. |
entra Fernando.
529 Ms.: ¡*No!* desesperada y como | (Desesperada, como
531 Ms.: (triste y casi sin poder hablar | (Triste.)
533-534 Ms.: Un solo verso.
535-536 Ms.: Un solo verso.
535 Ms.: en la puerta ¡*lo se!*

Tú viniste con él,
¿verdad? Tú eres muy bueno.
Él vendrá muy cansado, pero entrará enseguida.

FERNANDO

Vengo solo, Mariana. ¿Qué sé yo de don Pedro?   540

MARIANA

¡Todos deben saber, pero ninguno sabe!
Entonces, ¿cuándo viene para salvar mi vida?
¿Cuándo viene a morir, si la muerte me acecha?
¿Vendrá? Dime, Fernando.
¡Aún es hora!   545

FERNANDO

(*Enérgico y desesperado, al ver la actitud de* MA-
RIANA.)

Don Pedro no vendrá,
porque nunca te quiso, Marianita.
Ya estará en Inglaterra,   550
con otros liberales.

---

537 Ms.: con el *verdad?*
538 Ms.: verdad? ¡tu eres muy bueno!
539 Ms.: vendra muy cansado // L. y Ag.: vendrá muy cansado, [LF.
se ha saltado una sílaba del primer hemistiquio que restituimos; «muy».]
540 Ms.: Mariana (con ira reprimida) ¿que se
541 Ms.: Sin exclamaciones.
            acecha
543 Ms.: me *ronda?*
544-545 Ag.: Un solo verso.
548 Ms.: Don Pedro, / no vendrá // Ag.: Don Pedro / no vendrá,
            Ya estará en Inglaterra   liberales
550-551 Ms.: *Esta fuera de España* con otros *caballeros.*

Te abandonaron todos
tus antiguos amigos.
Solamente mi joven corazón te acompaña.
¡Mariana! ¡Aprende y mira cómo te estoy queriendo!   555

MARIANA

(Exaltada.)

¿Por qué me lo dijiste? Yo bien que lo sabía;
pero nunca lo quise decir a mi esperanza.
Ahora ya no me importa. Mi esperanza lo ha oído
y se ha muerto mirando los ojos de mi Pedro.   560
Yo bordé la bandera por él. Yo he conspirado
para vivir y amar su pensamiento propio.
Más que a mis propios hijos y a mí misma le quise.

Te abandonaron todos
552-553 Ms.: *Tus antiguos amigos* tus antiguos amigos // Ag.: Un verso solo.

¡Mariana! aprende y mira como te estoy queriendo
555 Ms.: *Como te estoy queriendo*
556 Ms.: (loca) | (Exaltada.)
557 Ms.: sabia. | sabía; [En el Ms. se divide en dos versus heptasílabos.]
558 Ms.: Pero | pero

lo ha oido
559 Ms.: ¡Ahora ya no me importa! Mi esperanza *se ha muerto*
muerto
y se ha mirando los ojos de mi Pedro
y se ha hundido (?) en el agua sin que nadie la viera
560 Ms.: *a la orilla (?) del agua sin que nadie la viera*
[561] Ms.: *Fer ¡Se que vas a morir!* [Se retoma en 566.]

por el, yo he conspirado
561 Ms.: (reaccionando) Yo bordé la bandera *para verlo contento*
[562-564] Ms.: *para verlo contento / porque su pensamiento / continuaba mi vida*
562 Ms.: para vivir y amar
su pensamiento propio
su propio pensamiento
Dividido en dos heptasílabos. Al lado derecho de los intentos anteriores.
[563] Ms.: *¡Ay que pobre mujer de coraron tranquilo!*

347

¿Amas la Libertad más que a tu Marianita?
¡Pues yo seré la misma Libertad que tú adoras!   565

FERNANDO

¡Sé que vas a morir! Dentro de unos instantes
vendrán por ti, Mariana. ¡Sálvate y di los nombres!
¡Por tus hijos! ¡Por mí, que te ofrezco la vida!

MARIANA

¡No quiero que mis hijos me desprecien! ¡Mis hijos
tendrán un nombre claro como la luna llena!   570
¡Mis hijos llevarán resplandor en el rostro,
que no podrán borrar los años ni los aires!
Si delato, por todas las calles de Granada
este nombre sería pronunciado con miedo.

---

[564] Ms.: ¿Corazon por que mandas
        en mi si yo quiero?
Englobado al costado izquierdo. Se retorna corno un solo verso en
587.
[565-566] Ms.: Pero mi sacrificio
            no ha servido de nada
Insertado entre líneas con letra muy pequeña. No se traslada a *LF.*
                                                    tu
564 Frag. 2: [Fer] ¡Pedro de Sotomayor / ¿amas *a la* Libertad / mas que
a Mananita? (pág. 22) [Fer] Pedro de Sotomayor / amas tu la Libertad /
mas que a Marianita?... (pág. 24).
565 Ms.: Sin exclamaciones.
567 Ms.: Sin exclamaciones.
568 Ms.: Dividido en dos versos heptasílabos.
569 Ms.: No quiero que mis hijos me desprecien ¡Mis
571-572 Ms.: Añadidos al costado derecho con letra diminuta.
            Este nombre seria
            pronunciado con miedo.
574 Ms.: *grisarian mi nombre con terror y desprecio*

348

FERNANDO

(Dramático.)   575

¡No puede ser! ¡No quiero que esto pase! ¡No quiero!
¡Tú tienes que vivir!
¡Mariana, por mi amor!

MARIANA

(Delirante.)

Y ¿qué es amor, Fernando?   580
¡Yo no sé qué es amor!

FERNANDO

(Cerca.)

¡Pero nadie te quiso como yo, Marianita!

---

575 Ms.: (dramatico y desesperado) // Ag.: (Dramático y desespera-
do.) | (Dramático.)

576 Ms.: ser! no quiero que esto pase ¡no

577-578 Ag.: Un solo verso.

577 Ms.: Sin exclamaciones e insertado entre líneas.

578 Ms.: Mariana ¡por mi amor!

[579] Ms.: *Mar Dejame con mis*

579 Ms.: (loca y delirante en un estado agudo de pasion y angustia) //
Ag.: (Loca y delirante, en un estado agudo de pasión y angustia.) | (Deli-
rante.)

580-581 Ag.: Un solo verso.

581 Ms.: es amor! *¡Dejame con mis sueños!* (se sienta)

583 Ms.: Sin exclamaciones. En el margen derecho tachado:

[583] *«Si el corazon pudiera»* (?) (ilegible) Y abajo: «Otro verso» [Puede
referirse al verso siguiente anulado.]

(Emocionada.)

¡A ti debí quererte más que a nadie en el mundo,   585
si el corazón no fuera nuestro gran enemigo!
Corazón, ¿por qué mandas en mí si yo no quiero?

FERNANDO

¡Ay, te abandonan todos! ¡Habla, quiéreme y vive!

MARIANA

(Retirándolo.)

¡Ya estoy muerta, amiguito! Tus palabras me llegan   590
a través del gran río del mundo que abandono.
Ya soy como la estrella sobre el agua profunda,
última débil brisa que se pierde en los álamos.

---

[584] Ms.: *Tu amor como una mano me aprieta la garganta*

584 Ms.: (reaccionando) Fernando se arrodilla y ella le coje la cabeza sobre su pecho) // Ag.: (Reaccionando.) | (Emocionada.)

585-586 Ms.: Sin exclamaciones.

587 Ms.: Insertado con letra pequeña entre líneas.

[587] Ag.: FERNANDO. (Se arrodilla y ella le coge la cabeza sobre el pecho.)

y vive
y quiereme *un poco.*

588 Ms.: todos, h + Habla *y ¡quiereme! y vive*

[589] Ms.: *Tu amor como una mano me aprieta la garganta*

590 Ms.: Ya estoy muerta Fernando // Ag.: ¡Ya estoy muerta, Fernando!
profunda

592 Ms.: agua *del rio*

(Por el fondo pasa una monja, con las manos cru-
zadas, que mira llena de zozobra el grupo.)   595

FERNANDO

¡No sé qué hacer! ¡Qué angustia! ¡Ya vendrán a buscarte!
¡Quién pudiera morir para que tú vivieras!

MARIANA

¡Morir! ¡Qué largo sueño sin ensueños ni sombra!
Pedro, quiero morir
por lo que tú no mueres,   600
por el puro ideal que iluminó tus ojos:
¡¡Libertad!! Por que nunca se apague tu alta lumbre,
me ofrezco toda entera.
¡¡Arriba, corazones!!

[594-596] Ms.: Fer *¡Quien pudiera vivir + morir para que tu vivieras!*
                    Tus ojos tienen vida
             Mar *¡Pronto se cerraran!*
                    pasa
594 Ms.: fondo *cruza*
596 Ms.: No se que hacer ¡que
598 Ms.: ¡Morir! q + Que largo
599-600 Ag.: Un solo verso.
599 Ms.: Pedro quiero morir, *por lo que tu no mueres*
601 Ms.: Por el puro ideal, que iluminó tus ojos
             que iluminó tus ojos
                    tu alta lumbre
602 Ms.: apaguen *tus hogueras!*
[603-604] Ms.: *Porque todos los hombres abran su corazon*
                    Me ofrezco toda entera
603-604 Ms.: Me ofrezco toda entera ¡¡Arriba corazones! // Ag.: me
ofrezco toda entera. Arriba, corazón!!

---

593 En el último verso del *Llanto por Ignacio Sánchez Mejía* dirá García Lorca: «y recuerdo una brisa triste por los olivos».

¡Pedro, mira tu amor   605
a lo que me ha llevado!
Me querrás, muerta, tanto, que no podrás vivir.

> *(Dos monjas entran, con las manos cruzadas, en la*
> *misma expresión de angustia, y no se atreven a*
> *acercarse.)*   610

Y ahora ya no te quiero,
¡sombra de mi locura!

CARMEN

> *(Entrando.)*

¡Mariana!

> *(A* FERNANDO.*)*   615

            ¡Caballero!
¡Salga pronto!

605-606 Ag.: Un verso solo.
607 Ms.: ¡Me querrás muerta tanto que no podrás vivir
          que no podrás vivir!
611-612 Ms.: Y ahora ya no te quiero
              ¡porque soy una sombra!
          Ag.: Y ahora ya no te quiero, porque soy una sombra.
En sus «Notas...» Ag. transcribe equivocadamente como un alejandrino los dos versos de *LF.* y L.: «Y ahora ya no te quiero, sombra de mi
locura.» Faltan asimismo las exclamaciones del 2º verso que corresponde-
ría al 2.º hemistiquio en la cita de Ag. (pág. 1567, col. 1.ª, líns. 1 y 2).
613 Ms.: Sor Car entrando casi ahogada) // Ag.: (Entrando, casi aho-
gada.) | (Entrando.)
614 Ms.: Mariana | ¡Mariana!
616-617 Ag.: Un verso solo.
616 Ms.: Caballero | ¡Caballero!

352

(Angustiado.)

¡Dejadme!

MARIANA

(Loca.)   620

¡Vete! ¿Quién eres tú?
¡Ya no conozco a nadie!
¡Voy a dormir tranquila!

> *(Entra otra monja rápidamente, casi ahoga-*
> *da por el miedo y la emoción. Al fondo cruza* 625
> *otra con gran rapidez, con una mano sobre la*
> *frente.)*

FERNANDO

(Emocionadísineo.)

¡Adiós, Mariana!

MARIANA

                 ¡Vete!   630
Ya vienen a buscarme.

621-622 Ag.: Un único verso.
        ¿Quien eres tu?
621 Ms.: *No te conozco*
623 Ms.: Sin exclamaciones.
        entra
624 Ms.: *(sale*
        con gran rapidez
626-627 Ms.: *rapidamente* con *la* + una mano
628 Ms.. (desesperado) | (Emocionadísimo.)

(Sale FERNANDO, *llevado por dos monjas.)*

Como un grano de arena
siento al mundo en los dedos.

(Viene otra monja.)   635

¡Muerte! ¿Pero qué es muerte?

(A las monjas.)

Y vosotras, ¿qué hacéis?
¡Qué lejanas os siento!

CARMEN

(Que llega llorando.)   640

¡Mariana!

MARIANA

¿Por qué llora?

CARMEN

¡Están abajo, niña!

---

           llevado
   632 Ms.: Fer *arrastrado*

   [634] Ag.: (Viene otra MONJA.) Entre 633 y 634.

   634 y 636 Ag.: siento al mundo en los dedos. ¡Muerte! Pero ¿qué es
muerte?

   636-638 Ms.: Muerte ¿pero que es Muerte (a las monjas) y vosotras
¿que haceis?

   638-639 Ag.: Un verso solo.

   641 Ms.: Mariana | ¡Mariana!

Monja 1.ª

¡Ya suben la escalera!

ESCENA ÚLTIMA   645

(Entran por el foro todas las monjas. Tienen la
tristeza reflejada en los rostros. Las novicias 1.ª
y 2.ª están en primer término. SOR CARMEN,
cerca de MARIANA. *Toda la escena irá adquirien-*
do hasta el final una gran luz extrañísima de cre- 650
púsculo granadino. Luz rosa y verde entra por los
arcos y los cipreses se matizan exquisitamente, has-
ta parecer piedras preciosas. Del techo desciende
una suave luz naranja, que se irá intensificando
hasta el final.)   655

MARIANA

¡Corazón, no me dejes! ¡Silencio! Con un ala,
¿dónde vas? Es preciso que tú también descanses.
Nos espera una larga locura de luceros
que hay detrás de la muerte. ¡Corazón, no desmayes!

---

644 Ms.: Sin exclamaciones.

648-649 Ms.: Sor Carmen digna y traspasada de pena esta cerca //
Ag.: SOR CARMEN, digna y traspasada de pena, está cerca

649-650 I..: escena va adquiriendo

651-652 Ms.: las *vidrie* (?) ventanas | los arcos

654 Ms.: luz anaranjada que se ira // L.: que se va // Ag.: que se va [Se
corrige el «seguirá» de *LF.* que se debe seguramente a un error de copia
por «se irá».]

       ¡Vuela en aquellos aires!
659 Ms.: Muerte, *Corazon no desmayes*

¡Olvídate del mundo, preciosa Marianita!   660

CARMEN

¡Qué lejano lo siento!

CARMEN

¡Ya vienen a buscarte!

MARIANA

¡Pero qué bien entiendo lo que dice esta luz!
¡Amor, amor, amor y eternas soledades!

(Entra el JUEZ *por la puerta de la izquierda.)*   665

NOVICIA 1.ª

¡Es el juez!

NOVICIA 2.ª

¡Se la llevan!

Olvidate del mundo ¡preciosa Marianita!
   660 Ms.: *Marianita no esperes ya nada de este mundo*
   663 Ag.: Pero ¡qué bien entiendo lo que dice esta luz!
   664 Ms.: ¡Amor! amor! amor! y eternas soledades // Ag.: amor, y eter-
nas soledades! | amor y eternas soledades!
   [665] Ms.: *No 1.ª Es el juez*
         Entra el juez por la puerta de la izquierda.
   665 Ms.: *Entra por la puerta de la izqui*

JUEZ

Señora, cuando guste;
hay un coche en la puerta.

MARIANA

Mil gracias. Madre Carmen,   670
salvo a muchas criaturas que llorarán mi muerte.
No olviden a mis hijos.

CARMEN

¡Que la Virgen te ampare!

MARIANA

¡Os doy mi corazón! Dadme un ramo de flores;
en mis últimas horas yo quiero engalanarme.   675
Quiero sentir la dura caricia de mi anillo
y prenderme en el pelo mi mantilla de encaje.

---

668 Ms.: ¡Señora! cuando guste! // L y Ag.: Señora, a sus órdenes;
669 Ms.: ¡Hay un coche en la puerta!
670 Ms.: ¡Mil gracias! | Mil gracias.
[672-673] Ms.: *También mi sacrificio* [no] *ha sido inutil. Muero*
                    un nombre
            Sin pronunciar un solo nombre de mis amigos
672 Ms.: Con exclamaciones.
                                    flores!
674 Ms.: Os doy mi corazon ¡Dadme un ramo de *rosas*
675 Ms.: *Quiero salir sin* (?) En mis
            me en el
            y prender *en mi* pelo *la* mi mantilla
677 Ms.: *y enrollar a mis*

---

677 «El fondo de realidad de la obra es también mayor de lo que se ha
supuesto [...] Mariana se negó a que le quitaran las ligas (una de las pre-

357

Amas la libertad por encima de todo,
pero yo soy la misma Libertad. Doy mi sangre,
que es tu sangre y la sangre de todas las criaturas.   680
¡No se podrá comprar el corazón de nadie!

(*Una monja le ayuda a ponerse la mantilla.* MA-
RIANA, *se dirige al fondo, gritando.*)

Ahora sé lo que dicen el ruiseñor y el árbol.
El hombre es un cautivo y no puede librarse.   685
¡Libertad de lo alto! Libertad verdadera,
enciende para mí tus estrellas distantes.
¡Adiós! ¡Secad el llanto!

(*Al juez.*)

¡Vamos pronto!   690

---

[678] Ms.: *una monja le entrega estas cosas)*
678 Ms.: ¡Amas la Libertad por encima de todos!
679 Ms.: Pero yo soy la misma Libertad. ¡Doy mi sangre!
680 Ms.: que *el + es* (?) *la + tu* sangre y
      podra
681 Ms.: *puede* comprar
[682-686] Ms.: *Yo soy la Libertad porque el amor lo quiso / No. ¡Ay Mariana Pineda / Car. ¡Porque has amado mucho Dios te abrirá su puerta / ¡Ay triste Marianita rosa de los rosales! / ¡Adios! ¿Estais llorando?* [Todo tachado y englobado.]
682-683 Ms.: mantilla *Mariana está delirando.* [Abajo de [682-686], a la izquierda: «¡Se dirige al fondo gritando!»]
        El hombre es un cautivo.
685 Ms.: *Todos somos cautivos*
690 Ms.: pronto! *¡Señora! ¡A prisa!* (?)

---

cauciones que tomaban pata evitar todo intento de suicidio), pues dijo que no quería ir al cadalso con las medias caídas. Es también dato histórico que el verdugo, nervioso, le colocó la opa al revés, y que ella misma rectificó el error y se la puso al derecho. No podían recogerse estos hechos, pero sí la coquetería y la atención a su atuendo, que poetizadas en el drama, pudieran parecer poco creíbles, cuando no pura invención del poeta» (Francisco García Lorca, *op. cit.*, pág. 239).

358

CARMEN

¡Adiós, hija!

MARIANA

Contad mi triste historia a los niños que pasen.

CARMEN

Porque has amado mucho, Dios te abrirá su puerta.
¡Ay, triste Marianita! ¡Rosa de los rosales!

NOVICIA 1.ª

(Arrodillándose.)   695

Ya no verán tus ojos las naranjas de luz
que pondrá en los tejados de Granada la tarde.

(Fuera empieza un lejano campaneo.)

MONJA 1.ª

(Arrodillándose.)

Ni sentirás la dulce brisa de primavera   700
pasar de madrugada tocando tus cristales.

692-693 Ms.: Dos marcaciones paralelas onduladas al final, entre estos versos.
693 Ms.: Con exclamaciones.
        arrodillandose
695 Ms.: *(se acerca a Mañana*
700-101 Ms.: Con exclamaciones.

Novicia 2.ª

(Arrodillándose y besando la orla del vestido de Mariana.)

¡Clavellina de mayo! ¡Luna de Andalucía!,
en las altas barandas tu novio está esperándote.   705

Carmen

¡Mariana, Marianita, de bello y triste nombre,
que los niños lamenten tu dolor por la calle!

Mariana

(Saliendo.)

¡Yo soy la Libertad porque el amor lo quiso!
¡Pedro! La Libertad, por la cual me dejaste.   710

702-703 Ms.: la orla de su vestido.

704 Ms.: Mayo! Luna de Andalucía // Ag.: Mayo! ¡Rosa de [Se agrega la coma que faltaba en *LF.:* Andalucía!,]

705 Ms.: aguardandote (?) + esperandote // Ag.: que en las altas
                                    de

706 Ms.: Marianita *que* bello
                        lamenten

707 Ms.: ¡Que los niños *entiendan*

[707] Ms.: (Un campaneo *lejan* vivo y solemne invade la escena) [Esta ubicación se adelanta a la de *LF,* donde se halla en 713.)

709 Ms.: Sin exclamaciones.

---

705 Las «barandas» son una esencializacsón que el poeta hace de Granada. Aparecen dos veces en *Mañana Pineda* y varias en el *Romancero gitano*. En la colina del Albaicín abundan los miradores desde donde se disfrutan distintas perspectivas de la ciudad y de la otra colina, la de la Alhambra. Es símbolo ascensional asociado por lo general a la muerte.

¡Yo soy la Libertad, herida por los hombres!
¡Amor, amor, amor y eternas soledades!

> *(Un campaneo vivo y solemne invade la escena, y*
> *un coro de niños empieza, lejano, el romance. Ma-*
> *ñana va saliendo lentamente, apoyada en Sor* 715
> *Carmen. Todas las demás monjas están arrodilla-*
> *das. Una luz maravillosa y delirante invade la es-*
> *cena. Al fondo, los niños cantan.)*

¡Oh, qué día tan triste en Granada,
que a las piedras hacía llorar,   720
al ver que Marianita se muere
en cadalso, por no declarar!

> *(No cesa el campaneo.)*

TELÓN LENTO

---

711 Ms.: Sin signos de exclamación.
713-714 Ms.: Un coro |, y un coro
715 Ms.: va saliendo // L: se va saliendo // Ag.: se va, saliendo
716-717 Ms.: arrodilladas *ante*. | arrodilladas.

yo soy la ... tierra que ... formaste.
¡Amor, amor, amor: eternas voluntades!

Un ... ... y ...
... de ... ...
... ... en ...
... ...
... Una luz ... y ... ...
y ... ... la ... ...

¿Qué día tú naciste en Granada,
que a las piedras hizo llorar,
al ver que Matanicas se quiere
y a ... ... que no declarar?

(... ... ...)

TESTAMENTO.

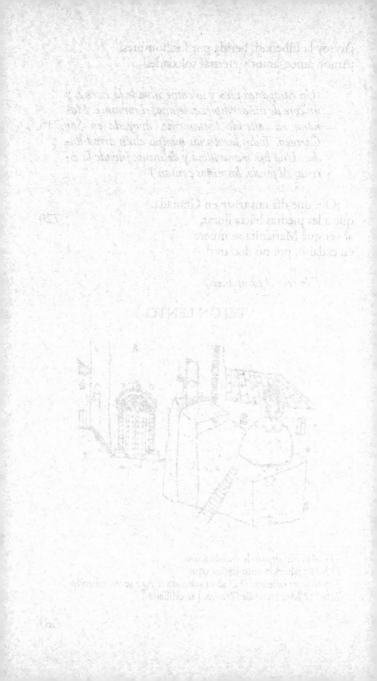

Apéndice

Fragmento 1

Comprende dos medios pliegos, el primero de 15 × 21 cm y de 15,4 × 21, 5 cm el otro. Escritos con tinta azul de una sola cara, numerados 13 y 14, respectivamente. Escena de Clavela, Mariana y Fernando correspondiente a la Estampa primera.

Pág. 13

CLAVELA

Me la dio un embozado,
jinete en una jaca cordobesa,
soltó las bridas y partió trotando
la negra capa hinchada por el aire.

MARIANA

Mucha prisa llevaba. ¿Le has hablado?   5

CLAVELA

Ni yo le dije nada ni él a mí.
Lo mejor es callar en estos casos.

---

    solto las bridas   trotando
   3 *y se fue velozmente* y patio *volando*
     Mucha prisa llevaba
   5 *Parecia tener prisa*
     Es + Lo
   7 *Me he*

(FERNANDO *cepilla el sombrero con
su manga y tiene el semblante in-
quieto.*)   10

MARIANA

No la quisiera abrir. ¡Ay, quien pudiera
en este turbio instante estar soñando,
abrir los ojos y encontrar un mundo
de gente libre y corazón honrado!
¡Señor, no me quitéis lo que más quiero!   15

   (Rasga la carta.)

FERNANDO

   (A CLAVELA *ansiosamente.)*

Estoy confuso. Es esto tan extraño
¿Tú sabes lo que tiene? ¿Qué le ocurre?

   (MARIANA, *presa de vivísima agitación, leyendo*   20
   la carta.)

MARIANA

Clavela, acércame ese candelabro.

   8-10 Intercalado con letra pequeña hacia el margen derecho.
            turbio
   12 En este instante *fuerte*
      un
   13 al (?) mundo
   18 intercalado entre líneas.

(FERNANDO *coge su capa y la cuelga de los hombros.*)

CLAVELA

Mala carta es ésta, mi doña Mariana.   25

FERNANDO

Con vuestro permiso, señora.

MARIANA

(Reponiéndose y queriendo sonreír.)

                                        Fernando,
son asuntos tristes de viudita pobre.
Sufro por mis niños.   30

FERNANDO

                    Yo, por remediarlos,

Pág. 14

daría mi vida si pudiera.

MARIANA

¡Gracias!

_____

                    mi
      Mala carta es esta doña Mariana
25 *Malas noticias son señora mia*
      ¡Gracias!
32 *Cuando* volverá

FERNANDO

Buenas noches.

CLAVELA

¡Salga que yo le acompaño!   35

MARIANA

(Con la carta.)

Antes de las nueve, ¿pero quién iría?
Ya cercan mi casa los días amargos.
Y este corazón, ¿adónde me lleva?
que hasta de mis hijos me estoy olvidando.   40
¡Tiene que ser pronto! Pero ¿quién iría?
El reloj no deja de seguir andando
y todo se acaba como no se salve.
Yo misma me asombro de quererle tanto.
¿A quién buscaría? ¡Clavela! Imposible.   45
¡Señor, por la llaga de vuestro costado!
Es preciso, tengo que atreverme a todo.

(Sale corriendo a la puerta.)

                                                    Fernando

CLAVELA

(Que entra.)   50

En la calle, señora...

---

  que hasta de mis hijos me estoy olvidando
40 *¿que sabor sombrío me mancha los labios?*
42 *Y* el+ El
44 que + de quererle
  imposible
  es inutil
45 *im*

MARIANA

(Asomándose a la ventana.)

¡Fernando!

CLAVELA

(Con las manos cruzadas.)

¡Ay, doña Mariana, qué malita está!   55

Ay, Doña Mariana
Coral de mis males
55 *Coral de mis m*

Fragmento 2

Final de la Estampa primera: escena de Mariana y Fernando.
Comprende 9 cuartillas de 14,5 cm × 18,3 cm, numeradas
de 18 a 26, escritas con tinta marrón, de un solo lado, excepto
la 26 que lleva al dorso un parlamento de Mariana, tachado y
numerado 18.

Pág. 18

MARIANA

Confío en usted. Lo creo
capaz de sacrificarse.
En este momento estamos
rodeados de anchos fosos
y Pedrosa tiende al aire   5
sus mortajas.

FERNANDO

(Inquieto.)

¿Qué habla usted?

_____

    aire
5 *viento*
    ¿Que habla usted?
8 *¿Que decís?*

(Sacando del pecho la carta.)

Amigo, lea esta carta.   10

> (FERNANDO *coge la carta y empieza a leerla. Pau-*
> *sa. En este momento el reloj da las doce lentamen-*
> *te. Las luces de los candelabros hacen temblar la*
> *estancia.* FERNANDO, *presa de vivísima agitación,*
> *se levanta de la silla y estruja la carta nerviosa-*   15
> *mente.)*

FERNANDO

No, Mariana, ¡no! Imposible.

MARIANA

(Fuerte.)

Esta bien pero ¡silencio!

FERNANDO

Como un pedazo de plomo   20
sobre agua que va soñando

---

9 «sacando al pechos» en el Frag.
   Amigo lea esta carta
10 *Tomad esta carta y leedla.*
   estancia
14 *habitación*
   pedazo
20 *remanso*
   sobre agua
21 *en* agua

así esta carta en mi frente.
Yo no puedo ir a salvar
a un hombre que...

MARIANA

(Con pasión.) 25

Lo es todo para mi vida.

Pág. 19

¡Oh qué escozor y relumbre
me envuelve!

FERNANDO

¡Callad, Mariana!

MARIANA

Pero yo iré... 30

(Se detiene.)

¡Oh no puedo!

FERNANDO

¿Cómo quiere que yo?

Yo no puedo ir a salvar
Yo *no puedo* a un hombre
24 *a ese caballero* que
Lo es todo para mi vida
26 Es *mi lumbre y es mi vida*
27, 28 y 29 Intercalados con letra diminuta.
32 *¡Cómo voy!* ¡Oh no puedo!
quiere
33 *quereis*

¡Es claro!
Comprendo. Siempre lo mismo.   35
¡Ya lo sé! Luego dirá
que apuñalo diestramente.
¡Como todos!

FERNANDO

(Con vehemencia.)

¡Eso nunca!   40
Yo estaba dormido, usted
me despertó suavemente.
¿Tengo culpa si la quiero?
Yo nunca quise decirlo.
Y ahora la quiero, Mariana,   45
mucho más porque ya sé
que su corazón se aleja.
Y ahora os quiero más, Mariana,
porque sé que ya sois de otro.

MARIANA

Soy toda suya y lo digo   50
para que no piense más

---

dira
36 *direis*
    ¿Tengo culpa si la quiero?
43 *¿Que culpa tengo si os quiero?*
44 Yo *y no queda* (?) quise
45, 46 y 47 Se intercalan en letra pequeña hacia el margen derecho.
    ya sois
49 *usted es*
    no piense mas
51 *jamás penséis*

373

en mí. Quisiera gritarlo
apoyada en la veleta.
Y no me quema en el dedo
mi anillo de desposada,   55
antes tiemblo como tiemblan
las Pléyades cuando salen.

FERNANDO

Mariana, me estáis hiriendo
demasiado la ilusión,

Pág. 20

pájaro loco y sin alas   60
va como un barco sin norte.

MARIANA

Y mi amor está oscilando
entre la luz y la sombra.

FERNANDO

Qué frío silencio evoca
un diapasón de azabache.   65
Siento como si me hubiera
puesto anciano en un segundo.

---

    gritarlo
52 *decirlo*
54-57 Se intercalan en letra pequeña en el margen derecho.
59 *mi* +la
    pajaro loco y sin alas
60 *Sangra sombra sobre mi costado*
    oscilando
62 *en equilibrio* [«Y» agregado a: Mi amor está]
        frio   evoca
64 Que El silencio *vibra como*

Usted se porta muy mal
con una mujer que ruega
rodeada de peligros   70
y acechanzas. Una pobre
mujer que no tiene amigos
cuyo amante estaba preso
por la causa noble y vieja
de la Libertad, que ahora   75
pisa el Borbón insolente.
Logra escaparse vestido
de capuchino, me escribe
que le mande con quien pueda
su pasaporte que tengo   80
y un caballo porque debe
mudar esta noche mismo
de domicilio y al alba
internarse por la sierra.

Pág. 21

Antes que Pedrosa logre   85
estrechar el cerco, ¡le pido

Usted se porta muy mal
68 *Fernando, os portais muy mal*
69 *os* ruega
70 peligros *y acechanzas*
   con quien pueda
79 *una persona*
80 *con una* su pasaporte
   un caballo
81 *una capa* porque *tiene* debe
83 *casa* domicilio
   internarse por
84 partir *rapido dirigir*
   le
86 *os*

porque no tengo con quién
y tras un esfuerzo enorme
que me socorra y usted,
después de haber aceptado, 90
al saber la causa, ¡no!,
¡imposible!, ¡no!, contesta
¡porque me quiere! ¿Esto es justo?
Yo no debí nunca hablarle.
¿Peto a quién entonces? Vi 95
que usted era noble y valiente.
Y compréndalo, ¡mi vida!,
Pedro de Sotomayor,
necesita de mi auxilio...
¡Conozco toda mi infamia 100
al proponer esto, pero
el escozor y relumbre
de mi amor me hacen hablar!

FERNANDO

A qué extraño laberinto
de espejos me habéis llevado. 105

---

tras
88 *Y despuas de* un *gran* esfuerzo enorme
 me socorr*ais* + a
89 que *me ayudeis*
90 *habl* haber
 me quiere ¿esto es justo?
92 *este decís* + dice
93 *me quereis ¿es justo?*
 hablarle
94 *hablaros*
 comprendalo
97 *comprendelo*
 ¡Conozco
100 ¡Comprendo
 al proponer
101 *al deciros*

Todo está perdido, todo
si esta noche no se va.

FERNANDO

*(Que ha estado abatidísimo durante esta
escena.)*

Iré, Mariana, ¡perdón!   110
Ahora mismo. Ya me han puesto
la mortaja y la corona.
Siento sobre mi cabeza
girar impasibles todas
las veletas de Granada.   115

Pág. 22

Iré, Mariana. Ahora mismo.
No pueden volar los pájaros,
se romperían la cabeza,
sobre el tejado del aire,
¿verdad? Sí, ahora iré en su busca.   120
¡Pedro de Sotomayor!,
¿amas tu Libertad
más que a Marianita?

(A MARIANA.)

Iré.   125

_____

la mortaja y la corona.
112 *la corona y la mortaja.*
118 (Ilegible) Se
     tu
122 *a la*

(Se pone la capa.)

MARIANA

¡Fernando, qué mala soy!
Mujer sin alma y sin ley
que te lanzo a los peligros,
¿en nombre de qué? ¡No vayas! 130

(Arrodillándose.)

¡Déjame morir perdida!
¡Como una estrella en las olas!

FERNANDO

Levántese. Vuestros ojos
son los que me dicen ¡vete! 135
No puedo verlos llorar.

MARIANA

¡Perdón, perdón, niño amigo!
Das flor a cambio de víbora.

Levántese (?)
134 *¡Levantad!   Son* vuestros

¡vete!
135 «Son» agregados a «los que [...] *que vaya.*»
134-136 Una línea vertical los abarca en el margen derecho con un
signo le interrogación.
[137] *Yo soy vuestro.*
Perdon, perdon!, niño amigo,
Niño amigo Perdonadme
Niño amigo
137 *Perdonadme, niño amigo!*
138 D*ais* +as

378

FERNANDO

Flor y víbora es lo mismo
cuando se está ciego. Vengan   140
los papeles.

MARIANA

(Yendo a sacarlos de una cómoda.)

Si usted supiera
cuánto ha sufrido Don Pedro.
Usted será amigo suyo,   145
¡es tan noble!, y...

FERNANDO

Ahora mismo
voy en su busca.

MARIANA

Él está
en la casa de Don Luis...   150

[139-140] *Vuestras manos para mi*
        tienen guantes de aire frio helado
   Dadme
140 *Me dais* Vengan
142 (Yendo... cómoda.) Intercalado con letra muy pequeña.
        usted supiera
143 (?) *supierais*
146 *Y+* ¡es... noble! y *A*
149-154 Insertados en letra diminuta hacia el margen derecho.

Ya lo sé. Dentro de poco
podrá marcharse.

MARIANA

(Emocionadísima y dándole la mano.)

Apresuraros, Fernando.

FERNANDO

(Cogiéndole las manos.) 155

Estas manos para mí
tienen guantes de aire frío,

(Inicia el mutis.)

MARIANA

Dios pague su caridad
y a mí me perdone. 160

FERNANDO

(Casi sin fuerzas.)

¡Adiós.

---

153 Insertada la acotación.
Apresuraros.
154 *Fernando (?)*
Estas
156 *Vuestras*
156-157 Estos dos versos con escasa variante se tachan al comienzo de
la página 23.

(En la puerta.)

Pedro de Sotomayor,
¿amas tú la Libertad   165
más que a Marianita?...
                                       ¡Adiós!

(Se va.)

> (MARIANA *sale tras él llevando un cande-*
> *labro.)*   170

ESCENA XI

(La escena queda solitaria. En su ambiente
hay un profundo olor de flores viejas. DOÑA
ANGUSTIAS *sale.)*

ANGUSTIAS

¿Niña, dónde estás?, niña.   175
Pero, Señor, ¿qué es esto?
¡Mariana!

(Aparece MARIANA *con el candelabro.)*

MARIANA

          Acompañé,
a Fernando.   180

Acompañé
179 *Fui a alumbrar*

ANGUSTIAS

¡Qué juego
inventaron tus hijos!
Vengo por ti, hija mía,
regáñales.

MARIANA

(Soltando el candelabro.)   185

¿Qué hicieron?

Pág. 25

ANGUSTIAS

La bandera que bordas
con tanto secreto
porque lo es menester
han encontrado y luego   190
se han tendido sobre ella
haciéndose los muertos.
Tilín, talán, abuela,
dile al curita nuestro
y al sacristán que doblen   195
por dos niños pequeños.
Ya vienen los obispos,
decían, *uri memento,*

---

     con
188 *que bo*
[189-190] *alcanzaron del sitio*
       donde la habías tu pu (?)
   encontrado
190 *alcanzado*
198 *uri mimento*

382

cerraremos los ojos
y que nos lleven... Vengo   200
muy mal impresionada.
Y me da mucho miedo
la dichosa bandera.

MARIANA

(Aterrada.)

¿Pero dónde la vieron?   205
¡Estaba bien oculta!

ANGUSTIAS

Mariana, triste tiempo.

MARIANA

(Abrazándola.)

¡Qué corazón tan loco!

Pág. 26

ANGUSTIAS

¡Qué corazón tan nuevo!   210

(Se oyen risas de niños.)

---

[202] *Quitales la*

la dichosa
203 *verles con* la

¡Vamos, qué niños! Vamos,
¿cómo alcanzaron eso?
Tendré que disgustarme.

ANGUSTIAS

¡Mariana, piensa en ellos!   215

(Se va llevando su candelabro.)

MARIANA

(Cogiendo otro.)

Sí, sí, tiene razón.
Tiene razón... no pienso...

TELÓN
FIN DEL ACTO PRIMERO

---

215 *P*iensa +p
    Tiene razon
219 *¡Mala madre!*

MARIANA

Las horas lloran por medio
de tus campanas. El día
tiene el silbato del viento
y el agua su larga risa.
Yo sola siempre callando   5
encadenada y fingida.

---

1 Toda la estrofa ha sido anulada con una cruz. A un costado se lee en
forma vertical hacia el margen derecho: «Si a ti te hubiera dado». La lectura de la última palabra es dudosa.

2 ías + tus

4 *Yo sola siempre callando*

En la mitad inferior de la página el autor escribió en el margen derecho, en forma vertical, lo siguiente: «La obra está hecha en romances de
siete, diez y once sílabas, y verso libre». A la altura del primer verso figura
un numero 18.

Fragmento 3

Comprende una sola cuartilla de 15 × 21 cm, escrita con tinta verde, sólo de un lado, en la parte superior de la página. Pertenece a la Estampa segunda y describe el atuendo del Conspirador 4.º.

CONPIRADOR 4.º

(Sombrero puntiagudo de alas de terciopelo adornado con borlas de seda y chaqueta con bordados y aplicaciones de paño de todos colores en los codos, en la bocamanga y en el cuello. El pantalón de vueltas sujeto por botones de filigrana, las polainas 5 *de cuero, abiertas por un costado dejando ver la pierna.)*

---

1 Cons 4.º Sombrero

  terciopelo
1-2 alas *de seda*

  seda
2 borlas de *terciopelo* y *la* chaqueta
3-4 codos, *y* en la

Fragmento 4

Comprende dos cuartillas de 15,6 × 21,5 cm, escritas con tinta negra, de una sola cara y numeradas 19 y 20, y cinco cuartillas de 15 × 21 cm, escritas también de un solo lado. Continúan la numeración anterior, de la 21 a la 25, inclusive. Escena de Mariana, Clavela, Pedro y conspiradores y escena de Pedrosa y Mariana del final de la Estampa segunda. Según la numeración de este manuscrito corresponden al fin de la escena VII, y a las escenas VIII y IX.

Pág. 19

PEDRO

(Enlazándola.)

No temas. Ya verás como no es nada.

(Todos están con las capas puestas y llenos de inquietud.)

CLAVELA

(Entrando, casi ahogada.)   5

---

1 Intercalado con letra diminuta.
3-4 Igualmente, hacia el margen derecho.
5 Al parecer también insertado con letra pequeña.

¡Ay señora! Dos hombres embozados
y Pedrosa con ellos...

MARIANA

(Gritando.)

¡Pedro, vete!
¡Y todos, Virgen Santa! Pronto!   10

PEDRO

¡Vamos!

(CLAVELA *quita la copa y apaga los candelabros.*)

CONSPIRADOR 2.º

Es indigno dejarla.

MARIANA

(A PEDRO.*)*

¡Date prisa!   15

PEDRO

¿Pero, por dónde?

MARIANA

¡Ay!, ¿por dónde?

---

10 y todos *ay* Virgen Santa! ¡pronto!

CLAVELA

Están llamando.

MARIANA

(Iluminada.)

Por aquella ventana del pasillo   20
saltaréis fácilmente. Ese tejado
está cerca del suelo.

CONSPIRADOR 2.º

¡No debemos
dejarla abandonada!

PEDRO

¡Es necesario!   25

MARIANA

Sí, sí. Vete enseguida.

PEDRO

(Abrazándola.)

Adiós, Mariana.

---

19 Intercalado con letra pequeña.
   aquella ventana
20 *esa ventanita*
[22] *(Va saliendo)*
23 No debemos
24 ¡dejarla abandonada!
27 (abrazando)

(Sale rápidamente.)

Pág. 20

> *(Van saliendo los conspiradores.* Clavela *está*   30
> *asomada a una rendija del balcón que da a la*
> *calle.)*

MARIANA

Pedro... y todos que tengáis cuidado.

> *(Cierra la puertecilla de la izquierda que es por*
> *donde han salido.)*   35

Abre, Clavela. Soy una mujer
que va atada a la cola de un caballo.

> *(Sale* Clavela *con un candelabro.)*

Él no debió de... ¡Loca! Por ahí
se perderán muy pronto por el campo.   40
Dios mío, acuérdate de tu Pasión
y de las llagas de tus manos.

> *(Se dirige rápidamente al piano, se sienta.*
> *Entonces comienza a preludiar la bellísima*
> *canción de Manuel García, «El contraban-*   45
> *dista»).*

34-35 Parecen agregados con letra pequeña al margen derecho.
39-40 Insertados en el margen derecho con letra diminuta.
45 canción *del contra* de

ESCENA VIII

MARIANA

(Cantando.)

Yo que soy contrabandista   50
y campo por mis respetos
y a todos los desafío
porque a nadie tengo miedo.
¡Ay! ¡ay!

     etc.

(Las cortinas del fondo se levantan y aparecen 55
CLAVELA *aterrada con el candelabro y* PEDROSA
vestido de negro detrás. Silencio. PEDROSA *es un
tipo alto y seco. Dirá todas las frases con gran ironía y mirará minuciosamente a todos lados.)*

ESCENA IX   60

MARIANA

(Levantándose.)

Adelante.

PEDROSA

(Adelantándose.)

---

47 En el margen derecho: (Esto no) (?) No hay persona en Granada
que no este comprometida) [Englobado con una línea.]

¡Señora! No interrumpa
por mí la cancioncilla que ahora mismo   65
empezó.

MARIANA

La noche estaba triste
y me puse a cantar.

Pág. 21

PEDROSA

Noche muy buena
para bordar o hacer encaje... Dicen   70
que borda usted muy bien.

MARIANA

(Aterrada.)

Lo hice de niña.

PEDROSA

El rey nuestro señor que Dios proteja

(Se inclina.)   75

es un gran bordador. En Valençay
bordaba con su augusto tío el infante.

---

empezó
66 empezasteis
Lo hice de niña.
73 *me gusta mucho.*
En Valençay
76 bordador *también.*
77 Intercalado con letra más chica.

392

(Angustiada.)

Don Antonio que en gloria haya. ¡Dios mío!

PEDROSA

Continúe la canción. Con mucho gusto   80
oiré esa voz tan clara.

MARIANA

Ya no canto.
Cuando se tienen hijos falta tiempo.

PEDROSA

Muchas ocupaciones, ¿verdad? ¡Es claro!

MARIANA

(Sentándose en el piano.)   85

Virgen de las Angustias.

PEDROSA

Cuando quiera.

---

haya
79 *esté*
falta tiempo
83 *no hay lugar*
85 Intercalado.
Cuando quiera
87 *Ya la escucho.*

¡Pedro con los demás ya está seguro!
   ¡Ay que la ronda ya viene!
   y se empezó el tiroteo.   90
   ¡Ay! ¡ay!, caballito mío,
   caballo mío, ve ligero.
   ¡Ay, ay!

Pág. 22

   (Durante esta escena PEDROSA *se ha le-*
   vantado y se va acercando lentamente a 95
   MARIANA; *ésta lo ve de reojo y su voz*
   tiembla de ira y miedo. / Se acerca casi
   hasta rozarla y con el afán de ver la mú-
   sica acerca su cabeza a la de ella y en ese
   momento MARIANA *se levanta rápidamen-* 100
   te, y cogiéndolo de la solapa lo retira con
   violencia.)

MARIANA

¿Qué piensa de mí? ¡Diga!

PEDROSA

   (Temblando.)

Muchas cosas.   105

---

   empezó
  90 *acabo*
  91 ¡ay!
  93 ¡ay!
  101-102 *violentamente.* con violencia
     piensa de mí ¡diga!
  103 *pensais de mi casa?*
     (temblando)
  104 *(con ira)*

¿Piensa que yo estoy sola? ¿Qué pretende?
No tengo miedo a nadie y a usted menos
que vino de Madrid para asustarnos.
Mi casa es limpia, ¿qué pretende usted?
Pero sé defenderme. ¡Salga pronto!   110

Pedrosa

(Irónico.)

Mi señora Mariana.

(Se acerca.)

                    Esté serena.
No olvide que yo puedo en un momento...   115
poner un gran collar alrededor
de ese cuello admirable.

Mariana

                    ¡No se acerque!
De lejos siento el frío que lo rodea.

---

107 Que vino
111 Intercalado con letra diminuta.
113 Intercalado con igual letra.
    Poner un gran
116 *poner un gr*
119 lejos *lejos*

Mariana, no presuma. Al fin y al cabo   120
es hija de quien...

¡Eso no! ¡Silencio!
¡Hablad de mí! ¡Señor, es demasiado!

Pág. 23

Conozco bien tu mano y tu castigo.

Yo soy el hombre que tiene las llaves.   125
Los fuertes muros se abrirán si quiero.
¡Piense en esto!

(Enérgica.)

¡De nada necesito!

¡Está muy bien! Pero con estas manos   130

(Las coge.)

---

120 no presuma al fin y al cabo
       es hija de quien
       vuestra madre no fue
121 *es hija de una*

sé que ha bordado usted una bandera
en contra de las leyes y del rey.

MARIANA

(Como loca.)

¡Es mentira! ¡Lo niego!   135

PEDROSA

(Frío.)

La bandera
está ya en mi poder y vuestra vida.

MARIANA

(Sin darse cuenta.)

¡Es mentira, mentira!   140

PEDROSA

Sé también
que hay gente complicada. Y yo exijo
que usted diga sus nombres. Le prometo
salvarla si los dice.

MARIANA

(Abrazando a PEDROSA.*)*   145

¡Ay, Dios mío!
Tenga piedad de mí. ¡Si usted supiera!

_____

147 de mi; si usted

Yo nunca quise mal al rey ni a nadie.
Déjeme que me vaya. Guardaré
su nombre en las dos niñas de mis ojos.   150
Olvide a esta mujer loca. Lo pido
en el nombre de Cristo.

PEDROSA

(Sensual y terrible, abrazando a MARIANA.)

Sí, Mariana.

Pág. 24

Su cuello hace olvidar. Todo ha pasado.   155
No existe la bandera. ¡Sí, Mariana!

MARIANA

(Al ver cerca de sus labios los de PEDROSA *da un*
grito y lo rechaza.)

¡Nunca, nunca! Primero doy mi sangre
con mi honra y con mis hijos. ¡Todo! ¡Salga!   160

PEDROSA

¡Usted misma se pierde!

MARIANA

                    ¡Qué me importa!
Yo bordé la bandera con mis manos

_____

153 (sensual y terrible abrazando a Mar [Esto último va subrayado.]
159 mi sangre,
    con mi honra y con mis hijos
160 *mis hijos y mi casa*

398

y conozco los grandes caballeros
que izarla pretendían en Granada.   165
Mas no diré sus nombres. Y han estado
aquí esta noche misma, ¡en este sitio!
Pero ya están muy lejos.

    (PEDROSA *lleno de ira y despecho se dirige a la*
    puerta.)   170

              Es inútil.
No puede figurarse quiénes son
y ya están en sus casas.

    (*Ríe dramáticamente.*)

PEDROSA

            Por la fuerza   175
delatará: Los hierros hacen daño.

MARIANA

¿Por la fuerza? ¡Cobarde! Usted no sabe
lo que una granadina hace cuando ama.

    (*Aparece la* CLAVELA *por la puerta del fondo,*
    aterrada, con las manos cruzadas.)   180

¡Pedrosa, aquí me tiene!

---

        en
167 misma ¡y este sitio!
172 No (?) puede
   delatara
176 *Dirá quién son*

Queda usted

Pág. 25

detenida en el nombre de la ley.

(Sale.)

CLAVELA

¡Ay, señora; mi niña, clavelito!   185
Prenda de mis entrañas.

MARIANA

Isabel,
yo me voy. Dame el chal.

CLAVELA

(Se lo da.)
                              Sálvese pronto.   190

(Lluvia otra vez, se asoma a la ventana.)

MARIANA

Me iré casa don Luis. ¿Sigue lloviendo?

---

185 Ay señora mi niña clavelito!
189 Insertado al parecer en el margen derecho con letra pequeña.

CLAVELA

¡Se han quedado en la puerta! ¡No se puede!

MARIANA

¡Claro está!

> (*Señalando el sitio por donde se han ido los* 195
> *otros.*)

> ¡Por aquí!

CLAVELA

¡Es imposible!

(*Al entrar* MARIANA *en la puerta aparece doña*
ANGUSTIAS.)   200

ANGUSTIAS

¿Mariana, dónde vas? Tu niña llora.

MARIANA

(*Volviéndose.*)

Estoy presa, presa y deshonrada.

(*Las dos mujeres la abrazan.*)

195-196 Parece intercalado con letra diminuta.

¡Marianita!

Mariana

¡Ahora empiezo a morir!

TELÓN RÁPIDO

---

[206] *¡Ahora empiezo a morir ama! ahora!*

Fragmento 5

Comprende una sola cuartilla, escrita de un solo lado, con tinta negra, sin numeración. Intervienen Pedrosa, la Madre Carmen y después Mariana en uno de sus monólogos líricos. En la versión a la que pertenece se ubica como fin de la escena VII y comienzo de la VIII de la Estampa tercera.

PEDROSA

(A la monja CARMEN *que se le acerca.)*

¡Vigilen a Mariana! Es peligrosa.

(A MARIANA.)

Tendré un placer muy grande si me avisa.

(Va saliendo.)   5

CARMEN

¡Es muy buena, señor, y es inocente!

(Salen.)

_____

2 a Mariana es pelig...

MARIANA

(En éxtasis.)   10

Recuerdo aquella copla que decía
cruzando los olivos de Granada:
«Ay qué fragatita
real corsaria, ¿dónde está
tu lozanía?   15
Que un velero bergantín
te ha puesto la puntería».
Entre el mar y las estrellas
¡con qué gusto pasearía!
apoyada sobre una   20
larga baranda de brisa.
Pedro, coge tu caballo
o ven montado en el día,
pero pronto que ya vienen
para quitarme la vida.   25
Clava las duras espuelas.
«Ay qué fragatita
real corsaria, ¿dónde está
tu valentía?
Que un velero bergantín   30
te ha puesto la puntería».

---

12 Granada,

                    esta
14 corsaria *donde fué*
25 vida
26 clava
28 corsaria donde *fue* está

Fragmentos de romances
sobre Mariana Pineda

Comprenden dos cuartillas de 15 × 16,6 cm. Contiene fragmentos de romances sobre la heroína de Granada, al parecer recogidos de boca de doña Antonia Urdambidelus.

Pág. 1

>Oh qué día tan triste en Granada
>Que a las piedras les hizo llorar
>Sólo al ver que Marianita muere
>En cadalso por no declarar.
>
>Marianita sentada en su cuarto   5
>así sola se puso a pensar:
>Si Pedrosa me viera bordando
>la bandera de la libertad.
>
>Marianita salió de paseo
>Oh Pedrosa, cómo me vendiste.   10
>Oh Pedrosa, no fuiste leal.

---

7 Si pedrosa
10 Pedrosa como me
11 Pedrosa no

Del registro que en mi casa ha habido
varias pruebas amigos me dan.

A sus hijos los ponen delante
Por si algo pueden conseguir   15

Pág. 2

Y responde más firme y constante:
«No declaro pues quiero morir».

Huerfanitos sin padre ni madre,
Hijos míos de mi corazón,
Hoy se muere la que tanto tiempo   20
Con sus pechos os alimentó.

Ciudadanos, un favor os pido
que yo espero me lo otorgaréis:
que a mi alma le recéis un Credo
y a mis hijos no desamparéis.   25

Copiado de
Doña Antonia Urdambidelus.

---

12 Del *El* registro
    amigos
13 *de amigos*
16 constante
18 madre
19 corazón
21 con sus pechos
23 otorgareis